MR BIG

Olivia Goldsmith

MR **BIG**

the house of books

Dank voor het citeren van enkele regels uit 'The Hokey Pokey'
copyright © 1950 Sony/ATV Songs LLC. Met toestemming
overgenomen. All rights by Sony/ATV Music Publishing.

Uitgave
Warner Books, New York
Oorspronkelijke titel
Dumping Billy
Copyright © 2004 by Olivia Goldsmith
Copyright voor het Nederlandse taalgebied © 2004 by
The House of Books, Vianen/Antwerpen

Vertaling
Ellis Post Uiterweer
Omslagontwerp
studio-mv.com
Omslagdia
The Image Bank
Foto auteur
Joyce Ravid
Zetwerk
ZetSpiegel, Best

ISBN 90 443 1135 2
D/2004/8899/153
NUR 302

Voor Nina

EN VOOR

Ethel Esther Brandsfronbrener Schutz
die van boeken, mango's en sinaasappels houdt, en van mij

Woord van dank

Aangezien dit mijn tiende roman is, is het een beetje laat om mijn lezers te bedanken. Schrijven is een eenzaam beroep, en het is heerlijk om lieve brieven te krijgen en om warm te worden verwelkomd in de boekhandel, en het is ook heerlijk dat jullie genoeg boeken van me kopen om me aan het werk te houden. Er zijn niet veel auteurs zo gelukkig dat ze er geen baantje bij hoeven te hebben, en ik ben iedereen dan ook dankbaar die mijn boeken heeft gekocht. Ik hoop dat ze voor veel plezier en inzicht zorgen.

Ik wil in het bijzonder Jamie Raab bedanken omdat hij in me gelooft en me steunt; dank je, Larry Kirshbaum, omdat je om mijn grapjes lacht en me af en toe mee uit lunchen neemt; dank je, Nick Ellison, omdat je Nick bent; dank aan Onieal's Restaurant, mijn onofficiële kantoor, en het aardige personeel, zoals Chris Onieal, Nicole Blackham, Kristen Collen, Kristin Prinzo, Jacqueline Hegarty, Anna Schmidt, Stuart Bruce, Lauren Reid en Jodie McMurty.

Vooral dank aan John Claflin van Colours, die niet alleen mijn huis gebouwd (en geschilderd!) heeft, maar me ook steeds weer uit de nesten wist te helpen. Dank jullie, Jed Schutz, voor alle hulp; Roy Greenberg voor zijn goede humeur en wetskennis; PG Kain voor zijn creativiteit en medewerking; en zoals altijd Nan Robinson die zo veel heeft bijgedragen. En iedereen die ik ben vergeten, jullie weten het zelf wel. Bedankt.

1

Katherine Sean Jameson zat achter haar bureau en keek haar cliënt aan. Het werk van therapeut was niet eenvoudig, maar met een cliënt die zoveel hulp nodig had en die zich zo verzette, was het echt zwaar. En hartbrekend. Een buitenstaander zou Kate een aantrekkelijk meisje van vierentwintig vinden (hoewel ze eigenlijk eenendertig was) met lang, rood, krullend haar.

Terwijl ze naar Brian Conroy keek, maakte ze zonder erbij na te denken met haar vingers behendig een soort knot van die krullen en stak er een potlood door om alles bij elkaar te houden.

'Wat denk je zelf?' vroeg Kate, en kon vervolgens haar tong wel afbijten. Ook al dachten leken er anders over, een therapeut was niet de hele dag bezig mensen te vragen wat ze er zelf van dachten. Ze moest een andere benadering verzinnen. Zo verspilde ze niet alleen haar eigen tijd, maar ook die van Brian. Waarom waren de cliënten op wie ze het meest gesteld was, tegelijkertijd het moeilijkst te helpen?

Het was warm. Er was in Kates praktijkruimte geen airconditioning, en het briesje dat door het open raam kwam voelde prettig in haar hals. Brian, die haar indringend aankeek, transpireerde flink, maar dat kon net zo goed van de zenuwen zijn als van de warmte zo vroeg in de lente.

Kate bleef zwijgend zitten. Zwijgen was een belangrijk onderdeel van haar werk, maar het ging niet vanzelf. Ze had echter geleerd dat er soms alleen maar stilte en tijd nodig waren.

Maar vandaag kennelijk niet. Brian keek een beetje schuldig weg en liet zijn blik door het vertrek dwalen. De muren hingen vol kindertekeningen – waarvan sommige nogal verontrustend.

Kate hield Brian in de gaten om te zien welke zijn aandacht zou trekken.

Ze onderdrukte een zucht. Met Brian had ze veel geduld, maar ze wist dat de tijd doorliep, en het was beter voor hem als er snel resultaat werd geboekt. Brian bevond zich in een crisissituatie. Vol medeleven keek ze naar haar achtjarige 'cliënt'. Zijn juf zei dat hij voortdurend de les verstoorde, en dat hij tekenen vertoonde van dwangneurotisch of misschien zelfs schizofreen gedrag.

En op de Andrew Country Day School was het verstoren van de les uit den boze. Deze privé-school in de beste buurt van Manhattan liet alleen het beste van het beste toe – en dat gold zowel voor de leerlingen als voor het personeel. Alle mogelijke voorzieningen waren voorhanden, van een zwembad tot een hypermodern computerlokaal, en ook nog lessen in vreemde talen voor zesjarigen, waaronder Japans en Frans. Daarom beschikte de school ook over een psycholoog. Kate had dit baantje in luilekkerland nog maar pas, en kinderen als Brian die 'moeilijk gedrag' vertoonden, waren onmiddellijk naar haar toe gestuurd. Niets mocht het dagelijks leerproces van de elitekinderen verstoren.

'Weet je waarom je hier bent, Brian?' vroeg ze vriendelijk. Brian schudde zijn hoofd. Kate stond op, liep om haar bureau heen en ging op een van de stoeltjes naast Brian zitten. 'Kun je dat niet raden?' Hij schudde zijn hoofd. 'Denk je dat het misschien is omdat je op school hondjesdrop hebt gegeten?'

Hij keek haar even aan en schudde toen weer zijn hoofd. 'Hondjesdrop bestaat niet.'

'Zoute muntdrop?' vroeg Kate. Weer schudde Brian zijn hoofd. 'Boterhammetjes met pindakaas en olifantenslurf, in de klas?'

'Het was niet omdat ik iets at,' zei hij. Fluisterend voegde hij eraan toe: 'Het was voor praten. Praten onder de les.'

Toen Kate knikte, tuimelde het potlood uit haar knotje, en haar haar golfde over haar schouders terwijl het potlood kletterend op de grond viel. Brian lachte, hij giechelde hardop voordat hij zijn hand voor de mond sloeg. Mooi, dacht Kate. Ze boog zich naar haar patiëntje toe. 'Je bent hier niet omdat je onder de les praat, Brian. Als je alleen maar had gepraat, zou je wel naar de directeur zijn gestuurd, toch?'

Brian hief zijn aanbiddelijke gezichtje op en keek Kate met grote angstogen aan. 'Ben jij nog erger dan de directeur?' vroeg hij.

Kate voelde op dat moment zo met het jongetje mee dat ze in de verleiding kwam zijn hand te pakken, maar hij was zo gespannen dat ze bang was dat dat averechts zou werken. Je moest in dit vak behoedzaam te werk gaan – net of je met Venetiaans glas omging, dat door het kleinste schokje al kon breken – en ze voelde zich vaak erg onhandig.

'Niemand is erger dan de directeur,' zei ze. Toen lachte ze en knipoogde naar Brian. Geen van de kinderen van Andrew Country Day vond dr. McKay aardig en zoals zo vaak hadden ze het intuïtief bij het rechte eind. 'Vind je me net zo erg als dr. McKay?' vroeg ze, alsof ze ontzet was.

Brian schudde heftig zijn hoofd.

'Gelukkig maar. In ieder geval doe ik heel andere dingen. Je bent niet voor straf naar mij gestuurd. Je hebt niets verkeerds gedaan. Maar iedereen hoort je praten – ook als je het tegen niemand hebt.' Ze zag dat Brians ogen zich met tranen vulden.

'Ik zal voortaan stil zijn,' beloofde hij. Kate had hem wel bij zich op schoot willen nemen om hem eens lekker te laten uithuilen. Per slot van rekening was zijn moeder aan kanker gestorven, en hij was nog zo jong. Kates eigen moeder was overleden toen ze elf was, en dat was bijna onverdraaglijk geweest.

Ze durfde nu wel zijn hand te pakken. 'Je hoeft niet stil te zijn, Brian,' zei ze. 'Je mag best af en toe praten. Maar ik zou graag willen weten wat je allemaal zegt.'

Brian schudde weer zijn hoofd, en hij keek ook weer bang in plaats van verdrietig. 'Dat mag ik niet vertellen,' fluisterde hij. Toen draaide hij zijn gezicht af. Hij mompelde iets, en Kate ving daar een woord van op en dat was genoeg.

Langzaam aan, hield ze zichzelf voor. Langzaam aan en voor-

11

zichtig. 'Je gebruikt tovenarij?' vroeg ze. Brian knikte, nog steeds met zijn gezicht afgewend, maar hij zei niets. Kate werd bang dat ze toch te ver was gegaan. Ze hield haar adem in. Toen, na een hele tijd, vroeg ze hem fluisterend: 'Waarom mag je het niet vertellen?'

'Omdat...' begon Brian, en ineens barstte hij los: 'Omdat het tovenarij is, en daar mag je het niet over hebben want anders komt je wens niet uit. Net als bij kaarsjes op een verjaarstaart. Dat weet toch iedereen?' Hij stond op en liep naar de hoek van de kamer. Eigenlijk voelde Kate zich opgelucht. De jongen was niet schizofreen. Hij zat gevangen in iets typisch kinderlijks: absolute machteloosheid, gecombineerd met een hopeloos verlangen en schuldgevoelens. Een giftig mengsel. Kate gaf hem de tijd, ze wilde niet dat hij het gevoel kreeg dat hij in de val was gelopen. Maar ze mocht hem ook niet alleen laten met zijn verdriet. Langzaam liep ze op hem toe, een beetje zoals je op een jong hondje toe loopt dat jou nog niet kent. Ze legde haar hand op zijn schoudertje. 'Je wens heeft met je moeder te maken, hè?' vroeg ze zo neutraal mogelijk. Brian had geen behoefte aan haar gevoelens – hij had het al moeilijk genoeg met de zijne. 'Toch?'

Brian keek op en knikte. Hij zag er behoedzaam opgelucht uit. Kate werd altijd diep geroerd door de akelige last van kindergeheimen. Hoewel ze van haar katholieke geloof af was, kende ze nog de verlossende kracht van de biecht. Ze moest dit kind goed helpen. 'Wat wens je dan?' vroeg ze zo vriendelijk mogelijk.

Brian barstte in tranen uit. Zijn anders zo bleke gezicht liep rood aan. Door zijn tranen heen zei hij: 'Ik dacht dat als ik een miljoen keer zei: "Mamma, kom terug," dat ze dan zou terugkomen.' Snikkend verborg hij zijn gezicht in Kates rok. 'Maar het werkt niet. Ik heb het al twee miljoen keer gezegd.'

De tranen sprongen Kate in de ogen. Ze voelde Brians warme gezichtje door de dunne stof van haar rok heen. Weg met beroepsmatig afstand houden! Ze nam hem in haar armen en droeg hem naar een van de stoeltjes. Het jongetje nestelde zich tegen haar aan. Na een tijdje hield hij op met huilen, maar zijn stille verlangen was misschien wel nog treuriger. Even bleven ze zo zitten, maar Kate wist dat deze sessie bijna was afgelopen, en ze moest iets zeggen. 'O Brian, ik vind het zo naar voor je,' zei ze. 'Maar tovenarij werkt niet. Ik wilde dat het anders was... De artsen hebben al het mogelijke voor je moeder gedaan, maar ze konden haar niet beter maken, en daar kun je met tovenarij niets aan veranderen.' Ze zweeg even. 'Het is niet jouw schuld dat je moeder niet kan terugkomen.' Het hart van een kind breken, ook al was dat voor hun eigen bestwil, was geen onderdeel van haar taakomschrijving. 'Maar terugkomen kan ze niet, ook niet met tovenarij.'

Plotseling duwde hij haar weg, hij worstelde zich uit haar omhelzing. Hij ging staan en keek haar woedend aan. 'Waarom niet?' vroeg hij kwaad. 'Waarom werkt mijn tovenarij niet?' Hij wierp haar nog een boze blik toe, toen gaf hij haar een duw en stormde de kamer uit, waarbij hij onderweg bijna een poppenhuis omverduwde. De deur sloeg zo hard dicht dat die weer opensprong. Verderop in de gang hoorde ze iemand – Elliot Winston – die Brian probeerde tegen te houden. 'Hou je vieze kop, rotlul!' schreeuwde Brian. Kate vertrok haar gezicht en luisterde naar Brians voetstappen die wegstierven.

Even later stak Elliot zijn hoofd om de deur. 'Weer een tevreden klant?' vroeg hij, zijn wenkbrauwen hoog opgetrokken, bijna tot zijn terugtrekkende haargrens. 'Misschien had je je beter bij het Frans kunnen houden.'

Kate had haar propedeuse Frans behaald. Maar ze had er geen spijt van dat ze daar niet in door was gegaan, omdat het werken met kinderen zo bevredigend was. Maar soms, vooral op dit soort momenten, kon Elliot – wiskundeleraar en haar beste vriend – het niet laten haar met haar ommezwaai te plagen.

'In het Duits zou hij *riechende Steine* hebben gezegd, maar wat zou je in het Frans zeggen?'

'Ik zou zeggen dat je heel vervelend bent,' reageerde Kate. 'Dat is genoeg. En ik zou ook zeggen dat Brian en ik vorderingen hebben geboekt. Vandaag vertelde hij me wat zijn ware gevoelens zijn.'

'Nou, hij vertelde me ook wat zijn ware gevoelens over mij en mijn geslachtsdelen zijn. Gefeliciteerd met je vorderingen.' Elliot liep de kamer in en ging in de gemakkelijke stoel naast het poppenhuis zitten – het enige meubelstuk dat op volwassenen was berekend, afgezien van Kates bureau en haar bureaustoel. Elliot had donker haar, was van gemiddelde lengte, van iets meer dan gemiddeld gewicht, en had een veel hoger dan gemiddeld IQ. Zoals gewoonlijk droeg hij een gekreukte katoenen broek, een uitgelubberd T-shirt en daaroverheen een overhemd in een kleur die nergens bij paste. Hij legde zijn voeten op de speelgoedkist en opende het zakje waar zijn lunch in zat.

Kate zuchtte ervan. Zij en Elliot aten meestal samen hun lunch. Maar deze dag had Elliot de gevreesde taak toezicht in de kantine te houden, daarom kreeg hij nu pas, om halfdrie, de kans iets te eten. Ze genoot van zijn gezelschap, maar na haar sessie met Brian was ze verdrietig. Elliot, de verschrikkingen van de kantine nog vers in het geheugen, was zich van niets bewust terwijl hij in het zakje graaide en zijn tanden zette in een boterham die verdacht naar cornedbeef rook.

'Brian zit toch in de klas van Sharon?' vroeg Elliot iets te luchtig.

Kate knikte. 'Arm joch. Zijn moeder is net dood en zijn juf is de Boze Heks van Upper West Side.' Ze glimlachte. Elliot en zij zagen Sharon Kaplan allebei niet zitten, ze was een lakse onderwijzeres en een vrouw aan wie je je mateloos kon ergeren.

'Afgezien van een pas overleden moeder, wat zit Brian nog meer dwars?' vroeg Elliot.

Kate was niet in de stemming voor hun gebruikelijke luchtige plagerijtjes. 'Er zit mosterd op je kin,' zei ze, maar toen Elliot de klodder wilde afvegen, viel die op zijn overhemd.

'Oeps,' zei hij en maakte zonder veel resultaat zijn overhemd schoon met een van die harde papieren doekjes uit de schooltoiletten. De gele vlek stak fel af tegen het groen van zijn hemd. Kate dacht vaak dat het een soort sport was om hem te zien eten.

'Hij denkt dat hij zijn moeder met tovenarij kan terugbrengen,' zei ze met een weemoedige zucht.

'Zie je nou? Begrijp je wat ik bedoel? Ze zijn helemaal geobsedeerd door heksen en tovenaars. Die rottige Harry Potter ook!' zei Elliot en nam nog een hap van zijn brood. 'En wat is nu je behandeling?' vroeg hij met volle mond.

'Ik wil dat hij die tovenarij eraan geeft en zijn gevoelens van boosheid en verdriet onderkent,' antwoordde Kate.

'Oi oi!' zei Elliot met de beste Jiddische tongval die mogelijk was voor een homo uit Indiana. 'Wanneer hou je nou eens op met je queeste ieder jongetje op Andrew Country Day zijn ware gevoelens te laten onderkennen? En waarom geen tovenarij in dit geval? Dat joch heeft toch niks anders?'

'Kom op, Elliot! Omdat tovenarij niet bestaat, en hij mag niet denken dat het zijn schuld is dat het niet werkt.' Ze schudde haar hoofd. 'Dat ik jou dat moet uitleggen. Je bent opgeleid tot statisticus. Een man die van baan kan veranderen, die drie keer zoveel kan verdienen bij een verzekeringsbank. En jíj zegt dat ik hem moet aanmoedigen tovenarij te gebruiken?'

Elliot haalde zijn schouders op. 'Is jou nooit iets overkomen wat op tovenarij leek?'

Kate hapte niet. Elliot, die was opgegroeid in de Midwest en in hart en nieren stoïcijn, had ooit tegen haar gezegd: 'Het ononderzochte leven is het enige wat de moeite waard is te worden geleefd.' Hij twijfelde aan de werkzaamheid van psychologie. En alleen maar om haar op stang te jagen, begon hij over het nut van magie. 'Als je van plan bent een discussie te beginnen, ben je niet goed wijs,' waarschuwde ze hem. Toen, om hém op stang te jagen – en voor zijn eigen bestwil – voegde ze eraan toe: 'Cornedbeef is niet goed voor je. Te veel cholesterol.'

'Och, wat maakt het uit?' vroeg hij opgewekt en nam nog een hap.

'Volgens mij wil je dood,' zei Kate.

'O jee! Harde woorden van de zielknijper.' Spottend vertrok hij zijn gezicht en maakte een flesje Snapple open.

15

'Ik moet weg,' zei ze, en pakte wat papieren van het bureau om die in haar archiefkast te stoppen. Als ze nu ging, kon ze nog boodschappen doen vóór het afspraakje met haar vriendin Bina. Ze haalde lipstick en een spiegeltje uit haar tas, stiftte haar lippen bij en lachte breed om er zeker van te zijn dat er geen lipstick op haar tanden zat. 'Tot straks bij het eten.'

'Waar ga je naartoe?'

'Heb je niks mee te maken.'

'Is het geheim? Kom op, vertel het me! Anders doe ik net als Brian.' Elliot pakte iets uit de speelgoedkist en gooide toen een pluchen beertje naar Kate. 'Vertel je het me dan wel?' Het pluchen projectiel trof haar in het gezicht. Elliot krulde zich op in de stoel, hield zijn handen voor zijn gezicht en piepte: 'Het was een ongelukje, het spijt me, het spijt me, het spijt me.'

'Spijt ammehoela,' zei Kate en gooide de beer terug naar Elliot. Helaas miste ze.

'Je gooit als een meisje,' jouwde Elliot. Hij pakte een ander knuffelbeest en gooide dat naar haar. 'Bukken!' riep hij terwijl hij nog een beest pakte, deze keer een wollig geel eendje.

'Buk zelf, cijfernerd,' schreeuwde Kate terwijl ze Elliot met een donzig konijntje om zijn oren sloeg. Het was prettig even stoom af te blazen.

'Ze slaan me!' gilde Elliot opgetogen terwijl hij zich van de stoel liet glijden. 'Juf! Juffie! Ze slaan me!'

'Hou je mond, stomkop!' zei Kate en rende naar de deur om die dicht te doen. Ze draaide zich net op tijd om om een olifant in haar gezicht te krijgen. Het deed pijn, maar ze pakte de dikhuid en haalde ermee naar Elliot uit. 'Ik zál je slaan, jij ellendig pakhuis vol cholesterol,' riep ze dreigend terwijl ze zich op Elliot liet vallen en hem ervan langs gaf met de olifant.

Elliot vocht terug met een opblaasbare flamingo en een pluchen hond. Hij was dan wel homo, maar zeker geen doetje. Toen ze uitgeput raakten, ploften ze samen in de stoel neer en hijgden en lachten. De deur ging open.

'Neem me niet kwalijk,' zei dr. McKay. Hij was eerder het type dat anderen iets kwalijk nam. 'Ik meende hier tumult te horen.'

George McKay, de directeur van Andrew Country Day School, was een hypocriete streber, iemand die alles onder controle wilde hebben en op kledinggebied geen smaak had. Zijn taalgebruik had iets plechtigs.

'Tumult?' vroeg Elliot.

'We probeerden een nieuwe vorm van therapie,' zei Kate snel. 'Ik hoop dat we u niet stoorden.'

'Het was bepaald luidruchtig,' klaagde dr. McKay.

'Van wat ik ervan begrijp, kan LDT – luchtlandingsdierentherapie – vaak erg luidruchtig zijn,' merkte Elliot met uitgestreken gezicht op. 'Hoewel het aantoonbaar succesvol is in onderwijsinstellingen voor hoogbegaafden, waar het is ontstaan.' Hij voegde er nog aan toe: 'Natuurlijk zou het hier niet op zijn plaats kunnen zijn.' Hij knikte naar Kate. 'Ik ben hier geen expert in,' zei hij, alsof hij een oordeel liever aan Kate overliet.

Kate smoorde een lach door te gaan hoesten. 'We zullen hier pas na drie uur mee verdergaan, dr. McKay,' beloofde ze.

'Goed,' zei hij zuur. Hij verdween net zo plotseling als hij was gekomen, en sloot de deur met een stevige klik. Kate en Elliot keken elkaar aan, telden tot tien en durfden toen pas te lachen.

'LDT?' vroeg Kate hiklachend.

'Daar houden dat soort kerels van. Afkortingen. Net als in het leger. Over tien minuten zit hij op internet naar luchtlandingsdierentherapie te zoeken,' voorspelde Elliot. Hij stond op en raapte de knuffelbeesten op. Kate hielp mee. Het ironische was dat Elliot Kate aan dit baantje had geholpen, en sindsdien had George McKay al een paar onderwijzers verteld dat hij vermoedde dat ze een verhouding hadden. Dat was natuurlijk volslagen belachelijk, maar hen samen in de stoel te zien was natuurlijk koren op de molen van dr. McKay, die toch al vaak op vergaderingen verkondigde dat hij 'al te innige vriendschappen tussen collega's in het onderwijs afkeurde'.

Toen Kate en haar 'collega in het onderwijs' waren uitgelachen, stond ze op, streek haar rok glad en stak haar haar op, deze keer met een haarspeld die ze in een la had gevonden. Elliot stond stilletjes naar de stoel te kijken, toen slaakte hij theatraal een zucht. 'Shit!' zei hij. 'Mijn banaan is geplet.' Hij haalde de gemaltraiteerde vrucht uit de zak, die in het heetst van de strijd onder hen was komen te liggen.

Kate nam de houding van een *femme fatale* aan en zei hees: 'Er is veel veranderd tussen ons. Vroeger vond je dat heerlijk.'

Elliot lachte. 'Dat met bananen laat ik maar aan jou en Michael over.'

Kate en haar nieuwe vriend, dr. Michael Atwood, zouden bij Elliot en zijn partner Brice gaan eten. Het was Elliots eerste kennismaking met Michael, en Kate was er een beetje zenuwachtig voor. Ze hoopte dat ze elkaar zouden mogen. 'Als ik nu niet ga, kom ik vanavond te laat,' zei ze.

'Oké.'

Ze pakte haar trui van de stoelleuning en liep naar de deur.

'Dus tot nu toe ben je wel tevreden met je baan,' zei Elliot terwijl hij haar aankeek. In het voorbijgaan knikte ze, maar ze liep wel door, want ze wist wat er zou komen. 'En ook al heb je dat baantje aan mij te danken, wil je toch niet vertellen waar je naartoe gaat?'

Kate nam niet de moeite om ja te zeggen. Ze liep de kamer uit, en Elliot rende achter haar aan. Elliot was wat wel 'een ouwe zeur' wordt genoemd.

2

In al de jaren dat Kate Elliot kende – nu al meer dan tien – was het hem altijd gelukt haar op te vrolijken wanneer ze bedroefd was, en met haar mee te leven wanneer het haar voor de wind ging. Terwijl ze door de gang naar zijn lokaal liepen, keek ze met een blik vol affectie naar hem op. Het uitgelubberde oranje T-shirt, het lelijke groene overhemd met mosterd, zijn zwembandjes en de gekreukte broek maakten dat hij er als niet veel bijzonders uitzag, maar hij was scherp van geest en een toegewijde, goede vriend. Ze voelde zich echt dankbaar. Zoals altijd had hij haar opgevrolijkt, en haar geholpen afstand van de school te nemen.

Kate was trots op wat ze met deze kinderen deed. Ze had ook veel van hen geleerd. Ten eerste was dit een school voor kinderen van rijke, geslaagde ouders, maar Kate had gemerkt dat geld, voorrechten en goed onderwijs de kinderen niet konden behoeden voor net zoveel ellende als zij in haar moeilijke jeugd had gekend. Ze koesterde geen wrok meer dat anderen meer geld hadden dan zij, en dat was iets om dankbaar voor te zijn. Ze was dit werk niet gaan doen omdat het goed verdiende; eigenlijk beschouwde ze het meer als een roeping. Ze maakte nooit grapjes over haar werk en vond het moeilijk om er aan het eind van de dag afstand van te nemen. Maar nu moest ze wel, ze moest Bina helpen met de voorbereiding voor de grote dag, en later op de avond moest ze Michael tijdens een etentje voorstellen aan Elliot en Brice.

Ze wachtte in Elliots lokaal terwijl hij de zak waar zijn geplette lunch in zat in de prullenbak gooide en iets in zijn rommelige bureau zocht.

'Weet je, het is moeilijk niet steeds aan Brian te denken. Het is zo'n lieverd, en hij heeft het erg moeilijk. En ik denk dat hij zo teleurgesteld zal zijn dat tovenarij niet werkt, dat hij later echte problemen zal krijgen.' Kate zuchtte diep. 'Jongens zijn veel kwetsbaarder dan meisjes.'

'Vertel mij wat.' Elliot zuchtte ook diep. 'Ik ben er nog niet overheen dat Phyllis Bellusico zei dat ik stonk.'

'Stonk je?' vroeg Kate, die best de aangever wilde zijn, of anders het publiek. Ze was aan Elliots droge humor gewend. Al op de universiteit bestookten ze elkaar met grappen over hun jeugd.

'Nou, ja,' gaf Elliot tegen zijn zin toe. 'Maar het was een lekkere stank. Dat kon niet anders, want ik had een hele fles van mijn moeders White Shoulders in mijn onderbroek gegoten.'

'Bleh,' deed Kate een van haar 'cliënten' na. 'Misschien heeft Brian wel gelijk. Ik moet Phyllis wel gelijk geven. En dit speelde zich af...'

'In groep zes, maar met nog meer therapie en Brice's liefhebbende steun kom ik er over een jaar of tien wel overheen.'

Kate vond het enig wanneer Elliot op dreef kwam. Ze moest lachen. 'Kerels... Ze maken altijd kapot waar ze het meest op gesteld zijn.'

'Niet als ze het ook kunnen afmaken,' reageerde Elliot verbitterd. Hij was op school gruwelijk gepest. Na een tijdje zei hij: 'Ik moet naar Dean and DeLuca om rijst voor het avondeten te kopen. Brice maakt zijn befaamde risotto. Zeg maar tegen Michael dat hij het recept van jou heeft. De liefde van de man gaat door...'

Achterdochtig keek Kate op. 'Ja, en gedraag je een beetje, hè?' zei ze. 'Elliot, zou je niet...'

'Nee,' reageerde Elliot. 'Ik zou niet.' Hij liep op haar toe en gaf haar snel een knuffel. 'Ik wil je niet ontmoedigen of bekritiseren. Ik wil alleen maar dat je goed weet wat je doet.'

'O god, wie weet nou wat hij doet als hij een soulmate probeert te vinden?'

'Nou, dat kan wel zo zijn, maar Kate, ik wil niet dat je weer wordt gekwetst.' Hij zweeg.

Kate wist waar hij op doelde, maar dat wilde ze niet nog eens horen. Haar laatste verhouding was zo vreselijk geëindigd dat ze niet wist hoe ze het zonder Elliot had kunnen overleven. Ze had veel tijd en energie in Steven Kaplan gestoken, en dat was allemaal verspilde moeite gebleken. Daarna stond ze wantrouwiger tegenover mannen dan ze graag toegaf. Een van de goede dingen aan Michael was dat ze hem volledig kon vertrouwen. Misschien was hij niet zo spitsvondig en charmant als Steven, maar hij had geld en was oprecht. Dat dacht ze tenminste.

'Daarom wil ik dat je Michael leert kennen.'

'Sinds Steven wil je dat ik al je nieuwe vriendjes leer kennen. Ik heb liever dat je de ware tegen het lijf loopt en een oud vriendje van hem maakt.'

'Hij is vierendertig. Is dat oud genoeg?'

Elliot sloeg zijn ogen ten hemel. 'Ik maak me zorgen over je.'

Kate keek hem recht aan. 'Deze is heel anders. Hij is doctor in de antropologie, heel veelbelovend.'

'Wat belooft hij dan? Je denkt altijd dat ze heel anders zijn, je denkt altijd dat ze veelbelovend zijn, totdat ze je gaan vervelen en dan –'

'Hou toch op,' viel ze hem in de rede. 'Ik weet wel dat ik geen losers wil vanwege mijn vader, en dat ik geen winnaars wil vanwege mijn vader. Blablabla et cetera.'

'Je vergeet je bindingsangst, blabla.'

'Ik laat je opnemen als je daar ooit nog over begint. Hoe krijg je het voor elkaar om eenendertig jaar een vrolijke vrijgezel te blijven en dan plotseling een stelletje met Brice te worden? En dan ben ik ineens een neuroot omdat mij dat niet lukt.'

'Hé, ik wil niet dat je een stelletje met Brice bent!' riep Elliot gespeeld ontzet uit. 'We zijn allebei strikt monogaam.'

'Blij dat te horen,' reageerde ze. 'Maar projecteer je angsten niet op mij. Het is niet makkelijk om in Manhattan een aardige, betrouwbare, intelligente, gevoelige man te vinden.'

'Vertel mij wat!' riep Elliot uit. 'Ik heb bijna iedere man op het eiland geprobeerd totdat ik Brice leerde kennen.'

'Probeer niet zo verbitterd te zijn, Elliot. Dat probeer ik ook niet te zijn.' Met haar duim veegde ze een restje banaan van zijn lippen, toen kuste ze hem vluchtig. 'Ben je echt homo?' Ze lachte. Elliot was alles voor haar, behalve haar minnaar. En soms dacht ze dat ze daarom juist zo op hem gesteld was. Elliot was veilig. In tegenstelling tot de andere mannen in haar leven, zou Elliot er altijd zijn.

'Waarom denk je dat ik homo ben?' vroeg Elliot met onschuldig opengesperde ogen. 'Is dat uw beroepsmatige conclusie, of slaat u maar een slag? Ligt het aan mijn naaldhakken?'

Om de waarheid te zeggen was Elliot geen opzichtige homo. Hij was niet wat Kates oude vrienden in Brooklyn een 'relnicht' zouden hebben genoemd, en net als de meeste jonge homo's in New York kleedde en gedroeg hij zich heel gewoon. Elliot zag eruit als een wiskundeleraar – nee, dacht ze vol genegenheid, hij zag eruit als een nerd. Het enige wat ontbrak was een bril die met plakbandjes aan elkaar hing.

'Hoe komt het dat een raar jochie uit Indiana zich zo goed heeft aangepast?' vroeg ze hem voor de zoveelste keer.

Elliot pakte Kates hand en hield die stevig vast. 'Luister goed,' zei hij. 'Ik ga je nu iets over Indiana vertellen wat te maken heeft met je ware gevoelens onderkennen.' Hij keek haar doordringend aan en vroeg: 'Luister je wel? Want ik ga dit niet nog eens vertellen.' Kate knikte, en Elliot ging verder. 'Ik onderkende mijn ware gevoelens doordat ik al heel jong leerde die geheim te houden. Wanneer je erachter komt dat je ware gevoelens ervoor zullen zorgen dat je in elkaar geslagen wordt, leer je die te verbergen en ze inwendig te koesteren, net zolang dat nodig is, totdat je ergens bent waar je ze veilig kunt uiten.' Hij lachte en kneep zacht in haar hand. 'Bij jou en Brice kan ik ze uiten. En ik raad de kinderen aan niet een beste vriend of minnaar in Andrew County Day te zoeken.'

'Ik heb het gehoord,' zei Kate, en ze moest weer aan die arme Brian denken.

'Goed, wat ga je nu doen? Ga je met me mee naar Dean and DeLuca?'

Het drong tot haar door hoe laat het was – ze moest opschieten – en pakte haar rugzak en katoenen trui op. 'Nee, ik moet rennen. Ik heb een afspraak.'

'Nu al?' vroeg Elliot verwonderd. 'Heb je zo ver voor het etentje begint al met Michael afgesproken?'

'Het is geen afspraak met Michael.'

'Je hebt een afspraakje met iemand anders vóór je afspraak met Michael? En daar weet ik niets van?' Elliots stem klonk geschokt. 'Hoe kan dat nou? Gemiddeld spreken we elkaar zes komma vier keer per dag, en we bellen twee komma negen keer. Een afspraakje waar ik niets van weet is statistisch onmogelijk.'

Kate sloeg haar ogen ten hemel en besloot hem uit zijn lijden te verlossen. 'Ik heb gewoon maar met Bina afgesproken. Barbie had haar verteld dat Jack haar vanavond eindelijk gaat vragen – ze gaan naar Nobu omdat Jack er iets bijzonders van wil maken – en om haar voor te bereiden, ga ik met haar naar de manicure.' Ze bewoog haar vingers in de lucht. 'Ze moeten er mooi uitzien voor de ring,' zei ze in een imitatie van Bina's Brooklyn accent.

'Je meent het! Daar had je me niets van verteld!' riep Elliot uit.

Ze haalde haar schouders op, trok haar jasje aan, sloeg de tas over haar schouder en zette koers naar de deur. 'Nee.'

Elliot liep met haar mee naar de schooldeur. 'De befaamde Bina en de felbegeerde Jack. Eindelijk samen.'

'Ja, al die huwelijken drijven mijn oude kluppie uit elkaar,' zei Kate. 'Vaarwel, Ouwe Garde. Alleen Bunny en ik zijn nog niet getrouwd.' Ze keek op haar Swatch. Ze wilde niet toegeven dat het een deprimerende gedachte was. 'Ik moet gaan.'

'Waar hebben Bina en jij afgesproken?' vroeg Elliot.

'In SoHo,' antwoordde Kate terwijl ze de veiligheidsstang op de deur naar beneden drukte.

'O, mooi. Ik moet ook die kant op. Wacht even, dan pak ik mijn spullen.'

'Nee,' zei Kate.

'Ach toe, wacht op mij,' smeekte hij haar. 'We kunnen samen met de subway gaan, en dan kan ik eindelijk Bina eens zien.' Kate probeerde haar gezicht in de plooi te houden. Elliot probeerde al jaren met haar oude kluppie uit Brooklyn in contact te komen. Maar Kate wilde dat niet. Om de waarheid te zeggen had ze tot uit den treure gezegd dat ze daar niets in zag. In de ongeveer tien jaar dat ze uit huis was probeerde ze de naarste herinneringen uit haar moeilijke jeugd te verdringen, en hoewel ze nog dik bevriend was met Bina Horowitz, en de anderen af en toe zag, wilde ze niet dat de vooringenomen Elliot hen leerde kennen.

Kate keek hem veelbetekenend aan. Ze liep de deur uit en riep nog achterom: 'Jij kunt Bina net zo goed gebruiken als ik nog een werkeloos vriendje.'

Ze dacht dat ze veilig was weggekomen toen ze Elliot de treetjes voor school hoorde af lopen. Hij had een hoed met madrasruitjes op en rende met zijn rugzak in de hand op haar toe, in een soort kruising tussen het rare loopje van Groucho Marx en een nederige bedelaar. 'Och toe,' smeekte hij. 'Het is niet eerlijk.'

'Het is dieptragisch. Net als zoveel dingen in het leven,' zei Kate, en ze liep stug door terwijl hij probeerde de rugzak op zijn rug te hijsen.

'Waarom mag ik je vriendinnen uit Brooklyn niet leren kennen?' vroeg hij. 'Ze lijken me fascinerend.'

Kate bleef midden op het schoolplein staan en draaide zich naar Elliot om. 'Bina is van alles, maar niet fascinerend,' zei ze. Sinds groep zes was Bina haar beste vriendin geweest, en nog steeds was ze misschien wel de betrouwbaarste. Kate had elke korte vakantie en de meeste zomervakanties bij Bina gelogeerd, gedeeltelijk omdat het huis van de Horowitzen zo schoon en ordelijk was, en Bina's moeder zo lief, maar vooral omdat Kate op die manier haar eigen lege appartement kon ontvluchten, en bovenal haar vader, die veel te vaak dronken was.

Misschien had Kate Bina overvleugeld omdat Bina haar opleiding niet had voltooid en nu in de chiropraktijk van haar vader werkte, maar toch hield ze nog van haar. Ze hadden alleen heel verschillende interesses, en die van Bina zouden Elliot en haar andere vrienden in Manhattan niet erg bevallen.

'Elliot,' zei Kate streng terwijl ze naar de straat liepen. 'Je weet best dat je alleen maar nieuwsgierig naar Bina bent.'

'Hè, toe,' soebatte Elliot. 'Neem me mee. We leven in een vrij land, hoor. Dat staat in de grondwet.'

Kate snoof. 'In tegenstelling tot de grondwet geloof ik in de scheiding van staat en kerk.'

'Nee,' reageerde Elliot. 'Jij gelooft in de scheiding van homo en hetero.'

'Dat is niet eerlijk. Vorige week heb je nog met mij en Rita gegeten.' Ze liet zich niet door zijn politiek correcte chantage manipuleren. 'Ik stel je niet aan Bina voor omdat, ook al is ze mijn oudste vriendin, jij niets maar dan ook niets met haar gemeen hebt.'

'Ik hou van mensen met wie ik niets gemeen heb,' wierp Elliot tegen. 'Daarom mag ik jou zo graag en woon ik met Brice samen.'

'Je moet niet alles willen hebben, en bovendien krijg je vanavond Michael al,' zei Kate. 'Is dat niet voldoende voor twee roddeltantes als Brice en jij?'

'Jawel,' moest Elliot toegeven. 'Ik moet het er maar mee doen.'

Kate lachte en zei: 'Ik kom nog te laat op mijn afspraak. Ik zal je dezelfde goede raad geven die ik mijn leerling Jennifer Whalen een paar uur geleden heb gegeven: "Probeer je eigen vrienden te maken, lieverd."'

Ze waren bij de ingang van de subway aangekomen. Ze lachte stralend naar Elliot en sloeg bij wijze van afscheid haar armen om hem heen. Verslagen haalde hij zijn schouders op. Toen ze in de donkerte van de subway verdween, riep hij haar nog na: 'Vergeet niet dat het eten om acht uur begint!'

'Tot dan,' riep ze terug, en ze rende weg om haar trein te halen.

3

Kate en Bina liepen over Lafayette Street en bekeken de etalages van de boetiekjes en galeries die daar waren gevestigd. Kate voelde zich thuis in SoHo. Ze had graag in deze buurt willen wonen, maar dat kon ze met haar salaris van schoolpsycholoog niet betalen. Zij had een appartement in Chelsea, maar toch zag ze eruit als iemand uit het hippe downtown. Bina Horowitz was daarentegen helemaal Brooklyn: haar donkere haar te onberispelijk gekapt, haar kleren te bijpassend. Bina was klein, mollig en droeg te veel gouden sieraden, en tussen het modebewuste publiek hier in het meest modieuze gedeelte van Manhattan viel ze verschrikkelijk uit de toon. Toch was Kate zeer op haar gesteld, maar ze was wel blij dat ze van Brice zoveel over kleding had geleerd, tijdens haar studietijd, in de boetiekjes op Manhattan en van haar huidige vrienden in New York. Ze had Brooklyn gelukkig achter zich gelaten.

'Jemig, Katie, ik snap niet dat je hier kunt wonen,' zei Bina. 'Deze mensen in Manhattan zijn er zeker de oorzaak van dat meisjes over de hele wereld aan anorexia lijden.' Kate lachte alleen maar, hoewel Bina de plank niet ver had misgeslagen. Bina keek nieuwsgierig om zich heen, ze bleef staan bij een krijttekening van een naakt op de stoep, of bij etalages waarin de kleding in repen was gesneden, en ze gaapte met open mond naar een winkel die Center for the Dull heette. Kate legde haar uit dat het net zo'n soort winkel was als Yellow Red Bastard – waar Kate trouwens nooit iets kocht, maar ze had er wel een draagtas van.

'Waarom van die rare namen?' vroeg Bina. 'En wat is het hier warm,' voegde ze eraan toe. Ze wuifde zichzelf koelte toe met een pamflet van een Broadwayshow die weinig publiek trok. Dat pamflet had iemand haar in handen gedrukt terwijl ze voorbijliepen. De man had Kate er geen aangeboden, maar zij zag er dan ook niet uit als iemand die zulke troep zou aannemen. 'Rustig maar,' zei Kate. Ze probeerde sneller door te lopen – de salon was berucht om de eis dat iedereen op tijd kwam – maar Bina was nu eenmaal Bina, en die liet zich niet opjutten of de mond snoeren. Op haar elfde had de familie Horowitz Kate in de familiekring opgenomen, en Kate wist bijna alles van Bina. Kate had ooit uitgerekend dat mevrouw Horowitz haar meer dan vijfhonderd maaltijden had voorgezet (de meeste met vette kip). Dr. Horowitz had haar leren fietsen omdat Kates vader te dronken of te lui was (of allebei) om dat te doen. Bina's broer Dave had de meisjes in het plaatselijk zwembad leren zwemmen, en wanneer ze maar kon trok Kate nog steeds baantjes.

In Brooklyn, waar Kate niemand anders had en ze naar meer intellectuele vrienden verlangde – zoals Elliot, Brice en Rita – met wie ze grapjes kon maken en over boeken praten, had ze zich soms aan Bina geërgerd. Maar nu ze een groepje intellectuele, wereldwijze vrienden had, irriteerden Bina's provinciale interesses en gespreksstof haar niet meer, en ze hield van haar omdat ze zo goedhartig was.

'Wat is het hier warm,' herhaalde Bina – zoals gewoonlijk wanneer ze niet op Kates reactie lette.

'Is het in Manhattan warmer dan in Brooklyn?' vroeg Kate plagerig.

'In Manhattan is het altijd warmer dan in Brooklyn,' bevestigde Bina. Kates ironie was haar niet opgevallen. Bina wist niet wat ironie was. 'Het komt door al die verdomde trottoirs en al dat verkeer.' Ze keek de straat af en schudde vol walging haar hoofd. 'Ik zou hier niet kunnen wonen,' mopperde ze, alsof ze kon kiezen en Jack en zij een appartement van een miljoen dollar konden betalen. 'Ik moet er niet aan denken.'

'Dat hoeft ook niet,' zei Kate. 'Dus is er niets aan de hand.'

Abrupt hield Bina op met zich koelte toe te wuiven. Ze keek Kate met een smekende blik aan en stelde toen gedwee de vraag die ze altijd stelde wanneer ze halverwege een tirade tegen Manhattan was: 'Vind je me verschrikkelijk?'

Meteen maakte Kates ergernis plaats voor genegenheid, en zoals altijd wist ze weer waarom ze zo op Bina gesteld was. Toen gaf ze het antwoord dat ze altijd gaf: 'Goeie ouwe Bina.'

'Goeie ouwe Katie,' reageerde Bina. Zo legden ze al twintig jaar hun geschillen bij.

Kate grijnsde, en ze waren weer vriendjes. Kate kon zich niet voorstellen dat ze Bina ooit bij haar vrienden in Manhattan zou introduceren, maar ze kon zich een leven zonder Bina ook niet voorstellen – hoewel ze dat soms wel probeerde. Bina weigerde te groeien, en voor Kate was dat zowel irritant als geruststellend – en soms gewoon beschamend.

Net toen ze Spring Street overstaken, riep Bina alsof ze Kates gedachten kon lezen: 'Moet je dat zien!'

Kate draaide zich om, in de veronderstelling een beroving te zien. In plaats daarvan zag ze aan de overkant een man vol tatoeages en piercings. De man liep daar gewoon, zich totaal niet bewust van wat er om hem heen gebeurde. Kate zei maar niets; ze keek op haar horloge en waarschuwde Bina: 'We mogen niet te laat komen, ik heb iets bijzonders voor je in petto.' En om van onderwerp te veranderen: 'Heb je al een kleur nagellak uitgezocht?'

Bina wendde met moeite haar blik van de kermisattractie af en richtte haar aandacht op Kate. 'Ik dacht aan een Franse manicure,' bekende ze.

Daar kon Kate weinig enthousiasme voor opbrengen, en dat was kennelijk merkbaar. Bina lakte de randen van haar nagels al wit en de rest roze sinds ze op de middelbare school zat.

'Wat is daar mis mee?' vroeg Bina verdedigend.

'Niets, als je Frans bent,' reageerde Kate, die voor het gemak maar even vergat dat zij als tiener een Franse manicure ook het toppunt van chic had gevonden. Bina zag eruit of ze in verwarring was gebracht door Kates opmerking. Kate was vergeten dat Bina geen gevoel voor ironie had. 'Waarom niet een keer wat moderners?' Bina hield haar handen gestrekt voor zich uit en bestudeerde haar nagels. Het viel Kate op dat ze nog steeds het Keltische vriendschapsringetje droeg dat Kate haar op haar zestiende verjaardag had gegeven. 'Iets gedurfds of zo,' stelde Kate voor. 'Wat dan?' vroeg Bina op haar hoede. 'Een tatoeage op mijn nagel?'

'Ha, sarcasme, het wapen van de duivel,' zei Kate.

'Jack vindt een Franse manicure mooi,' klaagde Bina met haar blik op haar linkerhand. 'Je moet me niet steeds proberen te dwingen.' Ze liet haar handen zakken, en een tijdje liepen ze zwijgend verder. 'Het spijt me,' zei Bina. 'Ik ben gewoon een beetje nerveus. Ik wacht al tijden op het moment dat Jack me zal vragen...'

'Zes jaar, toch?' vroeg Kate. Ze had het haar vriendin al vergeven, ze moest een keertje leren geen ongevraagd advies te geven, maar dat was moeilijk voor een vrouw van haar karakter en met haar beroep. Ze lachte naar Bina terwijl ze naast elkaar verder liepen. 'Ik denk dat je op je eerste afspraakje met Jack al bedacht hoe het monogram op jullie handdoeken eruit moest zien.'

Jack en Bina gingen al jaren met elkaar. Hij was haar eerste en enige liefde. Hij had haar laten wachten terwijl hij zijn studie afmaakte, promoveerde en accountant werd. Bina giechelde. 'Nou ja, ik wist meteen dat hij het was. Zo'n echte kanjer.'

Kate dacht na over al die verschillende smaken. Jack liet haar ijskoud, maar dat had ze natuurlijk nooit tegen Bina gezegd. En Bina had Steven een zuurpruim gevonden, terwijl voor Kate...

'Ik kan nauwelijks geloven dat hij morgen voor vijf maanden naar Hongkong gaat, en dat dit de grote dag is,' babbelde Bina verder, daarmee Kates gedachten onderbrekend.

Kate keek haar lachend aan. Kates ouwe kluppie in Brooklyn had weinig geheimen voor elkaar, en toen Jack aan Barbies vader, die tevens juwelier was, had gevraagd wat de beste verlovingsring was, had dit nieuwtje zich sneller dan e-mail verspreid. De dag waarop Bina zo lang had gewacht was eindelijk aangebroken, maar toen Kate naar haar vriendin keek, viel haar iets vreemds op: Bina zag er helemaal niet blij uit. Ze zou nu toch niet meer twijfelen? Maar Kate kende haar vriendin goed genoeg om te weten dat er iets mis was.

O nee, dacht Kate, Bina is van gedachten veranderd, en dat durft ze niemand te vertellen. Haar ouders – vooral haar moeder – zouden diep geschokt zijn als... 'Bina, ben je gaan twijfelen?' vroeg ze zo vriendelijk als ze kon. Ze bleef staan om haar vriendin aan te kijken. 'Weet je, je hóeft niet met Jack te trouwen.'

'Ben je mal? Natuurlijk wel! Ik wil met hem trouwen. Ik ben alleen maar zenuwachtig omdat... Nou ja, ik ben gewoon zenuwachtig. Dat is heel normaal. Hé, waar is die salon eigenlijk?'

'Links, op Broome,' zei Kate. Als Bina er niet over wilde praten, was dat prima, hield ze zichzelf voor. Ze moest het meisje met rust laten. 'Hier is het politiebureau,' zei ze ter afleiding toen ze langs het gebouw met de koepel liepen dat Teddy Roosevelt had laten neerzetten toen hij hoofdcommissaris was. 'Nu zijn het appartementen,' ging ze verder. 'En ze vonden ook een geheime tunnel naar het café aan de overkant, dus –'

'Dus konden de Ierse agenten zuipen zonder betrapt te worden,' zei Bina, en zweeg toen beschaamd. Kate lachte alleen maar. Haar vader, een Ierse agent met pensioen, was drie jaar geleden aan levercirrose gestorven, en Kate beschouwde dat als een opluchting voor allebei. Maar de Horowitzen vonden het nog steeds heel erg.

'Geeft niet,' zei Kate. 'We zijn er bijna, en maar vier minuten te laat. Je vindt het er vast geweldig. Ze hebben prachtige nagellak, maar voor de zekerheid heb ik ook wat voor je gekocht.' Ze zocht in haar tas van Prada – haar enige tas, en die nam ze overal mee naartoe. Die tas had haar een maandsalaris gekost, maar iedere keer dat ze hem opendeed, was ze weer blij. Ze haalde er een zakje uit. Er zaten drie flesjes nagellak in, met verschillende verleidelijke kleuren.

Bina nam het zakje aan en keek erin. 'Oh! Net de toverbonen uit Jack en de bonenstaak!' zei ze. Toen giechelde ze. 'Snap je? Jack en zijn bonenstaak?' vroeg ze, en ze trok suggestief haar wenkbrauwen op.

Kate keek Bina bestraffend aan. Kennelijk was ze niet meer zo nerveus. 'Zeg, bespaar me de details van Jacks bonenstaak, of welk lichaamsdeel ook,' zei ze. 'Beschouw dit maar als je eerste huwelijkscadeautje.' Ze haakte bij Bina in om haar langs de tijdschriftenverkoper te krijgen en naar hun bestemming.

Net toen ze de straat overstaken, bleef Bina staan – alsof het verkeer in Manhattan bereid was op haar te wachten – en wees naar de hoek. 'Jemig! Dat is de ex van Bunny!'

Kate keek in de goede richting en trok meteen Bina's arm naar beneden. Ze wilde net zeggen dat je niet mocht wijzen toen ze de knapste man in het vizier kreeg die ze ooit had gezien. Hij was lang en slank, en zijn spijkerbroek en jasje zagen er precies slordig genoeg uit. Toen een wolk voorbijdreef, viel het strijklicht op zijn haar, alsof hij een halo droeg. Hij wachtte op het verkeerslicht, en voordat hij overstak viste hij iets uit zijn jaszak. Kate moest ernaar kijken, en toen hij overstak draaide ze haar hoofd om om naar zijn kontje te kijken. Ze viel op kontjes, en deze man... nou ja, het zijne was perfect.

'Was hij met Bunny?' vroeg ze. Van het hele kluppie was Bunny waarschijnlijk de opzichtigste, en ongetwijfeld de domste.

Bina knikte. Kate zag dat vanuit haar ooghoeken, want ze kon haar ogen niet van die man afhouden.

'Weet je het zeker?'

Tot Kates blijdschap bleef hij op de hoek aan de overkant staan, en liep toen hun richting uit. Kate stond als aan de grond genageld, een paar stappen van de stoep af. Ze dacht dat hij naar haar keek. Maar toen toeterde een taxi; kennelijk had de chauffeur besloten hen te waarschuwen voordat hij hen overreed. Bina slaakte een gilletje, Kate wendde haar blik af en de twee vriendinnen renden naar de overkant. Tegen de tijd dat ze zich tussen de stilstaande auto's hadden geworsteld en weer op de stoep stonden, had de adonis een zonnebril opgezet en liep hij weg.

'Welke kleur vind je dat de bruidsmeisjes moeten hebben?' vroeg Bina.

Kate onderdrukte een kreun. Bev had ze in het zilver gestoken, en Barbie in het pistachegroen waar zelfs een blondine er vaal in uitzag. 'Gewoon zwart?' stelde ze voor, hoewel ze wist dat ze dat wel kon vergeten. Ze zuchtte. Bunny en zij waren de laatsten van hun groepje op de middelbare school die nog niet waren getrouwd – gelukkig was Bunny er nog... Kate nam zich voor zich er niets van aan te trekken, maar ze wist dat iedereen het ook zo had uitgerekend. Haar kale ringvinger zou op Bina's bruiloft niet onopgemerkt blijven. 'Toe, Bina? Bespaar me weer zo'n wandelingetje naar het altaar. Waarom speld je me niet een bordje op met: ONGEHUWD?'

'Kate, je moet mijn getuige zijn. Barbie is altijd beter bevriend geweest met Bunny, en Bev... Bev heeft me nooit echt gemogen.'

'Bev heeft nog nooit iemand gemogen,' reageerde Kate. Het was niet de eerste keer dat ze dat zei. Ze pakte Bina bij de arm. 'Ik ben echt diepgeroerd.' Ze stonden voor de deur van de salon. Kate hield de deur voor Bina open, en die stapte een beetje zenuwachtig naar binnen.

4

Kate wist dat Bina nog nooit in een dergelijk oord was geweest – een soort postindustrieel Frans boudoir met Moorse accenten. Daarom had ze deze salon ook uitgekozen. Niet om op te scheppen, maar om het allemaal heel bijzonder te maken voor haar vriendin. 'Dit is de duurste salon van heel New York,' fluisterde ze Bina theatraal in het oor. Ze keek Bina onderzoekend aan om te zien of de informatie wel goed tot haar doordrong. 'En dan heb ik het wel over de héle stad,' ging ze verder.

'Wauw,' bracht Bina uit. Ze keek naar de bijna doorzichtige gordijnen, de betonnen vloer en de Louis XVI-stoel.

Met een glimlach liep Kate naar de receptie. Een chique jonge vrouw van Aziatische afkomst glimlachte terug en trok zonder iets te zeggen haar perfect gevormde wenkbrauwen op. Ze waren hier goed in harsen. 'Kate Jameson,' zei Kate. 'We zijn met z'n tweeën,' voegde ze eraan toe omdat Bina zich verlegen achter haar rug verstopte. 'Voor een manicure, een pedicure en teenharsen.'

Van achter haar rug fluisterde Bina: 'Teenharsen?' Kate negeerde haar. 'Ik heb gereserveerd, hier is het nummer.'

'Moment,' zei de beeldschone receptioniste. 'Neemt u alstublieft plaats.'

Dat viel niet mee met maar één stoel, maar Kate gebaarde dat Bina moest gaan zitten, en dat deed ze, hoewel niet erg op haar gemak.

Toen keek ze op naar Kate en pakte haar hand beet. 'O Kate, ik ben zo zenuwachtig. Stel dat ik dit allemaal doormaak en het brengt ongeluk? Stel dat Jack niet –'

'Bina, stel je niet aan. Dit soort dingen brengt geen ongeluk.'

Kate zuchtte. 'Ik heb net een achtjarig joch ervan moeten overtuigen dat tovenarij niet bestaat. Ik wil dat niet nog eens bij jou doen.'

'Ik ken jou, Juffertje Logica. Maar ik ben nou eenmaal bijgelovig, oké? Geen zwarte katten, geen hoeden op bed, geen schoenen voor vrienden.'

'Geen schoenen voor vrienden?'

'Ja. Als je een vriend schoenen geeft, loopt hij weg uit je leven,' zei Bina. 'Weet je dat niet?'

'Bina, je bent echt niet goed bij je hoofd,' zei Kate. 'En trouwens, dit is jouw grote dag, en daar wil ik bij betrokken zijn. Dus ontspan je en geniet ervan. Het komt allemaal goed, en vanavond wordt het geweldig met Jack.'

Bina leek niet erg overtuigd. Ze keek weer om zich heen. 'Het is hier vast heel duur,' zei ze. 'Weet je, dit kan ik in Brooklyn ook allemaal laten doen, bij Kim's Korean, voor maar een kwart van wat je hier betaalt. En het is vast net zo goed.'

Kate lachte. 'Misschien... maar misschien ook niet. Maar het gaat om de ambiance.'

'Nou, maar mijn moeder zou zeggen: "Ambiance, sjmambiance, lak me nagels."'

'Je weet dat ik gek ben op je moeder, maar soms is ze niet helemaal *au courant*.' Bina keek verwilderd. 'Hoe spel je sjmambiance eigenlijk?' vroeg Kate lachend.

'Dat spel je niet,' reageerde Bina. 'Dat is Jiddisch, een gesproken taal.'

Kate lachte. Dit was een typisch voorbeeld van de gesprekken die zij en Bina hadden sinds ze voor het eerst bij de Horowitzen thuiskwam. Toen had mevrouw Horowitz gezegd dat Kates vader *bupkis* wist van de opvoeding van een *sjeuna maidela*.

Kate wist toen nog niet dat *bupkis* 'bijna niks' betekende, en *sjeuna maidela* 'mooi meisje', maar dat had ze uit de context geraden. Ze leerde de betekenis kennen van *poetz*, *sjnorrer* en *gannef*, allemaal woorden die mooier en juister klonken dan het Engelse equivalent.

Kate had alle feestdagen bij Bina gevierd – ook als het niet Kates feestdag was – en ze was van zoete kugel gaan houden. Tegen de tijd dat Kate haar eerste communie moest doen, had mevrouw Horowitz een wit jurkje voor haar gemaakt, en een kransje voor in haar haar gekocht. (Toen Bina ook een wit jurkje en een kransje wilde, kreeg ze die, maar dr. en mevrouw Horowitz stonden niet toe dat Bina bij de kleine katholieke meisjes in de rij voor de plechtigheid ging staan.)

Toen de pastoor Kate vertelde dat het een doodzonde was om op Halloween langs de deuren te gaan, was ze diep teleurgesteld. Ze vertelde het Bina's moeder, en die had gezegd: 'Zonde, sjmonde! Doe je best met die *mesjoggene* in een jurk, en ga snoep halen. Maak je maar geen zorgen.'

'Maar ik wil niet naar de hel als ik dood ben,' zei Kate met tranen in de ogen.

'Hel, sjmel,' reageerde mevrouw Horowitz. 'Vertrouw me nou maar, er is geen hel behalve hier op aarde.' Ze trok Kate bij zich op schoot en hield haar tegen zich aan. 'Er is alleen maar een hemel, lieverd,' fluisterde ze. 'En daar is jouw mamma.'

Op de een of andere manier liet Kate zich door mevrouw Horowitz' stelligheid overtuigen. Een paar maanden later, toen Vicky Brown na catechisatie tegen Kate en Bina zei dat Bina's joodse moeder naar de hel zou gaan wanneer ze dood was, viel Kate fel tegen Vicky uit: 'Hel, sjmel! Wat weet jij daar nou van?' Daarna spraken Kate en Bina af altijd voor elkaar op te komen.

Ook als tieners, toen hun kluppie werd uitgebreid met Bev en Barbie – en later met Bunny – bleef tussen Bina en Kate alles bij het oude. Daarna was Kate weggegaan.

Bina hield nog steeds Kates hand vast. 'O Kate,' zei ze en kneep hard in haar hand. 'Ik ben zo opgewonden! Vanavond word ik gevraagd door de man van wie ik hou.'

'Denk erom dat je verrast doet,' waarschuwde Kate haar. 'Jack mag niet weten dat je het al wist.'

'Ik wou dat Barbie niet had verteld dat hij die ring had gekocht.'

Bina zuchtte. 'Ik ben zo zenuwachtig. Waarom heeft ze het niet gewoon een verrassing gelaten?'

'O lieverd.' Kate lachte. 'Je wilt niet verrast worden, je wilt er op je best uitzien.'

Net op dat moment kwam een andere Aziatische vrouw, nog mooier dan de receptioniste, de wachtruimte binnen. 'Kate Jameson?' vroeg ze. 'Kate knikte. 'Alles staat klaar. Wilt u me maar volgen?'

Kate en Bina liepen achter haar aan een kamertje in, en Kate ging op een van de twee stoelen zitten. Het leken wel tronen, met een ingebouwde jacuzzi voor voeten waar al heerlijk geurend water in borrelde. De kamer was flauw verlicht en was in rustig zeeblauw gehouden. Er stonden ook twee glazen tafeltjes op wieltjes waarop dingen lagen om handen mee te verwennen. Twee jonge vrouwen van Aziatische afkomst knielden op blauwzijden kussens naast de voetbaden neer. Ze hielpen hun klanten hun schoenen uitdoen en gebaarden dat ze hun voeten in de geurige jacuzzi's moesten dompelen, als voorbereiding op de pedicurebehandeling. Bina keek Kate verwonderd aan. Kate lachte alleen maar terug. Het rook naar fresia's, en Kate haalde genietend diep adem. Als deze ambiance, sjmambiance haar halve maandsalaris kostte, dan was het dat waard. De andere beeldschone Oosterse vrouw kwam de blauwe hemel weer in en vroeg: 'Wilt u mineraalwater, koffie, thee, vruchtensap of champagne?'

'Dat is een grap!' piepte Bina.

'Champagne graag,' antwoordde Kate, alsof Bina niets had gezegd. Bina dronk nooit alcohol, maar Kate zei dat dit een heel speciale gelegenheid was.

In de stilte die volgde sloot Kate haar ogen, en toen rees zomaar het beeld voor haar op van de lange, slanke man in spijkerbroek die Bina haar had aangewezen. Ze moest het bij het verkeerde eind hebben. Bunny had geen vriendje gehad die er zo uitzag. Ze peinsde er nog even over en vergeleek wat ze had gezien met enig schuldgevoel met Michael. Michael was iets te breed, en er was iets met zijn manier van lopen... Kate schudde haar hoofd; zo mocht ze niet denken. 'Hoe heet hij?' vroeg ze Bina. 'Wie? Jack? Die heet Jack.' Bina keek haar bevreemd aan en lachte toen. 'Wat doe jij mal.' Kate bloosde en besloot de man op de hoek maar te vergeten.

'Kate, dit is echt aardig van je,' zei Bina terwijl de twee pedicures hun voeten masseerden. Ze giechelde en trok haar voeten terug. 'Je moet ontspannen, Bina,' zei Kate. 'Diep ademen.' Even waren ze stil. Kate sloot haar ogen en genoot alleen nog maar van de sterke handen die haar hielen en voetzolen masseerden.

Bina boog zich naar haar toe en fluisterde in het stille kamertje: 'Laten Sandra Bullock, Giselle en Gwen Stefani zich hier manicuren?'

'Ja,' zei Kate. 'En ook Kate Jameson en Bina Horowitz laten zich hier manicuren.'

'Binnenkort Bina Horowitz Weintraub,' bracht Bina haar in herinnering. 'O Kate, ik hou zoveel van Jack. Ik ben zo... zo gelukkig vandaag, en zo blij dat ik dat met jou kan delen. Ik wou dat jij jouw Jack vond en net zo gelukkig was als ik.'

Kate lachte. 'Je moeder zou zeggen: "Van jouw lippen in het oor van God."' Voordat Bina nog iets kon zeggen, ging de deur open en kwam de vrouw terug met een blad waar twee hoge champagneglazen op stonden. Ze bood Kate er eentje aan en daarna Bina. 'Geniet ervan!' zei ze terwijl ze de kamer weer uit gleed.

Kate merkte dat er op emotioneel gebied iets was veranderd. Vroeger had ze gedacht dat ze met Steven champagne zou drinken om iets te vieren, maar ze had het verkeerd gezien. Ze vroeg zich af of zij en Michael ooit... Daar wilde ze niet aan denken, ze moest haar aandacht op dít moment richten.

Bina keek naar haar glas. 'Ik weet niet of ik zo vroeg op de middag al zou moeten drinken.'

Kate sloeg haar ogen ten hemel. Bina wilde nooit iets drinken. 'Och, kom op, Bina. Geniet van het leven!' zei ze en hief haar eigen glas. 'Op de bruiloft!'

'O Kate!' Bina was duidelijk ontroerd. De meisjes namen allebei een slokje champagne. Daarna bekeek Kate de verschillende kleuren nagellak. 'Goh, ik wed dat Bunny hier graag had gezeten,' zei Bina, en leunde achterover.

'Hoe is het eigenlijk met Bunny?' vroeg Kate. Bunny was mondhygiëniste, en ze had niet veel geluk in de liefde. Weer moest Kate aan die geweldige man denken die ze hadden gezien. Bunny's ex? Bijna niet te geloven...

'Dat wil je niet weten,' zei Bina.

Bina had gelijk. Kate wilde niet weten hoe het met Bunny was. Bunny was meer Bina's vriendin. Kate had haar op de middelbare school leren kennen, ze was het vijfde lid van het kluppie geworden, en ze had haar naam – Patricia – veranderd in iets met een B om er beter bij te passen. Kate had er toen al niet meer echt bij gehoord. Ze was meer gaan lezen, ze besteedde veel tijd aan haar huiswerk. Terwijl de anderen zich bijna uitsluitend druk maakten om kapsels, make-up en jongens, maakte Kate zich druk om cijfers en studiebeurzen. En toen ze van school gingen, namen de anderen eenvoudige baantjes in de hoop spoedig te trouwen en kinderen te krijgen, maar Kate had gezegd dat ze haar jaren op de universiteit niet wilde verspillen, dat ze psycholoog wilde worden.

Bev zei: 'Wie denkt ze verdomme wel dat ze is?' Als Bina er niet was geweest, zou dat voor Kate het einde van het kluppie hebben betekend en dan was ze nooit meer naar Brooklyn gekomen. Maar Bina was een vriendin voor het leven. Eerst had het Kate geërgerd dat Bina zo aan haar 'plakte'. Later drong het tot haar door dat niemand haar zo door en door kende als Bina. En terwijl ze liever haar 'bagage' uit Brooklyn vergat, was ze dankbaar voor Bina's vriendschap.

Ze dronk haar glas leeg en kreeg meteen nog een glas voorgezet. Bina had het nog over Bunny.

'... dus toen liet hij haar als een baksteen vallen. Je hebt hem gezien. Ik bedoel, Bunny had kunnen weten dat hij niet voor haar was, maar het kwam toch hard aan. En nu heeft ze van de weeromstuit meteen al een ander – Arney of Barney of zoiets – en ze zei tegen Barbie dat het al serieus werd.'

Dat was nieuws. Bunny had de ene ongeschikte man na de andere, en altijd hield ze vol dat het serieus werd, en altijd werd ze teleurgesteld. Klassiek voorbeeld van dwangmatig in dezelfde fout vervallen, dacht Kate, maar ze zei: 'Ontkenningsfase.'

'Wat?' Bina zweeg even. 'O, ik snap het al.' Toen vroeg ze onverschillig: 'Hoe staan de zaken tussen jou en Michael ervoor?'

'Oké,' zei Kate schouderophalend. Ze vertelde Bina liever niet te veel over haar liefdesleven, bang dat de Horowitzen al kaarten zouden laten drukken. 'Hij is slim en lijkt veelbelovend. Vanavond gaan we bij Elliot en Brice eten.'

'Wie is Brice?' vroeg Bina.

Kate zuchtte. Bina wist precies wanneer haar vriendinnen ongesteld moesten worden, maar totaal niets van wat zich buiten Brooklyn afspeelde.

'Elliots partner.'

'Elliot?'

'Je weet wel, Elliot Winston. Mijn vriend van de universiteit. De jongen met wie ik lesgeef.'

'O, die. Maar als hij onderwijzer is, wat moet hij dan met een partner?'

'Zijn partner in het leven, Bina,' zei Kate geërgerd.

Bina zweeg even, toen vroeg ze zacht: 'Zijn het dan homo's?'

Ja, net als je ongehuwde oom Kenny, dacht Kate, maar ze glimlachte alleen maar. Bina was niet helemaal van deze tijd. Ze besloot van onderwerp te veranderen. 'Welke kleur heb je gekozen? Denk eraan, bij diamanten past elke kleur.'

'Ik weet nog niet. Wat kies jij?'

Natuurlijk deed dat er helemaal niet toe, maar zo was Bina nu eenmaal. Voordat ze iets van het menu kon kiezen, moest ze eerst weten wat de anderen namen.

'Goeie ouwe Bina,' zei Kate met een lach naar haar onmogelijke vriendin.

'Goeie ouwe Katie,' zei Bina met een beetje dikke tong. De champagne had effect op haar, en toen Kate naar haar vriendin keek die op het punt stond zo'n belangrijke maar onvermijdelijke stap te zetten, huiverde ze. Jack was bij haar nooit erg in de smaak gevallen, maar hij scheen aardig tegen Bina te zijn, haar familie mocht hem graag, en... Nou ja, misschien bofte Bina wel met hem. Kate had wel kunnen huilen en lachen tegelijk. Bina lachte, ze keek een beetje glazig. 'Ik hou van je, Katie,' zei ze.

'Ik ook van jou, Bina,' verzekerde Kate haar, en dat was ook zo. 'Maar geen glaasjes meer voor jou. Je moet de hele avond nog.'

Bina nam nog een laatste teugje champagne, toen boog ze zich naar Kate toe en fluisterde in haar oor: 'Kate, ik wil je zo graag iets vragen.'

Kate zette zich schrap. 'Ja?'

'Wat is teenharsen?' vroeg Bina.

Zoals Bina het zei, klonk het obsceen. Kate lachte. 'Soms zitten er toch haartjes op je grote teen?'

Bina trok haar voet uit het bubbelbadje en keek er aandachtig naar. 'Wauw,' zei ze. 'Moet je kijken. Getver!' De Aziatische vrouwen keken elkaar aan en giechelden. Bina werd knalrood. 'Een beetje eng,' zei ze. 'Net een aap. Jemig, Katie, nu voel ik me net een freak. Maar het was me nooit eerder opgevallen.'

'Nou,' zei Kate. 'Straks is het weg, dus Jack komt er ook nooit achter. Je kunt hem gerust je teentjes laten kussen. Maar welke kleur wil je nou?'

Bina richtte haar aandacht op de flesjes die ze van Kate had gekregen, en toen op de flesjes die keurig in het gelid op een plank aan de muur stonden. 'Dat soort kleuren hebben ze in Brooklyn niet,' moest ze toegeven.

'Nog een reden waarom ik liever in Manhattan woon,' zei Kate. 'Kom op nou, wat wordt het?'

Bina keek naar het meisje dat al met haar linkerhand bezig was. 'Doen jullie ook Franse manicure?' vroeg ze.

5

Kates appartement in Manhattan was ontegenzeggelijk klein. Toch mocht ze van geluk spreken dat ze het had gevonden. Het was onderdeel van een bakstenen gebouw aan West 19th Street, een straat met bomen, een begeerlijke locatie, niet ver van het seminarie. Het appartement bevond zich op de bel-etage, boven straatniveau, en bestond uit een forse kamer die ooit de salon was geweest, een badkamertje en een nog kleiner keukentje daarachter, en dan nog een gezellige slaapkamer.

De grote kamer had uitzicht op de achtertuin, die helaas bij het appartement onder het hare hoorde. In ieder geval had ze stilte, in de zomer groen om naar te kijken, en in de winter sneeuw. Veel geld voor meubels had ze niet, maar Elliot had een neus voor koopjes en hij had voor haar een bank gevonden en geholpen die naar huis te dragen – een kleine bank met blauw-witte strepen. In een tweedehandswinkeltje had ze een oude, rieten schommelstoel gevonden, en nadat ze die blauw had gespoten, was het een prettige stoel om in te zitten, zij het wat wankel.

Max, die boven haar woonde, had haar pas nog geholpen boekenplanken naast de schoorsteenmantel op te hangen. Max was een vriend van Bina's broer, hij werkte op Wall Street met Jack, die een neef van hem was. Hij had Bina en Jack aan elkaar voorgesteld, dus toen Kate hoorde dat hij een appartement zocht, had ze hem laten weten dat er in het huis binnenkort eentje vrijkwam. Max, voor eeuwig dankbaar, was ook in haar geïnteresseerd geweest, maar Kate was niet zo enthousiast. Hij was aardig en zag er goed uit, maar ze hadden niets om over te praten, al leek dat Max niet te kunnen schelen. En hoewel haar vader haar weinig goede raad had meegegeven, had hij wel zijn levensfilosofie verwoord: Niet schijten waar je ook eet. Ze had Max diplomatiek afgepoeierd, en daarna waren ze zowel goede vrienden als goede buren geworden. Hoewel Max geen kopjes suiker meer kwam lenen, kwam hij wel voor een kopje koffie, een glaasje wodka, of, minder vaak, de vraag of Kate een afspraakje kon regelen met een meisje uit haar kennissenkring.

Kate deed de gordijnen open. Het zag ernaar uit dat het zou gaan regenen. Ze gooide haar tas op de bank en liep snel naar de slaapkamer. De schoonheidsbehandeling van Bina had langer geduurd dan ze had verwacht, ze had nog maar een halfuur voordat Michael kwam. Hoewel ze er eerder met Elliot luchtig over had gedaan, was ze toch een beetje zenuwachtig om Michael aan hem voor te stellen. Dat was net zoiets als een vriendje mee naar je ouders nemen, en ze wilde graag dat alles vlekkeloos verliep.

Kates slaapkamer was eigenlijk onderdeel van de grote kamer die was opgesplitst. Het vervelende was dat de kast zo klein was.

Maar ze had geleerd met zulke dingen te leven, net als de andere New Yorkers. Ze had geen tijd meer om te douchen, daarom koos ze de mouwloze hemelsblauwe jurk uit die ze pas had gekocht en rende de badkamer in. Er was tijd genoeg om haar gezicht te wassen, haar haar los te maken en uit te borstelen, en snel wat make-up op te doen.

Veel make-up droeg ze nooit. Ze had een bleke huid, en eindelijk waren de sproetjes verdwenen die vroeger een dansje over haar wangen en neus uitvoerden – een soort Ierse volksdans. Nu was haar gezicht gewoon bleek, en meestal deed ze alleen lipstick op zodat haar krullende rode haar de rest niet overstemde.

Nog tien minuten voordat Michael zou komen, maar meestal kwam hij iets te laat. Ze had begrepen dat dat niet voortkwam uit een gebrek aan respect – Kate had een hekel aan te laat komen, ze vond het iets narcistisch hebben – maar dat hij zo vaak verzonken in gedachten over zijn werk en zijn onderzoek was, dat hij soms vergat uit te stappen wanneer hij in de ondergrondse of de bus zat.

Met een glimlach dacht ze aan hem. Hij was intelligent, had mooie handen en een wilskrachtige kin. Ze vond zijn stalen brilletje leuk waardoor hij haar ernstig aankeek, en ze vond het ook leuk dat hij in zijn werk zo toegewijd was.

Pas onlangs was ze met hem naar bed gegaan. Meestal was ze niet zo preuts, maar na die affaire met Steven was ze voorzichtiger geworden. Ze hadden elkaar bij haar vriendin Tina leren kennen; Tina en Michael werkten aan dezelfde universiteit. Tina had het niet zo geregeld, want ze dacht niet dat Michael Kates type was, maar na Steven wist Kate niet meer wat haar type dan wel was. Michael had haar langzaam maar vastberaden het hof gemaakt. Toen ze de stap uiteindelijk durfde zetten, was Kate opgetogen dat hij in bed lief en onzelfzuchtig was. En het leek erop dat hij ook blij verrast met haar was. Ze waren op een punt beland waar de verhouding eindeloos kon blijven duren zonder dat ze ergens kwamen. Kate was bijna twee jaar met Steven geweest, en het had haar diep gekwetst toen ze besefte dat de schrijver nooit met haar zou trouwen, en waarschijnlijk ook niet met iemand anders. Ze wilde niet nog een jaar kwijt zijn met een verhouding die geen toekomst had.

Ze ging op bed zitten en bekeek haar gelakte teennagels. Heel even kon ze zich voorstellen dat ze jaloers op Bina was, zij wist hoe haar leven er verder uitzag. Maar ze hield zichzelf voor dat Bina zes jaar in Jack had gestoken. Ze wilde kinderen, maar daarvoor alleen wilde ze niet trouwen. Ze had genoeg aan haar werk met Brian en de andere kinderen van Andrew Country Day totdat ze klaar was om haar eigen gezin te stichten.

Met Michael leek dat een mogelijkheid. Officieel waren ze nog geen stelletje, maar omdat hij bijna elke avond belde en ze elkaar regelmatig zagen, dacht Kate dat het nog maar een formaliteit was. Ze had geen haast, ze wilde geen ultimatum stellen. Maar toch had ze er behoefte aan te weten dat hij hetzelfde doel nastreefde als zij.

Kate trok het zijden jurkje aan en zocht onder het bed naar haar hooggehakte sandaaltjes. Die waren zwart met bandjes, haar prachtig gelakte teennagels zouden er goed in uitkomen. Het was een ramp om op te lopen, maar het was niet ver naar Elliot.

Toen er even later op de deur werd geklopt, was Kate er klaar voor. Ze klikklakte naar de deur. Maar het was Michael niet. Het was Max, met een boeketje leeuwenbekjes en lamsoor. 'Hé!' zei hij. 'Je ziet er goed uit.'

'Dank je.' Kate glimlachte, in een poging te laten doorschemeren dat ze nu geen tijd voor een praatje had. Max stond daar bewegingloos met de bloemen. Zijn lach was aanbiddelijk; een van zijn hoektanden stond naar voren, en dat vond Kate leuk. Maar Max leek wel een beetje op die hoektand. Hij probeerde vaak ergens te zijn waar hij niet hoorde. Maar verder was hij de kwaadste niet, ze kon niet ontkennen dat hij heel aardig was.

'Voor mij?' vroeg ze.

'Jazeker,' zei hij. 'De bloemenwinkel was open toen ik langskwam. De leeuwenbekjes deden me aan je haar denken. Je kunt niet weigeren.'

Kate weigerde niet. Maar toen ze het boeket aannam, vroeg ze zich af of Max niet nog steeds wat voor haar voelde. Ze wilde hem niet aanmoedigen, maar ze wilde ook niet grof zijn. Ze klikklakte over de vloer van de woonkamer naar het miserabele keukentje en zocht een vaas. Max liep achter haar aan, en bleef in de deuropening staan. Kate vulde de vaas en moest lachen toen ze de rode leeuwenbekjes zag met hun oranje binnenste. 'Kon ik er maar twee als oorbellen dragen,' grapte ze.

'Oorbellen heb jij niet nodig,' zei Max. 'Je ziet er prima uit.'

Kate droeg de bloemen naar haar kleine eettafel. De kleuren deden het goed. 'Bedankt, Max,' zei ze, en kuste hem op de wang waardoor er een vlek lipgloss op achterbleef.

'Waar ga je naartoe?' vroeg hij.

'O, gewoon, eten bij Elliot.' Max de accountant en actuaris had het wel eens met Elliot over de hogere wiskunde gehad. Maar ze had Max nog niet over Michael verteld.

'Nou, die jurk is aan hem anders niet besteed,' zei hij, en tot

Kates schrik ging hij zitten. Niet dat er reden was om zich schuldig te voelen, maar ze wilde niet dat Michael straks kwam om een ander aan te treffen, en dan moest ze hen ook weer aan elkaar voorstellen. Michael leek niet erg bezitterig. Integendeel, hij leek eerder onzeker. Maar Kate wilde dat hij zich zeker van zijn zaak voelde, en daarom wilde ze dat Max wegging, zonder dat ze het hem hoefde vragen.

Max verschoof op de gestreepte bank en trok een paar brieven en een opgerold tijdschrift uit zijn achterzak.

'O, ik heb je post maar meegenomen.'

Kate glimlachte en onderdrukte een zucht. De vier huurders van dit pand hadden geen aparte brievenbussen, de post lag op de radiator in de gang. 'Ben je zo aardig omdat je een fles Absolut wilt lenen?'

'Nee, ik probeer geen drank te ritselen totdat het Absolut noodzakelijk is.'

Kate lachte plichtmatig. Hij was echt aardig, alleen een beetje vermoeiend. 'Zeg, ik moet zo weg.'

Max stond op en sjokte naar de deur. 'Al goed.' Eindelijk deed hij de deur achter zich dicht. Ze pakte de post op en liep naar de prullenmand naast haar bureautje. Ze probeerde *The New Yorker* glad te strijken; ze scheurde de catalogus van Saks doormidden en gooide die in de prullenmand voordat ze in de verleiding kwam; ze stopte een nota van Con Ed in haar mapje; en ze gooide alle reclame weg. Onderop het stapeltje vond ze een bijna vierkante envelop met haar adres in goud geschreven. O nee, dacht ze, heeft Bina de uitnodigingen voor de bruiloft verstuurd voordat ze werd gevraagd?

Ze draaide het onheilspellende briefje om en zag op de achterkant het adres staan van de heer en mevrouw Tromboli. Kates handen trilden. Ze scheurde de envelop open en trok per ongeluk de hoek van de kaart. Ze haalde het onvermijdelijke uit de envelop: een uitnodiging voor de bruiloft van Patricia (Bunny) Marie Tromboli en Arnold S. Beckman. Even voelde ze zich duizelig. Hoe

45

kon dit zijn gebeurd? Bina had haar toch net verteld over de man uit Brooklyn die Bunny's hart had gebroken? Nu was het of Kates hart brak. Nu Bina verloofd was en Bunny op het punt stond te gaan trouwen, was zij de laatste van het kluppie die nog single was. Wanneer haar vriendinnen aan kinderen begonnen, zou ze echt helemaal alleen komen te staan. Bev was al zwanger. Jonge moeders kregen het druk met speeltuinen, peuterspeelzaaltjes, speelafspraakjes en zwangerschappen. De leden van het kluppie zouden zich voortplanten, en Kate zou overal buiten vallen.

Nog steeds duizelig legde ze de uitnodiging neer. Toen ging de bel. Zij en Michael hadden nu geen tijd meer voor een drankje, en eigenlijk had ze daar ook geen zin in. Ze drukte stevig op het knopje van de intercom, en toen hij hallo zei, vroeg ze hem niet binnen te komen, maar zei dat ze eraan kwam. Ze propte de kaart in haar tasje en hield zichzelf voor dat ze niet meer aan Bunny moest denken. Maar onderweg naar beneden – voorzichtig met die sandaaltjes – moest ze aan Bunny denken die zich als een konijn voortplantte. En ook al was ze op de kinderen op school gesteld en was ze die zeer toegewijd, toch voelde ze zich intens treurig. Ze wist dat het nooit echt zou zijn als ze niet zelf een kind had om van te houden.

Michael wachtte in de gang. Hij droeg een keurig opgeperste broek, een wit overhemd en een tweed sportjasje. Dat was een beetje te warm voor dit jaargetijde, maar het was Kate al opgevallen dat hij zich altijd conservatief kleedde, zelfs een beetje professor-achtig. Hij zag er zowel knap als aardig uit, iets langer dan Kate op haar hoge hakken, en ze vond zijn kop vol krullend bruin haar leuk. 'Hoi,' begroette ze hem, en ze probeerde haar zorgen te verbergen, net zoals ze Bunny's kaart in haar tasje had verborgen. Ze kusten elkaar, vluchtig, op de lippen. 'Je bent naar de kapper geweest,' zei ze.

'Nee, ik heb mijn oren lager laten zetten,' reageerde hij.

Het speet haar dat hij zijn haar had laten knippen net voordat ze hem aan Elliot en Brice wilde voorstellen. Het maakte hem een beetje sullig, maar die gedachte verborg ze ook. Michael zag er prima uit en hij was een goed mens. Hij had op een studiebeurs gestudeerd en ook nog verschillende baantjes gehad. Hij had voor belangrijke publicaties geschreven en er lag een briljante academische carrière voor hem open. Hij was belezen, goed op de hoogte en voor zover ze wist, had hij ook goede bedoelingen. Het feit dat hij getrouwd was geweest – voor een jaartje maar, toen hij te jong was om beter te weten – sierde hem alleen maar. Hij kon zich binden, al was het aan de verkeerde.

Nu keek hij naar Kate, en zijn donkerbruine ogen fonkelden achter zijn brillenglazen. 'Je bent adembenemend,' zei hij, en Kate lachte. De jurk was het geld dubbel en dwars waard geweest.

'We moeten gaan,' zei ze. 'Brice vindt het vervelend als gasten te laat komen.' Maar Michael luisterde niet, hij duwde haar tegen de deur en kuste haar. Hij kon goed kussen, en Kate liet haar tong en haar gedachten de vrije loop. Toen kwam Max de trap af, in sportkledij, op weg naar het fitnesscentrum. Ze gingen uit elkaar, maar Max had het natuurlijk gezien. Met opgetrokken wenkbrauwen liep hij langs hen heen, met Kates lipgloss nog op zijn wang.

'Eten bij Elliot?' vroeg hij terwijl hij de stoep afsprong. Kate voelde zich schuldig. Ze ging inderdaad bij Elliot eten, maar door achter te houden dat ze iemand meenam, leek het of ze had gelogen. Michael was zich van geen kwaad bewust en pakte haar hand. Samen liepen ze naar buiten.

Kate moest aan haar twee jaar op een katholieke school denken. Zonden door doen en laten. Ze meende zich te herinneren dat die allebei even erg waren. Ze nam zich voor later haar excuses aan Max aan te bieden.

Ze haakte bij Michael in terwijl ze over de beschaduwde stoep liepen. Ten westen van Eighth Avenue was Chelsea best mooi. 'Laten we door de tuin van het seminarie lopen,' stelde Michael voor. Kate glimlachte. Om deze tijd was het park dat bij de kerk en het seminarie hoorde op zijn mooist. Gearmd liepen ze verder.

'Wacht even, Kate,' zei Michael. 'Ik heb iets voor je.'

Hij hanneste met de riempjes van zijn tas. Hij had Kate al eens iets gegeven: een psychologieboek door D.W. Winnicott dat niet meer in herdruk was. Dat was attent van hem, en ze verwachtte nu weer een boek. Maar deze keer kwam er een langwerpig pakje uit zijn tas, in zilverpapier. Onmiskenbaar iets van de juwelier. 'Weet je dat het vandaag al drie maanden is?' vroeg hij. Dat wist Kate niet, en ze vond het ontroerend dat hij dat had bijgehouden. 'Ik zag dit en moest meteen aan jou denken,' zei hij. Hij gaf haar het pakje en ze pakte het uit. Er zat een zilveren armband in waar een kleine к aan hing. Ze keek op naar Michaels verwachtingsvolle gezicht. Zelf zou ze zoiets nooit hebben gekocht, maar toch was het lief van hem.

'O Michael, dank je wel.' Ze kusten elkaar weer, deze keer ongestoord.

'Vind je het mooi?' vroeg hij.

Kate dacht weer aan de zonden van laten, maar zelfs zuster Vincent zou niet volhouden dat die op deze situatie betrekking hadden. 'Ja, prachtig. Wil jij hem bij me omdoen?'

Michael boog zich over haar pols en frunnikte aan het sluitinkje. Het duurde even, maar uiteindelijk hing de armband om haar pols. Ze strekte haar arm. 'Mooi,' zei ze.

'Geweldig!' zei Michael en pakte haar arm weer.

Het nare gevoel dat Kate de hele dag had gehad was meteen verdwenen.

6

Brice en Elliot hadden elkaar al drie jaar geleden leren kennen, maar waren pas in september gaan samenwonen. Brice had modieuze retro meubeltjes in oranje en felgroen, en daar hadden Elliots spulletjes uit tweedehandswinkeltjes en van de straat voor moeten plaatsmaken. Hun appartement met twee slaapkamers in Chelsea, niet ver van dat van Kate, had in de woonkamer twee grote ramen die uitkeken over een achtertuintje. Een antieke tafel uit een refter stond tussen de ramen, en hoewel Michael en Kate daar bezwaar tegen maakten, kregen zij de stoelen die uitzicht boden op de tuin.

'De tulpen zijn al uitgebloeid en de rozen moeten nog beginnen, dus de tuin is niet op zijn best,' zei Brice verontschuldigend terwijl hij hun stoelen aanschoof. Daarna maakte hij zijn excuses en trok zich in de keuken terug. Het viel Kate op dat ze Brices goede glasservies gebruikten en zijn Havilland eetservies, en dat roerde haar. Elliot bracht de wijnkoeler en zette die op het eikenhouten dressoir.

'Onderzetters! Onderzetters!' riep Brice, en schoof er gauw een onder de kristallen wijnkoeler. Kate onderdrukte een lach.

Even later werden de schalen doorgegeven. Elliot schonk de wijn in. Michael pakte zijn glas en zette dat omgekeerd neer. 'Ik niet, dank je,' zei hij.

Kate vertrok haar gezicht. Ze had dit kunnen zien aankomen. Michael dronk niet, hij zei dat hij er niks aan vond. Gezien haar vaders slechte gewoonte leek dat Kate een goede eigenschap, maar ze wist dat het Elliot niet zou bevallen. Hij was trots op zijn wijnkelder – al was dat eigenlijk een linnenkast – en hij had deze Pinot Grigio vast met zorg uitgekozen.

'Drink je niet?' vroeg Brice met opgetrokken wenkbrauw. Kate kon zich al voorstellen wat ze later zouden zeggen: 'Is hij alcoholist, loopt hij bij de AA? Nee? Dan is hij zeker bang zichzelf niet meer in de hand te hebben, of hij is zo'n wedergeboren christen.' O, ze zouden er eindeloos over doorgaan.

'Ik hou liever mijn hoofd erbij,' zei Michael.

'Ja, stel je voor dat hij vergeet waar hij het heeft gelaten,' mompelde Elliot bij Kates oor terwijl hij haar glas pakte.

Zodra iedereen eten op zijn bord had en de drankcrisis voorbij was, begonnen ze aan Brices befaamde voorafje: een prachtige groenteterrine in kleurige laagjes. Er werd over koetjes en kalfjes gepraat, maar de spanning bleef in de lucht hangen, vooral tussen Elliot en Michael. Elliot had zich natuurlijk weer als Kates beschermheer opgeworpen. En deze talentvolle, knappe vriend keurde hij af. Kate had ook wel gemerkt dat Michael een beetje een ouwe zeur was en erg netjes, maar daartegenover stonden dan weer andere eigenschappen.

'Waarschijnlijk krijg ik toch die subsidie van Sagerman,' zei Michael na de eerste gang tegen Kate. 'Ik heb professor Hopkins gesproken, en hij zei dat de besprekingen eh... veelbelovend verliepen.' Kate zag dat Elliot en Brice een blik uitwisselden. Het was onbeleefd van Michael hen te negeren, ook al was het maar voor even, maar hij was nu eenmaal een doelbewuste academicus.

Kate onderdrukte een zucht. Zelfs wanneer Michael en zij alleen waren, was het soms moeilijk zijn verrichtingen op academisch gebied te vergeten. Om de conversatie voor iedereen begrijpelijk te maken moest ze uitleggen wat de Sagerman Foundation was, en ook dat Michael graag een postdoctorale aanstelling wilde, en hoe moeizaam zijn verhouding met zijn mentor Charles Hopkins was. Dat waren dingen die een stelletje interesseerden, maar niet erg boeiend om aan tafel in gezelschap over te praten.

'Geweldig,' zei Kate.

Verder zei niemand iets. Elliot schonk de glazen nog eens vol, Brice zette de tweede gang op tafel. Kate keek naar de schaal en wist meteen dat haar vrienden kosten noch moeite hadden gespaard om indruk op Michael te maken. Dit was Brices risotto met truffel, en ze wist wat truffel kostte. Ze namen allemaal een hap van de dampende rijst. Toen de pijnlijke stilte voortduurde, richtte Kate zich tot Brice in een poging alles weer op het rechte spoor te krijgen. 'Brice, deze risotto is echt heerlijk.'

'Heel goed,' merkte Michael op.

Brice straalde. Hij was trots op zijn prestaties op kookgebied, op zijn designer smaak, en op zijn uitgebreide verzameling Beanie Baby's die keurig op schappen boven het dressoir stonden. Kate had Michael zien kijken, en ook dat hij zijn blik had afgewend. Ze moest toegeven dat hij niet erg speels was, niet wat zijn kleding betrof, maar ook niet op het gebied van tafelgesprekken.

'En, hoe was het vanmiddag in de salon?' vroeg Elliot aan Kate.

Ze lachte. Ze kende hem zo goed; hij had medelijden met haar en probeerde het minder pijnlijk te maken. En hij dacht natuurlijk dat ze loslippiger zou zijn om het gesprek maar op gang te houden. Leuk geprobeerd, dacht ze.

'O, ik heb mijn nagels laten lakken,' zei ze. Ze liet haar glimmende nagels zien en ze slaagde erin haar vork niet te laten vallen. 'Denk je dat dr. McKay dat aanstootgevend zal vinden?' Vorig semester had de directeur teenringetjes aanstootgevend gevonden, en alle kinderen hadden hun kousen en schoenen moeten uittrekken zodat eventuele voetsieraden geconfisqueerd konden worden.

'Dat, en penisringen,' zei Elliot.

'Elliot!' riep Brice bestraffend uit. 'Niet waar het Havilland bij is!' Hij grijnsde naar Kate en Michael.

Het gesprek ging met horten en stoten, en Kate besefte dat Michael niet in de smaak viel. Maar Elliot had Steven graag gemogen en dat was op niets uitgedraaid... Misschien was Elliots eerste indruk minder belangrijk dan ze dacht.

'Wil iemand kaas of fruit voordat we aan het toetje beginnen?' vroeg Brice. 'Ik heb verrukkelijke peren.'

'Nee dank je, Brice,' zei Kate.

'Niet voor mij,' zei Michael. Elliot stond op en ruimde de tafel af. 'Het was heerlijk,' voegde Michael eraan toe.

Zelfs Kate vond dat een onvoldoende bedankje. 'Was de terrine niet geweldig?' Ze keek naar Michael, en hij keek op zijn beurt in verwarring gebracht naar de lege schalen.

'Wat was de terrine?' vroeg hij.

Kate bloosde diep. Ze wist hoeveel moeite Brice had gedaan. 'De groentepaté,' legde ze uit.

Elliot stond achter Michael om zijn bord te pakken. 'De drabbige dipsaus,' zei hij.

Kate vertrok haar gezicht. Achter Michaels rug hield Elliot zijn neus dicht en stak zijn duim naar beneden. Daarbij liet hij bijna de stapel borden vallen.

'Pas op de Havillandjes!' waarschuwde Brice hem.

'Elliot, dat hoeft allemaal niet,' zei Kate, en dat sloeg zowel op het afruimen als op het commentaar.

'O, toch wel, hoor,' reageerde Elliot met een grijns.

Ze keek hem kwaad aan. Kennelijk moesten ze elkaar even alleen spreken. 'Ik help je wel,' bood ze aan, en het viel haar op dat Michael helemaal niet meehielp.

Brice maakte bezwaar en stond ook op, maar Elliot schudde zijn hoofd en keek veelbetekenend naar Michael. Brice wierp hem een smekende blik toe, maar Elliot boog zich naar hem toe en fluisterde: 'Iemand moet hem bezighouden.'

Brice lachte flauwtjes. 'En, hoe staan de zaken er bij de antropologie voor?' vroeg hij Michael opgewekt. 'Die subsidie van Sugerman, is dat zeker?'

'Sagerman,' verbeterde Michael hem. 'Van de Sagerman Foundation for the Studies of Primitive Peoples.'

Kate slaakte een zucht, pakte een paar glazen en liep achter Elliot aan naar de keuken. Die was klein, maar slim ingericht, met zwart-witte tegels op de vloer, rode muren en kastjes, en de modernste roestvrijstalen apparatuur. Kate zette zich schrap. Zwijgend zette Elliot de borden in de gootsteen, toen draaide hij zich naar haar om, precies zoals ze verwachtte, en keek haar met zijn handen in de zij verwijtend aan, net een non. 'Waar heb je hem vandaan?' vroeg hij. 'Dit is de allerergste.'

'O Elliot, dat is niet waar,' protesteerde ze. 'En praat niet zo hard.'

'Toe nou Kate, word wakker en ruik de primitieve volken. Hij is saai, er zit geen greintje humor bij, en op zijn kapsel na zie ik niets wat erbovenuit steekt,' zei Elliot.

Zo'n kapsel zou jij ook wel willen, dacht Kate. 'Toe nou Elliot,' fluisterde ze. 'Je ziet nooit wat in mijn vriendjes.'

'Jij ook niet,' reageerde Elliot. 'Niet na Steven. En deze is niet alleen saai, hij is ook opschepperig, egocentrisch en homofoob.'

'Nietes!' riep ze uit. 'Je ziet spoken!'

'Kate, hij heeft gedurende de hele maaltijd geen woord tegen ons gezegd.'

'Daarom is hij nog niet homofoob. Misschien is hij gewoon verlegen. Of misschien vindt hij jullie niet aardig,' voegde ze eraan toe. 'Dat kan.' Ze zette de wijnglazen – één schone – op de aanrecht.

'Dat betwijfel ik. Waarschijnlijk is hij alcoholist en drinkt hij daarom niet. In ieder geval, hier komen eten is hetzelfde als kennismaken met jouw familie,' legde Elliot uit terwijl hij een bord afspoelde. 'Hij zou op zijn minst kunnen doen of hij ons mag, omdat wij de plaats van je ouders innemen.'

'Rare ouders,' zei Kate. Elliot trok een gezicht. Ze trok de vaatwasmachine open en zette de borden erin.

'Nee, nee,' zei Elliot. 'Niet het Havilland. Dat moet met de hand worden afgewassen. Brice wilde bladgoud, Brice wast af.' Hij spoelde zijn handen af. 'We kunnen beter teruggaan. Misschien gaat het beter tijdens de koffie. Vul jij het roomkannetje?'

Kate knikte en deed de ijskast open. 'Elliot, ik heb je dit al eerder gezegd. Het is niet makkelijk een aardige, interessante, ontwikkelde, stabiele man te vinden die niet alleen maar uit wil met topmodellen.'

'Misschien,' moest Elliot toegeven. 'Ik denk in ieder geval niet dat je die in het vriesvak vindt. Maar haal daar de profiterole maar vast uit.'

'Heel leuk.' Kate haalde een kwart liter melk uit de ijskast en een halve liter magere room en zette die op de aanrecht. 'Ik moet toegeven dat hij vanavond niet op zijn best is. Maar geloof me, Michael is veel leuker als je alleen met hem bent.'

'Vast,' zei Elliot met een plagerige grijns.

Kate negeerde dat. 'Nee, echt. Hij kan echt heel leuk zijn. En hij is slim. Op zijn eenentwintigste studeerde hij al af, op zijn vierentwintigste gaf hij college op Barnard en nu denkt hij aan promoveren. Ik denk dat hij wel een aanstelling op Columbia krijgt.'

'Ik vroeg niet naar zijn curriculum vitae,' snauwde Elliot terwijl hij de chocoladesaus voor de profiterole in de magnetron zette. 'Hij is gewoon saai. Je vader was alcoholist, je wist nooit wat je kon verwachten wanneer hij thuiskwam. Je moeder stierf voordat je in de puberteit was gekomen. Ik weet dat je een verantwoordelijke volwassene zoekt, iemand op wie je kunt vertrouwen. Maar hij is niet gewoon stabiel, hij is doodsaai. Waar is de magie tussen jullie? Hij is niet goed genoeg voor je. Je bent als een snob verblind door zijn prestaties op academisch niveau.'

'Nee, echt niet,' stelde ze hem gerust, maar ze vroeg zich toch af of hij misschien geen gelijk had. Ondanks haar opleiding en de psychoanalyse die ze zelf had moeten ondergaan, dacht ze soms dat veel van wat ze deed een reactie was op haar ellendige jeugd.

Elliot haalde zijn schouders op en draaide zich zo snel om om het blad met koffiekopjes te pakken dat hij Kates tas van het aanrecht stootte.

'Daar gaat mijn mobieltje,' zei Kate.

'Was dat het Havilland?' vroeg Brice vanuit de kamer.

'Nee, Melmac,' riep Elliot terug. 'Dat verdomde servies is voor hem bijna een obsessie,' zei hij tegen Kate.

Daarna knielde hij neer om Kates tas op te rapen, en alles wat eruit was gerold. 'Sorry. Ik ben bang dat je spiegeltje is gebroken.'

'O jee, dat was een vergrotende spiegel. Krijg ik nou veertien jaar ongeluk, of zeven jaar extra erg ongeluk?'

'Hou op, Kate, ik ben statisticus, wiskundige, geen bijgelovige sukkel.'

'Maar jij had het over magie...'

'Niet de tovenarij zoals in Harry Potter. Niet dat bijgelovige gedoe. Ik heb het over de magie tussen twee mensen.'

'Hulp nodig?' riep Brice. 'Wij zitten hier te wachten.'

'Nee schat,' riep Elliot terug. Hij gaf Kate haar tasje. Kate knielde bij hem neer om de rest van haar spullen op te rapen. 'Hé, wat hebben we hier?' vroeg Elliot. Kate keek op. Hij zwaaide met een envelop door de lucht.

'Dat is de uitnodiging voor Bunny's bruiloft,' zei ze met een zucht.

'Bunny van het kluppie gaat trouwen?' vroeg Elliot. 'Hoe komt dat zo ineens? Jij vertelt me ook nooit wat.'

'Ik heb die pas vandaag gekregen. En ik vertel je alleen wat je moet weten.' Ze stond op. 'Niet te geloven, hè? Een maand geleden werd ze nog door een kerel gedumpt. Ik weet niet waar dit zo ineens vandaan komt.'

'Brooklyn, van de weeromstuit,' zei Elliot. 'Mag ik mee naar de bruiloft? Alsjeblieft?'

'Nee,' reageerde Kate. 'Dit is weer zo'n reden waarom ik het niet kan uitmaken met Michael. Bina gaat zich verloven, en nu dit weer... ik moet iemand meenemen die levensvatbaar is.'

'Maar Michael is zo –'

Elliot kreeg niet de kans zijn kritiek te verwoorden. Plotseling werd er hard op de voordeur gebonkt. 'Wat...?'

Samen renden ze de kamer in, net toen Brice met grote stappen naar de deur ging. Hij draaide zich om om Elliot aan te kijken, en die haalde zijn schouders op. Brice deed de deur open. Een vrouw met verward haar stormde naar binnen, haar handen voor haar

55

gezicht geslagen. Ze snikte het uit. Iedereen bleef stokstijf van verwondering staan, Brice zette zelfs twee stappen naar achteren. Pas na een tijdje viel Kates oog op haar nagels, en toen besefte ze tot haar grote schrik dat de vrouw een Franse manicure had.

'Bina!' bracht ze ademloos uit. 'Bina! Wat is er met jou gebeurd?'

7

Verwilderd keek Bina om zich heen. 'Katie! O god, Katie!' Toen liet ze zich op de bank vallen en snikte luidkeels. Kate liep op haar toe en legde haar hand op Bina's schouder. Was ze soms aangerand? Had iemand haar beroofd? Haar kleren zaten scheef en haar haar zat in de war, daarom dacht Kate als eerste dat haar lichamelijk iets was overkomen.

Elliot staarde naar de huilende vrouw op zijn bank. 'Is dat Bina?' fluisterde hij. 'De befaamde Bina?'

Kate sloeg geen acht op hem. 'Bina? Bina lieverd, wat is er gebeurd?'

Bina schudde heftig haar hoofd. Kate ging naast haar zitten en sloeg haar armen om haar heen. 'Stil maar,' suste ze terwijl ze Bina's haar streelde. Kate herinnerde zich de andere keren dat Bina hysterisch was geweest, tijdens logeerpartijtjes, op feestjes. Het had iets vertrouwds om zo met Bina in haar armen te zitten. Toen keek ze op en herinnerde ze zich dat ze publiek hadden – en dat dit drama zich op andermans bank in Manhattan voltrok. Ze hoopte dat het minder erg was dan het eruitzag. Toen kwam er een andere gedachte in haar op. 'Bina, hoe wist je me hier te vinden?'

'Max,' zei Bina door haar tranen heen. 'Hij hoorde me in de gang huilen en vertelde me waar je was.' Ze haalde bevend adem en barstte opnieuw in tranen uit. Elliot en Brice liepen dichter naar de bank, een en al oog, maar Michael had zich achter de tafel teruggetrokken. Kate vond dat ze zich allemaal typisch gedroegen: Michael hield zich bij emotionele uitbarstingen als een echte man afzijdig, Brice en Elliot waren niet te houden.

Ze keek haar vriendin aan. 'Bina, wat is er gebeurd?' vroeg ze weer.

'Stik,' jammerde Bina terwijl de tranen over haar wangen biggelden.

'Ben je aan het stikken?' vroeg Kate in verwarring gebracht.

'Ik weet hoe dat trucje van Heimlich moet. Heeft ze Heimlich nodig?' vroeg Brice hoopvol.

Bina schudde snikkend van nee.

Kate nam Bina's handen in de hare en sprak haar ernstig maar liefdevol toe: 'Wie stikt? Wie stikt er, Bina?' Ze wendde zich tot Elliot. 'Wil je alsjeblieft een glaasje water halen?'

Elliot speelde het verzoek door naar Brice. 'Brice, haal een glaasje water. Dit is beter dan *One Life to Live.*'

Brice gaf geen sjoege. '*One Life to Live?* Dit is beter dan *The Young and the Restless.*' Hij richtte zich tot Michael in de hoek achter de tafel. 'Laat dat tafelkleed maar los,' zei Brice. 'Haal jij maar een glaasje water.'

Michael leek blij te zijn even weg te kunnen, en hij verdween in de keuken. Bina jammerde erop los.

'Bina, rustig nou maar,' zei Kate. 'Vertel liever wat er is.' Bina haalde een paar keer diep adem en het snikken bedaarde. Kate vroeg zich af of ze misschien een ongeluk had gehad, of misschien was ze ziek. 'Heb je ergens pijn?' vroeg ze.

Bina knikte.

'Moeten we de dokter bellen?' ging Kate verder.

Bina knikte heftig. 'Ja. Joods en ongehuwd. Eentje die op mijn type valt en die zich serieus wil binden.' Ze barstte weer in snikken uit.

Elliot en Brice kwamen nog dichterbij. 'O jee,' zei Elliot. 'Kate, kijk eens naar haar hand.' Brice en hij keken elkaar veelbetekenend aan.

Kate begreep er niets van, ze dacht aan de manicure van de afgelopen middag. 'Bina, heb je je handen bezeerd?' Ze keek naar Bina's handen maar zag niets verontrustenders dan de Franse manicure.

'Niet haar rechterhand, Kate,' zei Brice. 'De linker. De vinger naast haar pink.'

Eindelijk begreep Kate het. Ze sloeg haar armen weer om Bina heen en zei: 'O god, Jack...'

'Stik Jack!' zei Bina. 'Hij had de ring in zijn borstzakje. Ik zag de bobbel van het doosje.' Weer begon ze te huilen. 'O Katie, in plaats van me ten huwelijk te vragen, vroeg hij of we de tijd die we gescheiden moeten doorbrengen, konden gebruiken om... om van ons vrijgezellenbestaan te genieten!'

'De rotzak!' Kate, die dacht dat ze genoeg van mensen en hun motivatie begreep om nergens van versteld te staan, was diep geschokt. Terwijl Jack studeerde en een goede baan kreeg, had Bina gewacht, gewerkt en elk nummer van *Bride* stukgelezen. Ze had moeten toekijken terwijl haar vriendinnen trouwden, ze had voor hen allemaal feestjes georganiseerd. En nu, nu het eindelijk haar beurt was, had Jack haar laten vallen. 'Die verdomde rotzak!' siste Kate woedend.

Ze keek op en zag dat Michael op tijd teruggekomen was uit de keuken om haar te horen vloeken. Hij deinsde achteruit. Gelukkig had ze geen ergere scheldwoorden gebruikt, dacht ze terwijl hij naar de bank liep en op zijn hoede Bina het glas water aanreikte. Bina sloeg er geen acht op.

'Niet te geloven!' zei Bina. Ze wreef over haar ogen waardoor ze er nog meer als een wasbeertje ging uitzien. 'Hij had bij Barbies vader een ring gekocht. Meneer Leventhal had hem nog korting gegeven! Het was bijna anderhalf karaat, zei Barbie.' Ze zweeg om op adem te komen. Michael staarde haar aan, Elliot en Brice schudden meelevend hun hoofd – bijna tegelijk.

'Iedereen weet ervan,' zei Bina en begon weer te snikken. 'Onvoorstelbaar dat hij me dit aandoet. Hij laat me gewoon vallen. Ik schaam me dood.'

Kate pakte een servetje van tafel, doopte dat in het water en veegde Bina's tranen af. 'Bina, lieverd,' zei ze. Ze probeerde zo overtuigend mogelijk te klinken. 'Je gaat al zes jaar met Jack om.

Jullie zijn samen opgegroeid! Hij houdt van je.' Ze veegde de mascara van onder Bina's ogen weg. 'Snuit je neus,' zei ze, en Bina snoot haar neus. 'Kijk, dit is maar tijdeljk. Dat gebeurt soms. Een partner voor het leven kiezen is een serieuze aangelegenheid. Het is niet dat Jack niet met je wil trouwen, waarschijnlijk is hij gewoon bang geworden. Ik weet zeker dat hij je morgen belt.'

'Morgen zit hij in Hongkong. Met mijn ring! Ik word gedumpt in Bensonhurst, en hij wordt de Christoffel Columbus van de vrijgezellen,' jammerde Bina die onder stress de meest vreemde vergelijkingen gebruikte.

'Misschien moet je een beetje water drinken,' zei Michael en duwde het glas in haar hand.

Bina staarde naar het glas. 'Zit er strychnine in?' vroeg ze zonder op te kijken.

'Eh... nee,' antwoordde Michael.

Met een soepele beweging goot Bina het glas achter zich over de bank uit. 'Wat moet ik er dan mee?' zei ze tegen niemand in het bijzonder. Ze liet zich op de bank terugvallen en barstte opnieuw in snikken uit.

'Mooi gebaar,' zei Elliot en hij griste een servet van tafel.

'Op wasbare bekleding,' voegde Brice eraan toe. 'Helemaal Brooklyn.'

'Ik wist wel dat ik Brooklyn geweldig zou vinden,' zei Elliot.

Kate keek hen over Bina's hoofd waarschuwend aan, haar ogen tot spleetjes geknepen. Ze vroeg zich af hoe ze haar vriendin mee naar huis moest krijgen, met de taxi leek onmogelijk, en lopend met Michael ook. Ze kon dit beter hier afhandelen en daarna naar huis gaan. Maar eerst moest ze iets aan de angstige Michael doen, en de twee nieuwsgierige Aagjes afschrikken – hoewel dit natuurlijk wel hun huis was. 'Het spijt me, jongens,' zei ze terwijl ze van de een naar de ander keek. 'We zullen het toetje moeten uitstellen.'

'Doe niet zo raar,' zei Brice. 'Tegen verdriet helpt niets beter dan een profiterole.'

Elliot knikte, maar Michael liep al naar de deur.
Kate,' zei hij, zijn opluchting overduidelijk. 'Ik laat
uit.' Hij pakte zijn aktetas op en liep de gang op. 'Pre
nog,' zei hij en trok de deur achter zich dicht.
Kate sprong op. 'Momentje, Bina,' zei ze, en weer ke   ~ de
twee vrienden waarschuwend aan. Daarna rende ze de gang op.
Ze was net op tijd om Michael in de lift te zien stappen. 'Wacht!'
riep ze. Ze drukte op het knopje. Michael stond in de nepmaho-
niehouten lift als een insect dat in barnsteen gevangenzit. 'Laat je
me op die manier in de steek?' vroeg ze kwaad.

'Op welke manier?' vroeg hij, en hij keek verwonderd naar beneden alsof ze misschien bedoelde dat zijn gulp openstond.

'Het leven van mijn vriendin is verwoest en jij loopt de deur uit
met: "Prettige avond nog"?' Kate wist dat je in het begin niet te
veel van iemand mocht verwachten, maar Michael gedroeg zich
wel erg afstandelijk. '"Prettige avond nog"' bauwde ze hem nog
een keer na.

'Kate,' zei Michael. 'Bina is jouw vriendin, niet de mijne. Ik vind
niet dat het aan mij is om –'

'Om wat? Aardig te zijn? Kun je dan tenminste niet net doen of
het je iets kan schelen?'

Het drong tot haar door dat ze hem gevangen hield en ze liet
het knopje los. De deur schoof langzaam voor zijn rotkop. Ze
draaide zich om, in de hoop dat hij de deur zou open laten gaan,
dat hij zou terugkomen om haar te kussen en iets aardigs te zeggen, maar de liftdeur bleef zo gesloten als Michael zelf. Ze schudde haar hoofd. Ze moest terug naar Bina.

Ze liep weer naar binnen en zag tot haar verbazing dat Bina niet
meer huilde. Ze zat naast Elliot op de bank. Hij hield haar hand
vast en vertelde haar over de keren dat zíjn hart was gebroken: 'En
toen zei hij: "Ik ga terug naar huis om mijn spullen te halen, ik trek
bij jou in." Nou, ik was zo blij, ik zei: "Zal ik je helpen?" En toen
kuste hij me en zei: "Nee schat, het duurt maar een paar uurtjes."
En ik heb nooit meer wat van hem gehoord.'

Bina schudde meelevend haar hoofd.

'Maar goed ook,' zei Brice. 'Tuig. Gelukkig is het allemaal toch nog goed gekomen.' Hij drukte een kus op Elliots haar. Kate zag dat Bina met haar ogen knipperde.

'Nou, dan haal ik de profiterole maar,' zei Brice en verdween in de keuken.

'Dan haal ik ondertussen een deken,' zei Elliot, en hij verdween in de slaapkamer. Bina keek Kate dankbaar aan.

Het was Kate uit handen genomen, dus ging ze naast Bina op de bank zitten. 'Het spijt me,' zei ze troostend. 'Je bent vast helemaal van de kaart.'

'O Katie, hoe kón hij? Wie denkt hij wel dat hij is? De Magelhaen van accountants?' vroeg Bina. 'Hoe kón hij?'

Kate keek in haar vragende ogen, maar een antwoord had ze niet. 'Hij gaat naar Hongkong, die lange vlucht helemaal alleen, en dan zal hij je gaan missen, hij zal aan al die fijne jaren denken en ineens beseffen dat hij heel veel van je houdt...' Ze zweeg, en hoopte dat ze het bij het goede eind had. Ze wilde Bina troosten, maar niet tegen haar liegen. Als een achtjarige jongetje als Brian moest leren leven met het feit dat zijn moeder was gestorven, was het voor Bina waarschijnlijk het beste om onder ogen te zien dat haar relatie met Jack was doodgebloed – als dat zo was. Maar waarom was die een stille dood gestorven? Bina was lief, en ook al ging Jack extreem langzaam te werk, het had er altijd naar uitgezien dat hij haar aanbad. 'Hij belt je vast. Als hij in Hongkong is, stuurt hij je een ticket op en dan kun je naar hem toe en kan hij je daar vragen,' zei Kate hoopvol.

'Mannen zijn vreemde wezens...'

'Homo's niet,' zei Elliot die met een gebreide Afghaanse deken de kamer in kwam. 'Wij zijn gewoon hysterisch.' Hij knielde bij Bina neer en stopte de deken om haar heen in. Brice kwam de keuken uit met een volgeladen dienblad dat hij gracieus op de salontafel neerzette. Er stonden vier bordjes op, een schaal met de profiterole, een zilveren sauskom met warme, donkere chocoladesaus, servetjes met kant, een kristallen glas en een beslagen fles Finlandia. 'Voor jou,' zei Brice.

Bina keek naar het dienblad. 'Ik wil wel graag wat van het toetje, maar ik drink niet,' zei ze.

'Vanavond wel, schat,' zei Brice en hij schonk voor haar in. 'De combinatie van chocola en alcohol is veel en veel beter dan Prozac.' Bina keek naar hem, naar het volle glas, toen naar Kate en tot Kates verrassing pakte ze het glas op en dronk het in één teug leeg. 'Goed zo!' prees Elliot haar. 'En nu het toetje.' Hij gaf haar een portie. 'Je weet wat ze zeggen: Een lepeltje suiker...'

Bina tastte toe.

'Wacht,' zei Brice. 'Doktersvoorschrift.' Hij pakte het zilveren sauskommetje, hield het hoog en goot professioneel chocoladesaus over de soesjes.

Als betoverd staarde Kate naar hen drietjes, ze wist niet of ze blij moest zijn of verdrietig. Haar twee werelden waren op de afwasbare bank versmolten, en je kon alleen maar zeggen dat alles rustig was aan het front. Toen schonk Brice het glas nog eens vol en gaf het aan Bina die braaf als een kosjer lammetje alles opdronk. Daardoor werd Kates trance gebroken. 'Jongens, dit is erg, een drankje en koolhydraten zijn niet genoeg,' zei ze.

'Schat, alcohol en koolhydraten maken niet dat het overgaat, maar wel dat het niet meer zo'n pijn doet,' reageerde Brice. 'Geloof me nou maar, ik heb er ervaring mee.'

Bina keek met een verbaasde uitdrukking op van haar bordje. Met een kanten servetje veegde Elliot de chocola van haar lippen.

'Wie zijn dit, Kate?' vroeg Bina terwijl ze Elliot en Brice verwonderd aankeek. 'Zijn ze ook psycholoog? Dan zijn ze erg goed.'

'Nee lieverd, dit is mijn vriend Elliot die op dezelfde school werkt als ik, en dat is zijn partner Brice,' legde Kate uit. Bina lachte, maar het was wel duidelijk dat wat Kate zei, niet echt tot haar doordrong. Aan alles was te merken dat ze flink aangeschoten was.

'Wat doe ik hier?' vroeg Bina. 'En waarom zijn ze bardners?'

63

Ze sprak met dikke tong, en waarschijnlijk kon ze ook niet meer goed denken. Het speet Kate dat Brooklyn en Manhattan elkaar hadden ontmoet. Het waren parallelle universa en die mochten elkaar net als parallelle lijnen niet kruisen.

Maar hoewel Kate bezorgd was, was ze ook geamuseerd. Bina keek met een mengeling van nieuwsgierigheid, verbazing en afschuw van Elliot naar Brice en weer terug. Maar toen Bina iets zei, maakte het geamuseerde gevoel plaats voor schrik.

'O, dus jíj bent –'

'De wiskundige,' maakte Elliot de zin voor haar af.

'En ik ben de gevoelige,' zei Brice met een overdreven zucht. 'Iemand moet dat toch zijn?'

Kate moest Bina naar huis zien te krijgen nu ze nog zelf kon lopen. Als Bina hier bleef slapen, zouden Brice en Elliot zich op haar storten. Ze waren heel aardig, maar ze konden nu niets voor Bina doen, en Kate wist dat haar nog heel wat te wachten stond.

'Je gaat met mij mee naar huis,' zei ze. 'Het is niet ver, en de frisse lucht zal je goed doen.'

'Ze mag best hier blijven,' bood Elliot aan, en Kate wist dat zijn vriendelijke aanbod ook uit nieuwsgierigheid voortkwam.

'De voorstelling is afgelopen,' zei ze. 'Zeg maar welterusten, Gracie.' Ze trok de half bedwelmde Bina omhoog van de bank en liep met haar naar de deur.

'Welterusten Gracie,' zeiden Brice en Elliot in koor.

8

Later kon Kate zich weinig meer herinneren van de nachtmerrie om Bina naar huis krijgen. In haar studieboeken werd dat 'selectief geheugen' genoemd – sommige dingen waren te gruwelijk om te onthouden. Tijdens de wandeling van vier huizenblokken had Bina gehuild, was ze gestruikeld, op de stoep gaan zitten, en had ze geweigerd nog een stap te verzetten. Kate dacht niet dat Bina zich voor een aanstormende bus wilde storten of dat ze op het punt stond het in haar broek te doen, maar zeker was ze daar niet van. Het kwam goed uit dat Max thuis was en had gehoord dat ze Bina de trap op probeerde te hijsen. Zonder iets te vragen had hij het van haar overgenomen. Kate wist niet meer of hij Bina naar boven had gedragen of haar gewoon op de schouder genomen. Ze wist nog wel dat ze Bina's hoofd had vastgehouden toen ze moest overgeven, en dat ze haar gezicht had gewassen. Dat klusje had Max haar maar laten doen. Kate besloot om Bina niet in haar eigen bed te laten slapen, maar haar op de bank in te stoppen. Het was een haastige beslissing, maar Kate had er geen spijt van.

De volgende morgen stond Kate vroeg op, zette koffie, legde aspirientjes klaar en wachtte tot het tijd was om zich ziek te melden. Eén blik op de bewusteloze Bina maakte Kate duidelijk hoe haar dag goed besteed zou worden. Ze pakte haar lievelingsmok, het enige cadeautje voor zover ze zich kon herinneren dat haar vader haar ooit had gegeven. Het was een aardewerk beker waarvan het oor in de vorm van Assepoester was gevormd. Toen ze klein was, dacht ze dat Assepoester over de rand van de mok keek om te zien wat erin zat, alsof het een put was waar je een wens mocht doen. Ze dacht erover mevrouw Horowitz te bellen, of Jack voordat hij vertrok, maar ze besloot dat niet te doen. Kate vond het niet erg hierbij betrokken te zijn, maar ze wilde niet te veel sturen. Ook al was Bina soms nog zo kinderlijk, ze moest zelf maar beslissen wat ze ging doen, en Kate zou haar daarbij zo goed mogelijk steunen.

Toen de telefoon ging, keek Kate op de display en nam daarna pas op. 'Ja, ze slaapt nog. Nee, ik ga vandaag niet naar school en nee, je mag niet komen.'

'Jij ook goedemorgen,' zei Elliot. 'Mag ik dan onderweg naar mijn werk een zakje bagels komen afgeven?'

'Nee. Ik denk niet dat Bina vandaag iets wil eten, en als ze dat wel wil, heb ik nog genoeg zoutjes.' Kate schonk koffie in de Assepoestermok. Ze deed dat zoals altijd heel voorzichtig om niets op het blonde hoofdje te knoeien dat over de rand keek.

'Jezus, Brice en ik vinden het echt rot voor haar.'

'Nou, maar in ieder geval voelen jullie je niet zo rot als zij. Bina is genetisch niet tegen een kater bestand,' zei Kate. 'Je had er wat van moeten zeggen toen Brice al die drank in haar goot.'

'Nou, maar daar heeft hij geen spijt van, en ik vind ook dat dat het beste voor haar was,' kwam Elliot voor hem op.

'Maar niet het beste voor mij,' reageerde Kate met een blik op Bina. Ze zag er niet best uit. 'Ik heb heel wat moeten opruimen.'

'Ach, de ziel,' zei Elliot uit de grond van zijn hart. 'Kan ik nog iets doen?'

'Je kunt Michael leren met menselijke gevoelens om te gaan, en je kunt proberen Jack gezond verstand in te rammen, maar verder niets,' zei Kate.

'Ja, ik zei toch dat de Michael niet deugde? Wat was dat in de gang met jullie? Ik wed dat je hem de wind van voren hebt gegeven.'

Kate dacht aan Michaels gezicht voordat de liftdeur dichtschoof, en besloot van onderwerp te veranderen. Ze morste koffie toen ze haar mok over de aanrecht naar de ijskast schoof. 'Ik denk niet dat iemand er iets aan kan doen. Maar ik meld me een dagje ziek.'

'Misschien moet je het maar een dagje om geestelijk te herstellen noemen,' zei Elliot. 'Alleen slaat dat herstellen niet op jou. Wil je dat ik ook vrij neem? De kinderen krijgen vandaag toch een test. Dan kan ik je gezelschap houden en een handje helpen met Bina.'

'Schrijf dat maar op je buik. Je bent gewoon bang dat je weer kantinedienst hebt,' grapte ze. 'Trouwens, dit was je eerste en laatste kennismaking met mijn vriendinnen uit Brooklyn. Je hebt genoeg Brooklyn gehad voor een heel leven.' Voordat hij tegenwerpingen kon maken, zei ze snel: 'Ik moet ophangen, ze komt bij.'

'Ik bel je nog,' hoorde ze hem zeggen voordat ze de hoorn op de haak legde.

Ze schonk snel een glas sodawater in – haar beproefde methode tegen de uitdrogingsverschijnselen bij een kater – en liep met de mok en het glas van het keukentje naar de kamer. Bina kreunde en drukte haar hand tegen haar voorhoofd, toen deed ze haar ogen open en deed die meteen weer dicht. 'O god,' zei ze, en Kate wist niet of dat van het licht kwam of van de herinnering aan wat er was gebeurd. Weer een kreun.

'Geeft niet, Bina, drink dit maar op.' Kate hield haar het glas voor, en Bina keek er met één oog naar.

'Wat is dat?' kreunde ze.

'Nou, in ieder geval geen wodka,' zei Kate. 'Kom overeind en neem je medicijn in.'

Bina deed wat haar werd gezegd, pakte het glas aan, nam drie of vier slokken en begon te hoesten. Ze zette het glas op Kates salontafel en Kate zette het op een onderzetter. 'O god,' kreunde Bina weer. Kate wist dat ze nu aan Jack dacht, en aan de vorige avond. Bina keek naar haar op. 'O Kate, wat moet ik nou?'

Kate ging in de rieten stoel zitten en pakte Bina's hand. 'Bina,' zei ze. 'Wat is er gisteren gebeurd?'

'Je had gelijk met die Franse manicure,' zei Bina. Ze schudde haar hoofd, en Kate zag aan haar dat dat pijn deed. Ze ging terug naar de keuken om even laten weer te verschijnen met aspirine en vitamine C-tabletjes.

'Hier,' zei ze en drukte de tabletjes in Bina's hand. 'Slik die maar in, dan voel je je beter.' Ze liet Bina weer alleen en ging naar de keuken waar ze haar noodvoorraad zoutjes pakte. Bina had net het laatste tabletje genomen toen Kate terugkwam. Ze wilde niet dat Bina al die tabletten op een lege maag innam, dus gaf ze Bina een zout koekje. 'Opeten,' zei ze.

'Moet dat?' vroeg ze vermoeid.

'Opeten,' beval Kate. 'En vertel me nu wat er gisteren is gebeurd.' Ze keek toe terwijl Bina een soort maaltijd van het zoute koekje maakte, met kleine hapjes en veel water om het weg te spoelen. Zodra het koekje op was, gaf Kate haar er nog een en vulde het glas bij. 'Brave meid,' zei ze. 'Wat is er nou gebeurd?'

Bina leunde achterover tegen de kussens en legde haar hand op haar voorhoofd. Deze keer huilde ze stilletjes. Kate stond op, ging naar haar slaapkamer en kwam terug met een doos tissues. Zonder iets te zeggen gaf ze Bina een tissue en die depte haar ogen en zei met bevende stem: 'Je weet dat ik met hem had afgesproken bij Nobu, en ik was heel opgewonden omdat dat zo'n soort tent is waar jij naartoe gaat.'

Kate glimlachte. Nobu was een van de duurste, meest trendy Aziatische restaurants van de stad, en ze kon zich niet veroorloven daar te gaan eten, zelfs niet voor haar verjaardag.

'In ieder geval, het was er prachtig, en toen ik langs de bar kwam zag ik dat de andere vrouwen er allemaal veel beter uitzagen dan ik. Ik weet niet waarom, want hun kleren waren niet van zulke kwaliteit als de mijne – ze zagen er minder goed uit, maar toch beter, als je begrijpt wat ik bedoel.' Kate knikte alleen maar. 'In ieder geval, toen ik bij het restaurantgedeelte kwam, was er geen hostess. Ik keek om me heen, niet helemaal op mijn gemak, en toen dacht ik dat ik haar zag. Ze stond met haar rug naar me toe met een man te praten die aan een tafeltje zat, en ze hield zijn hand vast en ze lachte. Toen hij ook lachte, drong het tot me door dat het Jack was. Ik plofte bijna.'

Kate kreeg een visioen van Bina die hysterisch een scène in de Zen van Nobu trapte. Jezus, dacht ze, zoiets maakt inderdaad

68

gauw een einde aan een romantisch avondje uit. Bina was geneigd overdreven te reageren. 'En toen?'

'Eerst deed ik niks,' zei Bina. 'Ik kon het niet geloven. Toen liep ik op het tafeltje af en –'

De telefoon ging, en Kate keek op de display. 'Je moeder,' zei ze. 'Niet opnemen!' gilde Bina.

Kate liet de telefoon overgaan tot het antwoordapparaat in actie kwam. Ze hoorden de ongeruste stem van mevrouw Horowitz, en Kate draaide het geluid zachter. 'Je moet haar vertellen wat er is gebeurd. Natuurlijk nadat je mij alles hebt verteld,' zei Kate. 'Ze is vast heel ongerust. Waar zou je volgens haar zijn? Weet ze wat je gisteravond ging doen?'

Bina sloeg haar handen voor haar gezicht. 'Ik wil haar nu niet spreken,' zei ze. 'En ik heb haar niets verteld, anders had ze aldoor maar aan mijn hoofd gezeurd. Maar ze weet vast van de ring, en ook dat Jack weggaat.' Even zweeg ze, toen jammerde ze luidkeels, een schreeuw van ellende. 'Hij gaat vanavond weg! O god, hij gaat vanavond weg.'

Kate knielde bij de bank neer en sloeg haar armen om Bina heen. Ze voelde haar vriendin trillen en beven bij iedere onderdrukte snik. 'Bina, kalmeer een beetje en vertel me wat er is gebeurd. Waarschijnlijk is er nog wel wat aan te doen.'

Zwijgend schudde Bina haar hoofd, maar het huilen bedaarde een beetje. De telefoon ging weer. Tegen haar zin krabbelde Kate op en keek wie het was. Michael. Ze draaide zich om naar Bina, die op haar zij zachtjes in een prop tissues lag te snikken. Ze nam op.

'Kate, ben je thuis?' vroeg Michael.

'Ja.' Ze hoefde hem verder niets te vertellen. Hij wist dat ze om deze tijd meestal in haar kantoortje zat, en als gestudeerd iemand was hij misschien zo slim om uit te puzzelen dat ze, na de gebeurtenissen van de vorige avond waarvan hij tegen zijn zin getuige was geweest, misschien niet op haar werk zou komen.

'Zeg Kate... ik wilde mijn excuses aanbieden.'

Kate was meteen milder gestemd. Met haar hand over de hoorn

69

slaakte ze een zucht, zodat Michael het niet kon horen. Ze wist al dat er twee soorten mannen waren: degenen die hun excuses aanboden en gewoon op de oude voet doorgingen, en degenen die hun excuses aanboden en hun leven beterden. Ze kende Michael niet lang genoeg om te weten bij welke soort hij hoorde. Op haar leeftijd was elke relatie een compromis, en iedere man moest het voordeel van de twijfel krijgen. 'Oké,' zei ze zo neutraal mogelijk. 'Je dacht gisteren vast dat ik een ongevoelige plurk was. Weet je, je vriendin is eh... nogal melodramatisch.'

Dat viel niet goed. 'Ja, dat krijg je als je hele leven in duigen valt.' Ze zei het zachtjes, en ze keek even of Bina het niet hoorde. Wat had je aan iemands verontschuldigingen als hij het daarna nog erger maakte, dacht ze.

'Ik heb weer iets verkeerds gezegd, hè?' zei Michael. Misschien was hij niet erg meelevend, maar dom was hij niet, dacht Kate. 'Zullen we deze week ergens gaat eten?' stelde hij voor. 'Dan kunnen we erover praten. Kan ik het meteen goedmaken.'

Oké, dacht Kate, maar niet in een restaurant. Er moest een goed gesprek komen, er moest onderhandeld worden, en daarna misschien een fikse vrijpartij. 'Waarom kom je niet hier eten?' stelde ze voor. 'Maar niet vanavond.' Ze keek weer naar de bank. Bina keek op. 'Ik moet ophangen,' zei ze. 'We spreken elkaar nog.'

'Ik bel je vanavond,' beloofde Michael, en Kate hing op.

Bina's ogen waren rood, maar niet zo rood als haar neus. 'Wat is er dan nog aan te doen?' vroeg ze.

Toen Kate in de rieten stoel ging zitten, kraakte die. 'Nou, om daarachter te komen, moet ik eerst precies weten wat er is gebeurd.'

'Nou, ik ging dus naar dat tafeltje, en Jack lachte, en de Chinese vrouw – nog niet eens maatje zesendertig, en langer dan ik – kijkt naar me of ik oud vuil ben. Maar Jack springt op en rukt zijn hand los. "Moet je horen, Sy Lin heeft me net geleerd hoe je hallo in het Mandarijn zegt: Ni-hau-ma!" Dus ik kijk hem aan en zeg: "Jij ook Mi-hau-ma." Toen draaide ik me naar Lin om en vroeg: "En hoe zeg je dag-dag?" Ze lachte alleen maar en bekeek me van top tot teen – je weet wel, net als Barbie als ze vindt dat iemand rare kleren aanheeft – en toen keek ze naar Jack en zei: "Eet smakelijk." O, en het was echt een slecht voorteken, want ze had precies dezelfde nagellak als die jij had uitgekozen. Ik had naar jou moeten luisteren.'

'Doe niet zo mal, Bina. Dit heeft niets met nagellak te maken. Wat gebeurde er toen? Kregen jullie ruzie?'

Bina begon weer te huilen. 'Dat is nou net het ergste,' zei ze tussen het snikken door. 'Ik deed helemaal niets, maar Jack, hij –'

De telefoon ging weer. Kate keek op de display en zag dat Elliot haar met zijn mobieltje belde. 'Wacht even,' zei ze tegen Bina, die toch niet op haar lette. Kate nam op.

'Maak je geen zorgen,' zei Elliot. 'Wij hebben alles onder controle. Brice en ik komen eraan, met bagels, roomkaas en gerookte zalm. En twee kuipjes Häagen-Dazs,' voegde hij eraan toe. 'Rocky Road en Concession Obsession. En dat is nog niet alles, want ik heb ook valium die Brice uit het medicijnkastje van zijn moeder heeft "geleend". Wij zijn het reddingsteam. Probeer ons niets in de weg te leggen. We staan trouwens toch bijna voor de deur.'

'Elliot, nee,' zei Kate.

'Brice en ik hebben een halve dag vrijgenomen, juist omdat dit zo ernstig is. Nou ja, ook een beetje uit nieuwsgierigheid.'

'Jullie zijn echte roddeltantes,' zei Kate.

'Zeker weten. Laat Bina haar mond houden totdat wij er zijn, want ook al ben ik op sociaal gebied weinig waard, Brice is heel handig in dingen recht breien, vooral op het persoonlijke vlak. Ik ben meer voor het planken aan de muur bevestigen.'

De verbinding werd verbroken, en Kate keek naar haar gebroken vriendin. Misschien kon ze iets lekkers en de afleiding goed gebruiken. Maar eerst wilde ze weten hoe Bina's verhaal afliep.

'Was dat Jack?' vroeg Bina.

'Nee,' moest Kate bekennen. Ze ging weer zitten. 'Vertel me wat er daarna gebeurde.' En toen ging de bel.

9

'Jack!' gilde Bina en ze vloog bijna van de bank. 'O god, het is Jack en ik zie er niet uit!'

'Het is Jack niet,' zei Kate. Ze zag Bina worstelen met haar gevoelens van opluchting en teleurstelling. 'Het is Elliot. Hij is de enige die zomaar naar binnen kan, hij heeft de sleutel van de benedendeur.'

Kate ging naar haar eigen voordeur en keek door het kijkgaatje. Daar stond Elliot druk naar Brice te gebaren, die naast hem stond en de beloofde zak lekkers ophield. Tegen haar zin schoof Kate de grendel weg en opende de deur. Als ze dat niet deed, zouden ze toch wel binnenkomen – Elliot had de sleutels, voor in noodgevallen (zoals de keer dat Kate de deur van haar kantoortje op slot had gedaan en al bijna thuis was toen ze merkte dat ze haar tas was vergeten mee te nemen), en die zou hij zonder aarzelen gebruiken.

Elliot en Brice vielen bijna naar binnen. 'Gaat het een beetje met haar?' fluisterde Elliot.

'Nee,' zei Kate.

'Maar wel een beetje beter?' vroeg Brice.

'Nee,' zei Kate nogmaals.

'Dan is het maar goed dat we zijn gekomen,' vond Elliot.

'Ik zei het je toch,' zei Brice, en toen stapten ze de woonkamer in, als clowns die in het circus uit zo'n piepklein autootje komen. Tenminste, Kate vond dat het net een circus was.

'O Bina, stakker,' zei Elliot, en hij vloog op haar toe en ging in Kates enige goede stoel zitten.

'Maak je geen zorgen,' zei Brice, en hij begon de spulletjes uit de zak op Kates salontafel uit te pakken. 'Wanneer heb je voor het laatst gegeten? En wat?'

Verbluft zei Bina: 'Nou, ik dacht dat ik gister met Jack zou gaan eten, maar ik ben daar niet echt aan toegekomen. Ik was heel erg van slag. En toen kon ik Kate niet vinden. Ik weet nog wel dat ik wodka heb gedronken...'

'Nou, dan kun je dit wel gebruiken,' zei Elliot, en hij haalde een pakje uit de zak en gaf haar dat.

Ze haalde het papier eraf. Kate vertrok haar gezicht toen het maanzaad van de bagel rolde, op de bank, op de vloer, op het kleed, overal, en maanden later zou het nog overal liggen. 'O, maar ik kan echt niks eten nu,' zei Bina.

'Je moet op krachten komen,' zei Elliot.

Kate knikte. 'Je kunt beter wel een ontbijtje eten,' zei ze. 'Toe, neem maar een hap.'

Brice knikte. Hij ging op het puntje van de bank zitten en legde Bina's voeten op zijn schoot, daarna trok hij de deken eroverheen.

'Vertel oom Brice er maar alles van,' zei hij, half spottend, maar toch gemeend.

'Niet te geloven dat gisteren je grote dag was en dat er niks gebeurde,' zei Elliot. 'Je bent vast vreselijk van streek.' Op dat moment drong het tot Kate door dat ze zelf ook van streek was; ze pakte een kussen van de bank en plofte daarop neer, op de grond naast de salontafel.

'Dat kun je wel zeggen, ja! Ik dacht dat Jack zenuwachtig was, dat hij bang was dat hij de ring zou verliezen. Jack Weintraub gaat me eindelijk vragen, en hij is zenuwachtig. Weet je, hij is perfectionist – Barbie zei dat hij een perfecte steen wilde, loepzuiver.'

'Loepzuiver!' herhaalde Brice goedkeurend.

'Ja. Zie je nou, ik hou niet zomaar van hem. Hij weet veel. Hij wil alleen het beste van het beste. En ik dacht dat hij wilde dat ik gelukkig was. Dus was ik gelukkig, en besloot Tokyo Rose maar te vergeten.'

'Laat die hostess maar zitten,' zei Kate. 'Tenzij hij háár ten huwelijk vroeg. Jullie hadden toch geen ruzie over haar, hè?'

'We hadden helemaal geen ruzie,' zei Bina. 'Ik was een beetje

73

van slag door die drakendame – het is niets voor Jack om met onbekende dames te flirten – maar ik hield verschrikkelijk veel van hem. In ieder geval, hij hief zijn glas champagne, en ik denk dat hij ergens op wilde drinken, maar toen besefte hij dat ik nog helemaal geen glas had. Dus probeerde hij de aandacht van het personeel te trekken, maar er was niemand te bekennen. Dus toen zei Jack dat hij naar het toilet moest, en dat hij onderweg iets voor me zou bestellen. Maar ik denk dat hij op zoek ging naar die hostess...'

'Naar haar en haar gelijken, de mannelijke slet,' zei Brice op heftige toon. 'Ik heb een vreselijke hekel aan mannen die –'

'Hé, dit gaat niet over jou,' viel Elliot hem met een veelbetekenende blik in de rede.

'Concentreer je, lieverd,' zei Kate en ze streelde even Bina's wang. Ze verloor langzamerhand de hoop dat een telefoontje voordat Jack vertrok alles nog in orde kon maken.

'Nou, hij ging dus naar de toiletten. Ik keek hem na, en toen vond ik hem nog knapper.'

'Ja, mannen zijn op de rug gezien inderdaad op hun best,' zei Brice.

Bina knikte ernstig. 'Ik bedoel, ze zeggen steeds dat Jack heel gewoon is, maar dat vind ik juist zo leuk,' ging ze verder, zonder te letten op de dubbelzinnige seksuele betekenis van Brices opmerking, of misschien begreep ze die niet. Kate dacht dat het tussen Bina en Brice klikte als tussen twee vriendinnen. 'Jack doet me denken aan het verhaal van Goudhaartje,' zei Bina. 'Hij is niet te groot of te klein, hij is niet te dun of te dik, hij is niet te knap of te lelijk. Hij is precies goed,' zei ze. 'Voor mij tenminste wel.' Toen drong het tot haar door waar ze was en waarom ze daar was. 'Hij was precies goed, maar ik niet voor hem. Misschien ben ik te gewoon.'

'O Bina,' zei Kate, en ze sloeg haar arm om haar heen en knuffelde haar. 'Je bent echt niet gewoon.' Dat was misschien niet helemaal waar, maar ze was op zijn minst Jacks gelijke. Kate kende niemand anders die zo gewoon was als Jack. 'En toen?'

'Jack bleef lang weg. Dus toen kwam die stomme hostess en

vroeg of ik iets wilde drinken. Ik zei dat mijn vriend iets zou bestellen, en toen zei ze: "Je vriend? Mij vertelde hij dat dit zakelijk was. Anders zou ik wel een intiemer tafeltje hebben gegeven."'

'Wat een kreng!' riepen Brice en Elliot tegelijkertijd uit.

'Ja, een mooi, slank, exotisch kreng,' was Bina het met hen eens.

'Zo schieten we niet op,' zei Kate. Wat er ook was gebeurd, ze moest ervoor zorgen dat Jack niet te veel kritiek kreeg, want wanneer Bina en hij het weer goedmaakten – en dat zouden ze doen – zou Bina zich die kritiek altijd blijven herinneren. Dat had Kate bij Bev geleerd voordat die met Johnny trouwde. 'Bina, je bent zelf mooi. Een man mag blij zijn dat hij met je om mag gaan,' zei ze, en dat meende ze echt. Bina was lief en loyaal, ze was gul en had een goed hart. En ze had een schattig rond gezichtje en een weelderig figuur. Kate streelde Bina's lange donkere haar. Wat was er mis met Jack? Misschien een paniekaanval? Het was nogal eng je voor het leven te binden... 'Zei je vorige week niet dat Jack je op verschillende manieren mooi vond?'

'Schat,' reageerde Brice met zijn hoofd scheef. 'Dat staat op van die wenskaarten.'

'Nee, hij zei dat ik te mooi en te goed voor hem was,' wees Bina hem terecht.

'O jee,' zeiden Brice en Elliot tegelijk, en ze wisselden een blik uit.

Kate maakte achter Bina's rug een gebaar. 'Nou, maar in ieder geval bén je mooi, Bina, en ik weet zeker dat Jack dat ook vindt.'

'Ja? Je hebt de rest nog niet gehoord,' zei Bina.

'Daar wachten we allemaal op,' zei Kate, en het kostte haar moeite niet te snauwen.

'Ga door, maak van je hart geen moordkuil,' raadde Elliot Bina aan.

'Nou, ik had natuurlijk een hekel aan... aan die vrouw.' Bina zweeg even, en Kate was blij dat ze geen lelijker woord gebruikte. 'Dus ik zei dat ze moest weggaan. En toen kwam Jack eindelijk terug met mijn drankje en toen zei hij – dit zullen jullie niet gelo-

75

ven.' Bina zette een zware stem met een Brooklyns accent op: '"Ik zag je daarnet zitten, en je zag er van daaruit goed uit." Was dat nou een complimentje of juist niet?'

Kate kneep haar lippen op elkaar en zei maar niets. Het leek wel duidelijk dat haar theorie klopte – Jack moest letterlijk en figuurlijk afstand van Bina nemen om haar te kunnen zien. Maar van dichtbij sloeg de angst hem om het hart. Had hij maar bij de bar kunnen blijven en zijn aanzoek per mobieltje doen...

'Ik keek hem alleen maar aan,' ging Bina verder.

'En toen?'

'Nou, ik denk dat hij zag hoe ik reageerde. Hij vroeg of er iets was. Hij klonk zo ernstig, zo bezorgd, en toen voelde ik me schuldig, ik vond dat ik de stakker met rust moest laten. Ik dacht dat ik van slag was vanwege dat huwelijksaanzoek. En Jack is, nou ja... laten we zeggen dat hij zijn geld voorzichtig uitgeeft.'

'O jee,' zei Brice. 'Laten we zeggen dat hij een krent is.' Bina sperde haar ogen wijd open, en even dacht Kate dat haar vriendin zou gaan giechelen.

'Ga door,' zei Kate.

'Nou, toen schudde ik mijn hoofd en ik stelde voor dat we zouden proosten. En toen zei hij alleen maar: "Op ons." Ik wachtte op het vervolg, weet je, zoiets als: "En op onze toekomst als meneer en mevrouw Jack Weintraub, het ideale paar." Maar er kwam niets.' Er biggelde een traan over haar wang, en Brice pakte haar hand.

'En toen?' moedigde Kate haar aan. Ze vroeg zich af wanneer Jacks vliegtuig vertrok, en of hij van plan was aan boord te zijn, en of hij de Horowitzen al had gebeld, of zijn neef Max, haar buurman.

'Toen zei hij dat hij liever niet naar Hongkong ging, maar dat er iets met de markt was of zo. Dus toen stelde ik voor om voortaan samen te reizen.'

'En wat zei hij toen?' vroeg Kate.

'Nou, voordat hij iets kon zeggen kwam de serveerster natuurlijk. Dat was pech, want je weet hoe lang Jack erover doet om iets te bestellen. En toen moest hij ook nog zeggen dat de dingen op zijn bord niet tegen elkaar moesten komen.'

Die afwijking was Kate vergeten. Ze knikte.

'Dus toen dronken we ons drankje, en alles leek goed te gaan totdat ik zei dat ik hem zou missen. Ik bedoel, dat mag je toch wel zeggen? Hij gaat voor maanden weg, helemaal naar de andere kant van de wereld. Jack en ik zijn sinds we elkaar kennen nooit meer dan tien kilometer bij elkaar vandaan geweest.'

'Nee?' vroeg Brice. 'Wat romantisch.'

'Het is toch zo, hè Kate? Zij was erbij de avond dat Max – je weet wel, Kates buurman – dat feest gaf waar ik Jack heb leren kennen.'

Kate sloeg haar ogen ten hemel. Bina deed veel aan wat haar vriendinnen 'joodse aardrijkskunde' noemden. Bina's broer kende Jason, de zoon van de eigenaar van dit gebouw, van zomerkamp, en hij had Bina over het appartement verteld en Bina had het weer tegen Kate gezegd. Kate had het appartement gekregen. Later waren Bina en zij uitgenodigd op een feest in Manhattan dat haar broer gaf, en dat feest had plaatsgevonden in Max' vorige appartement. En Bina, die voor deze gelegenheid de East River was overgestoken, had Jack daar leren kennen, want Jack was de neef van Max... Nou ja, zo kon je eindeloos doorgaan, van joodse school naar zomerkamp, van bar mitswa's tot bruiloften, neven en nichten, en zo ging het maar door.

'Het gekke is dat we allebei in Brooklyn zijn opgegroeid, maar zes huizenblokken van elkaar af, maar die avond werden we voor het eerst aan elkaar voorgesteld, en daarna zijn we altijd samen geweest. Ik bedoel, na het feest vroeg hij of ik iets met hem wilde gaan drinken, en toen vroeg hij of ik de volgende dag met hem wilde uitgaan. En dat weekend kwam hij bij ons thuis eten om met mijn ouders en mijn broer kennis te maken en... nou ja, daar zaten we dus, en we zouden elkaar heel lang niet meer zien. Dus ik dacht dat ik wel kon vragen of hij me zou missen. En ik dacht dat het een goede openingszin zou zijn, om hem aan te moedigen. Ik bedoel, we hadden het voorafje al gehad. Hoe lang moest ik nog wachten voordat hij me ging vragen?'

'Mannen zijn gauw bang,' opperde Brice, 'Ik weet nog dat Ethan Householder zei –'

'Niet nu, Brice,' viel Kate hem in de rede.

'Sorry. Ga door, schat.'

Kate moest toegeven dat Bina geen meelevender luisteraars kon hebben dan Brice en Elliot. En soms was praten inderdaad de beste therapie. Maar net toen ze dacht dat ze in veiliger vaarwater waren beland, begon Bina weer te huilen. Elliots vriendschappelijke klopjes en Brices tuttut maakten het alleen maar erger.

'Nou, toen trok hij ineens wit weg, en hij zei: "Bina, ik moet voor vijf maanden naar Hongkong, en dat zal niet makkelijk zijn." Hij voelde steeds aan zijn borstzakje, en de spanning was om te snijden. Ik dacht steeds: nou komt het. Maar hij zat daar maar. Ik had wel kunnen gillen: Waarom pak je die rotring niet en vraag je of ik met je wil trouwen? Maar noppes. Hij zat daar maar met zijn blik op zijn bord gericht en at zijn rottige kip Rangoon op.'

10

'Wat deed jij toen?' vroeg Elliot.

Kate was bang dat te horen te krijgen dat Bina hysterisch was geworden, dat ze Jack was aangevlogen, een scène had getrapt, of misschien nog erger. Maar Bina verraste haar.

'Ik ging natuurlijk naar de damestoiletten.'

'Natuurlijk,' reageerde Brice. 'Ik zou daar ook graag eens naartoe gaan.'

'Nou, in ieder geval...' ging Bina verder. Ze sperde haar ogen open en keek afwezig, alsof ze alles weer voor zich zag.

Kate, Elliot en Brice hielden hun adem in. Toen ging de telefoon.

'Shit!' zei Kate en ze keek op de display. 'Je moeder weer,' zei ze.

'Misschien kun je beter even met haar praten.'

'Ik ga nog liever dood!' jammerde Bina. Kate verstarde. Ze wilde liever niet zelf aan Myra Horowitz uitleggen wat er aan de hand was, maar ze kon het niet over haar hart verkrijgen de hoorn in Bina's handen te drukken. Ze kon echter niet nog een keer niet opnemen...

'Ik neem wel op,' zei Elliot.

'Doe niet zo raar,' zei Kate. Op die manier drong hij steeds dieper in haar Brooklynse leven door. Ze nam op.

'Katie! Gelukkig! Luister, weet jij waar Bina is?'

'Hier, en het gaat goed met haar,' zei Kate, en dat was maar half gelogen.

'Nou, geef me haar dan maar.'

Bina schudde heftig met haar hoofd, en ze sloeg haar handen voor haar gezicht, alsof ze iets moest afweren.

Kate was dankbaar dat ze zo vaak bij de Horowitzen was geweest, want zelfs met haar opleiding tot therapeute was het moeilijk mevrouw Horowitz tot bedaren te brengen. Kate zei iets geruststellends, toen leidde ze haar met een paar vragen af, stelde haar nog meer gerust, en vervolgens deed ze de groeten aan dr. Horowitz. En ondertussen beduidde Elliot haar met gebaren dat ze moest opschieten, terwijl Brice net deed of hij zijn keel afsneed, een teken dat ze het kort moest houden. Alsof zij het prettig vond om dit gesprek te moeten voeren... Ten slotte hing ze op.

'Eindelijk,' zei Brice.

'Je was dus in het damestoilet,' moedigde Elliot Bina aan.

'Ja. Weet je, ik wilde even alleen zijn, om alles op een rijtje te zetten,' zei Bina. 'Dus ik deed nieuwe make-up op – en ik moest de toiletjuffrouw toch een dollar geven, ook al had ik helemaal geen gebruikgemaakt van het toilet – maar ik keek dus in de spiegel en toen zei ik: "Bina Horowitz, dit is de avond waarop je leven verandert. Wees lief en gelukkig."'

'Goed zo!' zei Kate.

'Dus ging ik terug naar ons tafeltje, en Jack staat op. Dat doet hij altijd wanneer we in een duur restaurant zijn. En hij schuift mijn stoel voor me aan en...' Ze slikte moeizaam. 'En toen viel het doosje met de ring uit zijn borstzakje. Het was net zo'n botsing in een film, alles ging in slowmotion. Het doosje met de ring tuimelde naar beneden, en toen het op de grond viel, liet Jack mijn stoel los. De ring vloog uit het doosje en Jack bukte om hem op te rapen. Ik leek wel een Iglo-diner, helemaal bevroren, en ik zie de ring over de vloer rollen, en die stomme hostess bukt zich diep om hem op te rapen.'

'Wauw.' Meer kon Kate niet uitbrengen.

'Wauw en of,' voegde Brice eraan toe.

'En wat deed jij toen?' vroeg Elliot.

'Ik zat daar, net als een diepvrieskip, en het drong tot me door dat Jack op de grond knielde en onder de rok van die vrouw kon kijken – nou ja, dat was een heel kórt rokje, en ze bukte diep. En niet met haar knieën gebogen zoals het hoort, maar met gestrekte benen. En ze had geen ondergoed aan.'

'Wat?' riepen ze alledrie verbaasd uit.

'Helemaal niks. En Jack zit daar op de grond te kijken naar haar... naar haar...'

'We zien het voor ons,' zei Kate.

'Nou, Jack dus ook. Iedereen keek. Ik denk dat hij toen gek werd. Dat moet haast wel. Jack krabbelt dus op en wendt zijn blik af van haar blote kruis, en zij draait zich om en geeft hem de ring. En die doet hij in zijn rechterjaszak. En toen raapte hij het doosje op en stopte dat in zijn linkerjaszak.' Hoofdschuddend zweeg Bina even. 'En daarna kwam hij terug naar ons tafeltje.' Ze wendde zich tot Kate. 'En toen was ik niet meer gelukkig, Katie. Ik zei tegen Jack dat als hij wilde dat dit een onvergetelijke avond zou worden, dat dan aardig lukte. Ik bedoel, ik had hem wel kunnen slaan, zo kwaad was ik. En weet je wat die stomkop zei?'

'Wat dan?' vroeg Kate.

Bina zette weer Jacks stem op en zei: '"Zo wil ik me je niet herinneren, Bina."'

'O jee, nou komt het,' zei Brice.

'Wacht,' zei Elliot.

'Toe nou, jongens, jullie zijn Twiedeldie en Twiedeldommerdan-dom niet,' vermaande Kate hen. 'Laat haar haar verhaal vertellen, ik hoop dat ze bijna klaar is.'

'Bijna,' zei Bina. 'Dus die ring zat in zijn zak, en ik moest aan dat spelletje van mijn vader denken, je weet wel, Kate, toen we nog klein waren. Dan had hij een klein cadeautje voor ons en dan moesten we raden in welke jaszak het zat.'

Bij die herinnering knikte Kate met een glimlach. Dr. Horowitz was altijd heel lief voor haar geweest. Elke zondagmorgen gaf hij zijn dochter zakgeld, en omdat Kates vader dan meestal zijn roes uitsliep en zijn dochter maar heel zelden geld gaf, had dr. Horowitz haar ook zakgeld gegeven, hetzelfde bedrag als Bina. Het was een hele belevenis om naar de snoepwinkel te gaan en te moeten kiezen tussen pepermuntjes of honingsnoepjes. En dan waren er nog de stripboekjes... Bina en haar familie waren lieverds, en ze vond het vreselijk dat Bina in zo'n pijnlijke situatie was beland. Maar misschien viel er nog iets te redden. Bina en Jack kenden elkaar al zo lang, en ze waren voor elkaar gemaakt. 'En toen?' vroeg ze. 'Nou,' ging Bina verder. 'Jack keek me recht aan en zei: "Bina, ik heb je dit al heel lang willen zeggen." En ik dacht dat er iets zou komen waar we onze kleinkinderen later over konden vertellen, om er nog eens om te lachen. Maar Jack zegt: "Ik wil heel eerlijk zijn. Hongkong is ver weg. Heel ver weg." Alsof ik geen aardrijkskunde heb gehad... Dus toen dacht ik dat hij misschien met me wilde weglopen. Dat zou mijn moeder niet overleven, en bovendien wil ik zo'n jurk en de hele reutemeteut, maar ik hád het gewoon niet meer. Ik wachtte maar totdat Jack die ring uit zijn zak zou halen, maar zijn handen bleven gewoon op tafel liggen. Hij haalt diep adem, kijkt naar het plafond en zegt: "Het zou verkeerd zijn om weg te gaan en jou te vragen te wachten." Ik zei dat ik dat met hem eens was, en toen keek ik naar mijn hand. Mijn vinger was er klaar voor. Maar toen zei hij: "Ik denk dat de tijd die we gescheiden zijn een goede... eh, een goede gelegenheid is... eh, om van ons vrijgezellenbestaan te genieten."'

'Ik kan hem wel vermoorden, Bina,' zei Kate.

'Ik eerst,' zei Brice.

Er viel een diepe stilte. Kate, Elliot en Brice zaten met hun mond open, totdat Bina weer in snikken uitbarstte. Ze kwamen meteen in actie. Kate ging op de bank zitten en nam Bina in haar armen. 'O lieverd,' zei ze. Brice stond op, pakte een kussen en legde dat onder haar voeten, alsof ze een inwendige bloeding had. Elliot ging naar de badkamer en kwam terug met een vochtige handdoek, een glaasje water en een blauw pilletje. Altijd even netjes – op zijn kleding na – zocht hij naar een onderzetter. Voordat Kate hem die kon geven, had hij al een kartonnetje gevonden.

'Neem dit in en drink het water helemaal op,' zei hij. Zonder iets te vragen deed Bina wat haar werd gezegd.

'Wat was dat?' vroeg Kate.

'O, ik dacht dat ze behoefte had aan een bezoekje van onze nicht Valerie,' zei Elliot. Dat was zijn codenaam voor valium, en Kate wist dat de blauwe tien milligram bevatten.

'Daarop slaapt ze een hele week,' zei ze.

'Dat is nou precies wat ze nodig heeft,' meende Elliot.

'Oké, Bina, en wat gebeurde er toen?'

'Toen rende ik weg,' zei ze. 'Nou ja, voor zover dat gaat op hoge hakken. Ik ging rechtstreeks naar jou, Katie, en toen ik je niet kon vinden, heeft Max me geholpen. Je gelooft het vast niet, maar ik was helemaal over mijn toeren.' Kate geloofde dat wel. Bina snoot haar neus en vertelde verder. 'Max was gelukkig thuis. Hij zei dat je uit eten was, en hij vertelde me waar Elliot woonde, en toen ging ik daar door de regen naartoe, en... o god!'

'Wat? Wat is er, Bina?' riep Kate uit.

Bina pakte het kartonnetje dat onder haar glas op de salontafel lag. Het was de uitnodiging voor Bunny's bruiloft. 'Bunny? Gaat Bunny trouwen?' vroeg ze.

'Is dat dan erg?' wilde Elliot weten.

Bina negeerde hem. 'Waarom heb je me dat niet verteld, Katie?'

'Ik weet het ook nog maar net. De uitnodiging is gisteren gekomen.'

'O, vandaar. Nou, ik ben blij dat ik mijn post nog niet heb gezien. Maar dat bewijst nog maar eens dat ik een loser ben,' jammerde Bina. 'Bunny! Ze heeft het net met die kerel uitgemaakt. Die ik je aanwees, onderweg naar de pedicure.'

'Die kerel was onderweg naar de pedicure?' vroeg Elliot. Kate keek hem kwaad aan.

'Bunny wordt de bruid, en Jack wordt de Marco Polo van de singles. Waarom snij ik mijn polsen niet gewoon door?'

'Nou, omdat dat veel troep geeft, bijvoorbeeld,' zei Brice. 'Het is heel moeilijk om bloed uit je kleren te krijgen. Veel koud water en waterstofperoxide...'

Bina legde een kussen over haar gezicht en jammerde het uit. Kate wist dat Bina Bunny niet als concurrentie zag. Bunny was de laatste die zich bij hun kluppie had gevoegd, en Bunny had niemand gehad om mee naar het schoolfeest te gaan, ze had op school nooit een vriendje gehad. Bunny lag niet zo goed bij mannen, ze koos altijd de verkeerde uit, mannen die niet deugden, foute mannen. Ze had samengewoond met een man die haar had bestolen – zelfs de bank en de keukentafel had hij gepikt – toen ze een weekendje weg was. 'Hoe kan Bunny nou trouwen? Die man die we in SoHo zagen, heeft haar nog maar pas gedumpt. Ze kent die Barney of hoe heet-ie maar net.' Bina tuurde naar de kaart. 'En hoe komen ze zo gauw aan kaarten? Het zijn vast kleurenkopietjes.'

Hoe had Bunny een geschikte man leren kennen? Kate vroeg zich af waarom het voor haar zoveel moeilijker was dan voor Barbie, Bev of Bunny. Wanneer Kate een aardige man leerde kennen, was die meestal heel erg trouw, maar ook een beetje... saai. Of niet echt superleuk. En wanneer ze een echt intelligente man met een interessante carrière leerde kennen, zoals Michael bijvoorbeeld, ontbrak het hem meestal aan gevoel. Maar Bina's vader, de succesvolle chiropractor, had Bina altijd aanbeden. Dus ook al zat ze nu in de problemen, het was alleen maar vanzelfsprekend dat ze ooit een succesvolle accountant tegen het lijf zou lopen die haar aanbad. Kate zuchtte diep. Het zag er niet goed voor haar uit.

'Bina, het komt allemaal in orde,' beloofde Kate haar.

'Jij hebt makkelijk praten. Jij hebt die dokter Michael om mee naar de bruiloft te gaan. Maar wat moet ik? Mijn broer meenemen?'

'O, maar ik denk niet dat Katie met Michael helemaal over Brooklyn Bridge wil komen,' merkte Elliot op. Met een grijns draaide hij zich naar Kate om. 'Tenzij je hem langzaam wilt voorbereiden op zijn reis naar Austin.'

Kate vertrok haar gezicht. Elliot richtte zich weer tot Bina.

'In ieder geval, als mijn berekeningen kloppen – en dat doen ze altijd – hebben we hier te maken met twee dames die een man nodig hebben om ergens mee naartoe te gaan,' zei hij. 'En we hebben ook twee mannen die verschrikkelijk nieuwsgierig zijn naar de rituelen en gebruiken van de duistere binnenlanden van Brooklyn.'

'Echt?' vroeg Bina.

'En niet alleen dat, maar ik heb geweldige nette kleren. Ik zal beter gekleed gaan dan de bruid,' zei Brice.

'In een jurk?' vroeg Bina, op het randje van hysterie.

'Nee, in een prachtige smoking. Van Armani. En ik ga je opmaken. Je zult er helemaal te gek uitzien, en al je vriendinnen zullen willen weten wie die knappe man is met wie je bent. Je mag hun vertellen wat je wilt. Ik ben ooit doorgegaan voor de prins van Noorwegen.' Brice draaide zich om naar Elliot, die hem liefdevol maar geërgerd aankeek, en toen wendde hij zich tot Kate. 'Ik weet hoe Elliot er in een gehuurde smoking uitziet,' zei hij. 'Ik kan je niet helpen.'

'Bedankt,' zei Elliot. 'Ik neem aan dat dat niet als belediging was bedoeld? Goed, dat is dan afgesproken. Brice en ik gaan met jullie mee, en we zullen het allemaal dolletjes hebben.'

'Misschien is het wel een goed idee,' zei Bina. 'Maar nu wil ik liever een dutje doen.'

Kate zag dat Bina's ogen dichtvielen. 'Jullie maken een grapje,' zei ze tegen Brice en Elliot. 'Geen sprake van!'

11

Met hun cadeautjes wachtten Kate en Bina op Elliot en Brice, drie huizenblokken ten zuiden van de katholieke Veronicakerk, waar Kate haar eerste communie had gedaan in de jurk die mevrouw Horowitz voor haar had gemaakt. Kate, nu volwassen, was zich niet bewust van het feit dat ze er geweldig uitzag in de eenvoudige, halflange marineblauwe jurk die haar rode haar goed deed uitkomen. Ze dacht niet aan haar communiejurk, ze was alleen maar dankbaar dat ze niet zo'n belachelijke bruidsmeisjesjurk hoefde te dragen, zoals haar al vaak was overkomen.

Bina zag er naast Kate helemaal Brooklyn uit, en zo rook ze ook. Ze droeg een roze jurk met een wijde rok. Haar donkere haar was opgestoken en haar krullen zaten stevig in de haarlak; ze zag er net zo uit als vroeger op een schoolfeest. Sal, de kapper die Bina en Kate toen had gekapt, had Bina deze keer waarschijnlijk weer onder handen genomen.

'Komt er een hele mis?' vroeg Kate, die zich de eindeloze verveling herinnerde van de missen in haar jeugd, het opstaan, het knielen, het weer opstaan, terwijl de mis eeuwig leek te duren.

'Mis, sjmis,' zei Bina niet geïnteresseerd. Ze keek speurend om zich heen, wachtend op de kerels. 'Die dienst vind ik niet erg, maar daarna ben ik vogelvrij.'

'Bina, het is geen vuurpeloton. Je vriendinnen komen hier,' stelde Kate haar gerust. 'Die ken je al bijna je hele leven. Ze zullen je heus niet opeten.'

Bina keek Kate met open mond aan. 'Ben je nou helemaal gek?' vroeg ze verwonderd. 'Dat gaan ze juist wel doen. Daar heb je je vriendinnen voor.'

'Nou, maar we hebben toch een strategie uitgestippeld?' bracht Kate haar in herinnering. 'Van mij mogen ze denken dat Elliot Michael is; het zal wel even duren voordat iedereen weet hoe het zit, en dat is een goede afleiding. Als Bev hem Michael noemt, kan ik doen alsof ik van streek ben, en dat rek ik gemakkelijk tot een halfuur. En iedereen weet dat Jack in Hongkong zit. Dus als jij ineens met Brice komt aanzetten, zullen ze in de war zijn en misschien laten ze je dan met rust. Want eerlijk is eerlijk, Brice is echt knap.' 'Jawel,' beaamde Bina, al klonk ze niet erg enthousiast. 'Maar hij is Jack niet.' Jack was zonder nog te bellen naar Hongkong afgereisd, en Bina had niets meer van hem gehoord. Weer keek ze de straat af. 'Waar blijven ze toch?' jammerde ze.

'Ze komen heus wel,' stelde Kate haar gerust. Ze keek de vertrouwde Woodbine Avenue af. Ze was een beetje duizelig, en ze vroeg zich af of dat van de hitte kwam of van de plek waar ze zich bevonden. Ze werd vaak licht in het hoofd als ze terug was in Brooklyn en in haar oude buurt.

'Maar wat als ze niet komen? Dan moet ik alleen naar binnen. Onder de dienst kan ik me achterin schuilhouden, maar op de receptie moet ik me zonder Jack en zonder ring vertonen, en iedereen zal benieuwd zijn waarom het uit is, en –'

'Bina, rustig,' zei Kate bezorgd. De afgelopen twee weken was Kate voortdurend bij haar of bij Max geweest. Na een paar dagen had Kate er iets van gezegd, maar Bina wilde de brug niet over. 'Ik wil niet naar huis, daar doet alles me aan Jack denken,' had ze als excuus aangevoerd. Kate vond het eerst prima om Bina een veilig plekje aan te bieden, maar na vier dagen had ze erop gestaan dat Bina haar ouders zelf belde om hun te vertellen wat er was gebeurd. Dr. Horowitz had gedreigd stante pede naar Hongkong te vliegen om 'die *pisjer* in elkaar te slaan', maar Bina had haar vader gesmeekt in Brooklyn te blijven, en daarmee had ze Jack gered. Mevrouw Horowitz daarentegen was er ondanks alle bewijzen van het tegendeel nog steeds van overtuigd dat haar dochter verloofd was.

'Ik kan er niet meer tegen,' zei Bina. 'Ik ben nat van het zweet. Deze jurk wil ik nooit meer aan.' Dat leek Kate heel verstandig.

Net op dat moment reed een zwarte Lincoln Town Car voor waar Brice en Elliot uit stapten.

'Jullie zijn laat,' zei ze bij wijze van begroeting, maar ze was blij hen te zien.

'Jij ook goedemiddag,' zei Elliot, zoals altijd opgewekt. 'Laat?' Hij keek op zijn horloge. 'Je zei dat het om drie uur begon. Het is nu drie minuten voor drie.'

Kate zuchtte. 'Op tijd zijn is in dit geval te laat zijn.'

'Weten ze niet dat het in de mode is om te laat te zijn?' vroeg Brice.

'Dit is Brooklyn,' bracht Kate hem in herinnering. Maar boos kon ze niet zijn toen ze zag hoe ze eruitzagen.

'Wauw,' zei Bina. 'Wat een mooie pakken.'

Kate lachte. 'Jullie hebben er echt iets van gemaakt.'

'Natuurlijk,' zei Brice. 'We zijn homo.' Met die woorden pakte hij Bina bij haar arm. 'Maar vanmiddag niet.' Hij liet zijn stem zakken. 'Vanmiddag ben ik je toegewijde vriend. Ik kan mijn handen niet van je af houden.' Bina giechelde.

'Zullen we dan maar, schat?' vroeg Brice. Bina knikte. 'Hm. Wie heeft je haar gedaan?' hoorde Kate hem aan Bina vragen, en het klonk alsof hij vond dat híj dat beter had kunnen doen.

'Sal Anthony. Die heeft een kapperszaak op de hoek van Court en –'

'Afbranden die hap,' beval Brice. 'Eens zien of ik er nog iets van kan maken.'

'Hij is erg bazig,' zei Kate zachtjes tegen Elliot.

'Ja, leuk hè?' reageerde Elliot.

Ze kwamen bij de kerk aan en liepen de indrukwekkende treden naar de kerkdeur op. Eenmaal binnen wees Kate waar het damestoilet was.

'Volg mij, prinses,' zei Brice tegen Bina, en hij ging haar voor het trapje af naar de kelder.

Eigenlijk was het wel goed om zo op het laatste moment te komen, dacht Kate. Ze hoefden niemand te begroeten – en konden dus ook niet worden ondervraagd. Kate en Elliot liepen de vestibule uit en namen plaats in de een na laatste kerkbank. Al gauw kwamen Brice en Bina er ook bij. Ze probeerden niet op te vallen, maar iedereen wachtte op het begin van de plechtigheid en zat dus achterstevoren gedraaid. Tot Kates opluchting begon het orgel toen *Daar komt de bruid* te spelen.

Bunny, een soort schuimpje van tule en tafzijde, liep gearmd met haar vader over het middenpad. Zoals gebruikelijk zeiden de gasten: 'Ooo...' Vreemd genoeg voelde Kate tranen in haar ogen springen. Bunny was niet echt een dikke vriendin van haar – ze wist niet eens of ze haar wel mocht. Maar toch die tranen... Ze vroeg zich af of ze misschien niet te veel meeleefde met Bina, die dit onverdraaglijk moest vinden. Maar nee, het zat dieper.

Kate knipperde de tranen weg, toen keek ze om zich heen naar de andere gasten. Ze vroeg zich af of die ook zo huiverig waren om een levenspartner te kiezen. Bina en haar andere vriendinnen hadden over weinig anders gepraat toen ze nog op school zaten. Eerst jongens, toen jonge mannen, wie met wie ging, bij wie het uitraakte, bruiloften en huwelijksreizen; daar draaiden de meeste – misschien wel alle – gesprekken om. Maar ondanks het geklets en de romantische ideeën en dromen, merkte Kate dat er geen intelligente of realistische keuzes werden gemaakt, en er waren dan ook weinig relaties waarop ze jaloers was.

Soms vroeg ze zich af of haar standpunt door haar jeugd of haar beroep werd vertroebeld. Maar de waarheid was dat ze zich weinig van het huwelijksleven van haar ouders herinnerde, en ze dacht niet dat dat erg slecht of gewelddadig was geweest. Haar vader was pas na de dood van haar moeder gaan drinken. Waarom was ze dan zo bang? Was iedereen bang, maar wisten ze dat beter te verbergen?

Neem Bunny. Ze kende deze man nog maar pas. Had ze het gewoon uit reactie gedaan omdat ze net was gedumpt? Of was ze hevig verliefd, helemaal bezeten van seksuele gevoelens die nooit langer dan een paar maanden duurden? Hoe kon ze al zo snel aan de arm van haar vader naar het altaar gaan? Hoewel Kate niets meer aan haar geloof deed, was ze idealistisch genoeg om te geloven dat een huwelijk voor het leven was.

Terwijl ze keek hoe de bruid zich voor het altaar bij de bruidegom voegde, voelde ze een onplezierige combinatie van jaloezie en angst; jaloezie omdat ze betwijfelde of zij zich wel zonder aarzeling aan Michael of een andere man kon geven, en angst omdat ze dat wel wilde, maar misschien nooit de kans zou krijgen. Hoewel ze het met Michael had goedgemaakt, bekeek ze hem wegens zijn gebrek aan medeleven met Bina met heel andere ogen. Zou hij altijd meer bezig zijn met zijn eigen dingen, en nauwelijks met anderen kunnen meevoelen? Zijn excuses leken oprecht, maar Kate vond het belangrijk hem goed in de gaten te houden. Bovenal verlangde ze naar een partner die met anderen kon meevoelen.

Ze zuchtte. Naast haar lachte Elliot naar haar, toen richtte hij zijn blik weer op Bunny. Misschien lag het aan Manhattan. Hier in Brooklyn leek de liefde veel minder gecompliceerd, dacht Kate. Jonge vrouwen en jonge mannen... Ze gingen een tijdje met elkaar om en maakten het dan uit of bonden zich. De vrouwen waren op een huwelijk uit, en mannen gaven, hoewel soms aarzelend, toe. Dat was wat er van hen werd verwacht. En de families oefenden op de achtergrond druk uit.

Natuurlijk waren er uitzonderingen zoals Jack, maar ondanks dit ongelukje was Kate er bijna zeker van dat hij de hobbel zou nemen, dat hij een leuke tijd in Hongkong zou hebben om daarna terug te gaan naar Bina, de vrouw van wie hij hield. Maar als ze trouwden, hoelang zouden ze dan van elkaar blijven houden? Ze keek naar de oudere echtparen in de banken om haar heen, en zag verveelde mannen en stoïcijnse of sentimentele vrouwen. Sommigen hielden papieren zakdoekjes voor hun ogen. Wanneer Kate een oudere vrouw op een bruiloft zag huilen – en ze was op veel bruiloften geweest – dacht ze dat die huilden omdat ze onbewust terugdachten aan waarop ze zelf hadden gehoopt, en de teleurstellingen die het huwelijk hun had gebracht.

Daar stond Kate, tussen haar twee beste vrienden in, en ook tussen twee werelden, en het drong tot haar door dat ze niet alleen jaloers was, maar ook heel, heel verdrietig. Zelfs als Michael de Ware voor haar bleek te zijn, kon ze zichzelf niet in zo'n jurk voorstellen, en zeker niet in een kerk. Ze kon niet gearmd met haar vader het middenpad af lopen, en het leek onmogelijk om er zo gelukkig uit te zien als Bunny achter die sluier. Waarschijnlijk zou ze Elliot als getuige willen, en dat zou bij haar oude kluppie voor moeilijkheden en gekwetste gevoelens zorgen.

Kate glimlachte bij de gedachte. Elliot zou het geweldig vinden. Ze keek even naar hem op en zag dat achter Bina's rug om, Brice en Elliot discreet elkaars hand vasthielden. Het zag er zo schattig uit dat de tranen weer in haar ogen sprongen, en dat terwijl ze geen zakdoekje had. Ze was blij voor Elliot, die zo lang naar een leuke partner had moeten zoeken. Maar het maakte ook dat ze zich ineens erg eenzaam voelde.

'Amuseer je je?' fluisterde Elliot.

'Ik zat te denken,' mompelde Kate.

'Moet je nooit doen,' raadde hij haar aan. 'Vooral niet bij rituelen.' Hij lachte haar stralend toe. 'Had ik al gezegd dat je er in die jurk geweldig uitziet?'

Kate lachte en legde toen haar vinger op de lippen. In Brooklyn namen ze het geloof ernstig. De plechtigheid begon, en daarmee de problemen.

Ook al was Bina niet katholiek en stond ze meters en meters van het altaar vandaan, toch begon ze te snikken zodra de geestelijke zijn mond opendeed. Eerst waren het gesmoorde snikken waarvan haar schouders schokten. Kate merkte het in het begin niet eens. Maar tegen de tijd dat Bunny en de bruidegom een paar keer hadden geknield en weer waren opgestaan, kon je Bina al halverwege de kerk horen. Kate en Elliot wisselden een blik uit, toen keken ze allebei Brice aan. Die had zijn arm al om Bina's schouders geslagen en haalde zijn schouders op, zo van: Wat kan ik nog meer doen?

Kate keek even naar het altaar terwijl ze snel nadacht. Het was heel gewoon om tijdens de plechtigheid een traantje te plengen, dat hoorde erbij, maar Bina overdreef. Om de een of andere reden staarde ze strak naar de wierookhouder die een koorknaapje vasthield. Waarom? Het zou fijn zijn dat ding af te pakken en ermee tegen Bina's hoofd te zwaaien. Niet hard natuurlijk, net hard genoeg om haar tot haar positieven te laten komen. Het zou nog lastig worden op de receptie als Bina een scène trapte zodat alles zou uitkomen.

Er waren al een paar mensen die achterom keken. Kate glimlachte en knikte, ze deed of ze een traantje van geluk wegpinkte. 'Mooi,' vormde ze haar lippen tegen iemands moeder zonder geluid te maken. Brice kreeg een briljante ingeving en plantte een kus op Bina's mond. Dat verraste haar zo dat ze er stil van werd. Elliot sloeg ook een arm om haar heen en bedekte discreet haar mond met zijn hand. Bina nam de waarschuwing ter harte en ze keken met zijn allen terwijl het bruidspaar knielde, opstond, knielde en weer opstond.

'Is dit een bruiloft of een aerobicsklasje?' vroeg Elliot. Kate lachte bijna hardop, maar toen kwam het bruidspaar bij: 'in voorspoed en in tegenspoed', en Bina moest zo hard huilen dat ze een baby voorin de kerk overstemde.

Voordat alles echt uit de hand kon lopen greep Brice Elliots arm beet en haalde een speld uit de manchet. Zonder aarzelen stak hij die in Bina's bovenarm.

Kate was geschokt, maar niet zo geschokt als Bina, die een gilletje slaakte, haar hoofd hief, en om beurten Brice en Elliot aankeek. Brice boog zich naar haar toe en fluisterde iets in haar oor, en als bij toverslag hield het huilen op.

Eindelijk was de dienst afgelopen. Bruid en bruidegom kusten elkaar, en Brice en Elliot lieten elkaars hand los om Bina's handen vast te grijpen zodat ze die niet voor haar gezicht kon slaan om nog een potje te huilen. 'Luister,' zei Kate en ze legde haar handen op Bina's schouders. 'Laat je niet zo gaan. Dit is het ergste niet. Het ergste moet nog komen.'

'Ja?' vroeg Elliot. 'Een familievete?'

'Met geweren?' opperde Brice hoopvol.

Kate sloeg geen acht op die opmerkingen. 'We moeten Bina hier voor de meute zien weg te krijgen,' zei ze.

'Ja, dat lijkt me wel duidelijk. Moet je zien,' zei Elliot en hij knikte in Bina's richting.

Kate zag wat hij bedoelde. Bina's make-up was half afgeveegd, en de mascara had een spoor over haar wangen getrokken. Kate gebaarde, en Elliot tikte Brice tegen zijn been.

'We gaan,' zei hij tegen Brice.

'Dat werd tijd,' reageerde Brice. 'Als ze straks met rijst gaan gooien, blijft het op haar gezicht plakken.'

Elliot vertrok zijn gezicht tot een grimas. Stilletjes slopen ze de kerk uit, door de vestibule en naar buiten.

Gelukkig konden ze een taxi aanhouden – niet zo gemakkelijk in een buurt waar iedereen zelf reed. Ze stapten uit bij Carl's in Carrol Gardens, waar iedereen uit Brooklyn zijn huwelijksreceptie scheen te houden.

'Nou, daar gaan we dan,' zei Kate toen ze voor de ingang stonden. Ze lachte nerveus naar Elliot, toen gaven ze elkaar een arm en gingen samen door de draaideur, gevolgd door Brice en Bina. Gelukkig was er nog niemand behalve een stelletje obers die wel ergere dingen hadden gezien dan Bina's uitgelopen make-up.

'Waar zijn de toiletten?' fluisterde Brice in Kates oor. 'Ik wil Juffertje Kernexplosie haar make-up laten fatsoeneren. Dit is een echte meltdown.'

'In de gang links,' zei Kate. Ze was in het verleden vaak in dit partycentrum geweest. Hier hadden een stuk of tien bekenden van haar hun receptie gehouden, maar dat zou zij nooit doen. Bruiloften aan de lopende band, dezelfde muziek, dezelfde gasten, dezelfde obers, dezelfde bruidstaart... 'Neem haar alsjeblieft mee,' zei Kate. 'En Brice, wees een beetje lief.'

'Ik doe mijn best,' zei hij, en hij duwde Bina voor zich uit. 'Kom, schat, tijd voor een operatietje door dr. Brice.'

Kate hoorde Bina protesteren terwijl Brice en zij in de gang verdwenen. 'Nou,' zei ze tegen Elliot. 'Ben je klaar voor je eerste Brooklynse receptie?'

'O Katie! Dit wordt echt dolletjes,' zei Elliot met een ondeugende grijns.

'Hou op met steeds Katie zeggen of ik snij je tong af,' waarschuwde Kate hem. 'Dit is serieus. Laten we kijken waar we moeten zitten en dat dan veranderen, zodat we iedereen kunnen ontlopen tot het niet anders kan.'

'Goed hoor, ik kijk wel om me heen.' Hij draaide met zijn hoofd of hij Linda Blair uit *The Exorcist* was. 'Waar halen ze al die rookglazen spiegels vandaan? Stammen die nog uit de jaren zestig, of kun je die hier ergens kopen?' vroeg hij zacht. Het leek wel Halloween in Greenwich Village. 'Kate, ik ga een beetje rondsnuffelen, daarna ga ik misschien even bij Brice kijken, om te zien wat hij met Bina doet. Tot zo. Wacht jij hier de Opstanding maar af.' Hij slenterde de gang in.

Eenmaal alleen liep Kate naar de tafel met de cadeaus en zette haar pakje van Tiffany's in het midden. Ze wist dat het niet het enige cadeau zou zijn dat was ingepakt in de kenmerkende teerblauwe doos, maar ze wist wel zeker dat haar schaal van geslepen glas het enige cadeau zou zijn dat bij Tiffany was gekocht. Deze blauwe doosjes werden meer op prijs gesteld dan de inhoud, en ze werden telkens hergebruikt met steeds weer andere cadeaus uit Bed Bath & Beyond of de Pottery Barn.

Er kwamen meer mensen binnen. Na een kwartier vroeg Kate zich af waarom Elliot nog niet met Brice en Bina was teruggekomen. Ze hoorde nog meer auto's voorrijden. Dit was niet alleen voor Bina een kwelling. Kate was bepaald niet in de stemming om met deze mensen te praten – ook al bedoelden ze het nog zo goed

– die haar naar haar liefdesleven zouden vragen, en wanneer voor haar de klokken zouden luiden. De mensen uit haar oude buurtje hadden geen moeite met persoonlijke vragen stellen, en het was hun ook niet echt opgevallen dat ze een 'dr.' voor haar naam had weten te plakken. Ze wilden alleen maar weten of ze er een 'mevr.' voor zou krijgen.

Ze zette het echter uit haar gedachten om zich op haar doel te richten. Ze moest kijken wat de tafelschikking was, en ervoor zorgen dat zij met z'n vieren aan dezelfde tafel kwamen te zitten. Daarna moest ze naar de eetzaal waarvan de deuren nog gesloten waren, en de naamkaartjes verwisselen, zodat Bina beschermd zou zijn tegen de hyena's, het soort mensen dat het op de zwakste heeft gemunt.

Vastberaden stapte ze op de tafel af waar de tafelschikking lag. Als ze niet vastberaden overkwam, zou iemand van het personeel haar tegenhouden. Die waren eraan gewend dat ongehuwde vrouwen een plekje naast een aantrekkelijke vrijgezel regelden, of dat verbitterde tantes niet bij hun familie aan tafel wilden zitten, zelfs dat ouders hun kinderen aan andere tafels plaatsten zodat zijzelf rustig konden eten. Al gauw vond ze haar kaartje: Mejuffrouw Katie Jameson en gast, tafel negen. Ze schudde haar hoofd. Niet alleen stond er geen 'dr.' voor haar naam, maar er stond ook nog eens Katie. Ze had er een hekel aan om Katie genoemd te worden, maar om zulke kleinigheden maalden Bunny en haar moeder niet.

Twee kaarten boven de hare stond: Mejuffrouw Bina Horowitz en de Heer Jack Weintraub. Die mocht Bina natuurlijk niet onder ogen komen. Bunny's moeder was kennelijk vergeten dat Jack op reis was. Kate pakte de kaart, draaide die om en schreef met de zwarte viltstift die ze expres hiervoor had meegenomen: Mejuffrouw Bina Horowitz en gast. Daarna zette ze het kaartje terug. Ze hoopte dat Bina de kaart niet zou omdraaien, en dat Brice slim genoeg zou zijn om die in zijn zak te steken.

Tot dusver liep alles op rolletjes, vond Kate. Maar nu moest ze naar de tafel om de naamkaarten te verwisselen. Als Bina naast Bev of Barbie kwam te zitten, hield ze het geen vijf minuten vol. Het kon natuurlijk dat de tafelschikking traditioneel man-vrouw-man-vrouw was. Kate zuchtte bij de gedachte aan weer een diner naast Bobby, de ongelooflijk saaie man van Barbie. Ze liep naar de deur van de eetzaal, en het lot wilde dat er net een gehaaste ober naar buiten kwam. Ze pakte de deur vast voordat die kon dicht-vallen. De ober liep met een stapel servetten weg, en zij glipte naar binnen.

Er stond een bord met: Zaterdag bruiloft Tromboli-Beckman. Daaronder stond: Zondag bar mitswa Eisenberg. Kate keek om zich heen. Het interieur kwam rechtstreeks uit Bunny Tromboli's droom, en ook rechtstreeks uit Kates nachtmerrie. De versiering, de bloemstukken, de kaarsen – alles de middenklasseversie van de foto's die Bunny al sinds haar tiende uit de societyrubrieken knipte. Dat had het hele kluppie gedaan, behalve Kate. Ze slaakte een diepe zucht. Als zij aan haar bruiloft dacht, en dat deed ze niet vaak, dan was het middelpunt daarvan de bruidegom, niet het decor.

Ondanks de tafelkleedjes in schreeuwende kleuren en de bor-den – roze en oranje, een kleur die Kate niet geschikt vond voor kleding en huisraad, net zomin als zwart serviesgoed en bloem-stukken die er als leer uitzagen – had het iets rustigs en drome-rigs... een verlaten vertrek, klaar voor de feestgangers, had iets betoverends. Ze nam het allemaal in zich op, toen dwongen de kleuren en haar taak haar verder te gaan. Ze vond tafel negen, keek naar de naamkaartjes en verplaatste die zodat Elliot, Kate, Bina en Brice allemaal naast elkaar zaten. Daarvoor moest ze Bobby en Johnny verplaatsen, de echtgenoten van Barbie en Bev, maar het duurde niet lang of ze was klaar. Ze schoof de vier stoe-len waarop zij zouden zitten uit en liet die met de leuning tegen de tafel leunen – een niet erg beschaafde manier om aan te geven dat deze stoelen bezet waren, en zo kon ze er ook zeker van zijn dat niemand iets aan haar tafelschikking zou veranderen.

Het lawaai van de mensen buiten klonk nu veel harder, en toen, zonder voorafgaande waarschuwing, zwaaiden de deuren open. De gasten dromden naar binnen. Kate, die hier niet in haar eentje aangetroffen wilde worden als een soort eenzame lokeend, besloot naar het terras te vluchten dat langs de zaal liep. Daar kon ze even frisse lucht happen en zich goed voorbereiden op wat er ging komen. Wanneer haar maatjes terugkwamen, waren er genoeg mensen om ongezien terug naar binnen te gaan, het driemanschap op te zoeken en zich onder de gasten te mengen.

Op een terras had Kate de tijd om na te denken. Ze was dolblij dat ze Michael niet had gevraagd met haar mee naar de bruiloft te gaan. Ze zou zich niet op haar gemak hebben gevoeld, en ook al was dat onzin, zich hebben geschaamd. De kleren, het accent van de gasten, de luidruchtigheid... nou ja, het was allemaal nogal vulgair. Ze vertrok haar gezicht. Zij was eraan gewend en op veel van de mensen hier was ze zeer gesteld, maar ze wilde dat niet allemaal uitleggen aan Michael of aan wie dan ook. Maar ze vond het ook niet prettig dat Brice en Elliot zo van hun uitstapje naar Brooklyn leken te genieten. Het leek wel of ze naar een safaripark waren gegaan. Ze bestudeerden de natuurlijke levensvormen hier met de afstandelijkheid van wezens uit een andere wereld.

Kate keek even naar binnen. Het zou niet lang meer duren of het was er bomvol. En dan mochten Elliot en Brice babbelen met de wezens die ze in de kerk hadden gezien. Op de een of andere manier mocht Kate deze mensen wel raar vinden, maar ze vond het vervelend dat anderen dat ook vonden, vooral Elliot en Brice. Ja, dacht ze weer, het was goed Michael hierbuiten te laten, en hoe had ze het ooit met Bina kunnen redden zonder haar twee vrienden?

Ze bleef kijken naar de mensen die binnenkwamen. Ze verplaatsen hun naamkaartjes, omhelsden en kusten elkaar en gingen op zoek naar een drankje. Zelfs door het raam heen hoorde ze dat ze zich afvroegen wat het diner per persoon zou kosten, waar de bruid haar jurk had gekocht en of ze misschien al zwanger was... en toen zag ze Elliot, Brice en Bina binnenkomen. Ze moest toegeven dat Bina er veel leuker uitzag met de geweldige make-up van Brice, en haar haar losjes opgestoken. Geen wonder dat het zo lang had geduurd! Kate pakte de deurknop van de openslaande deur, maar merkte toen dat die in het slot was gevallen. Ze probeerde de andere deuren. Allemaal op slot.

Ze was buitengesloten. Ze tikte op het raam en probeerde wanhopig de aandacht te trekken, maar het was binnen een lawaai van je welste. Ze hoorde de oudere vrouwen zeggen dat het de mooiste plechtigheid was die ze ooit hadden gezien, en de mannen riepen naar elkaar hoe ze dachten dat de Mets ervoor stonden.

In een paar tellen was de zaal van rustig in chaotisch veranderd, van verlaten in overvol, en de wijde rokken en vervaarlijk hoog opgestoken kapsels belemmerden haar het zicht. Ze zag haar vrienden niet meer. Kate dacht dat ze Brice even zag en iemand die Bina had kunnen zijn, nu aan de andere kant van de zaal vanwaar hun tafel stond, maar zeker wist ze het niet. Ze rende langs de deuren op het terras in de hoop ergens naar binnen te kunnen, maar ze zaten allemaal op slot. Nou ja, dan moest ze maar buiten wachten totdat iemand...

Net op dat moment kwam een lange blonde man uit de deur aan het andere eind van het terras lopen. Wat een opluchting!

'Wacht!' riep Kate. 'Hou de deur –'

Maar voordat ze was uitgesproken, draaide hij zich naar haar om en viel de deur achter hem dicht.

12

'Verdorie,' mopperde Kate. Ze liep naar de dichtgeslagen deur en
bewoog de deurkruk. De deur zat op slot. Ondertussen leunde de
man tegen de met klimop begroeide muur en keek rustig om zich
heen. Ze kon er niks aan doen, maar Kate vond hem de knapste
man die ze ooit had gezien. Zijn blonde haar had verschillende
tinten – het soort haar waar je bij de kapper een heleboel geld voor
neertelde zonder dat effect echt te bereiken. Waarschijnlijk was hij
iets van een meter negentig, en zijn brede schouders, het goed gesneden jasje en zijn lange benen lieten zien dat hij een goed figuur
had. Kate vroeg zich af of hij gespierde armen had, want dat vond
ze erg aantrekkelijk. Zijn gezicht kon ze niet goed zien, wel dat hij
niet bleek zag, zoals de meeste blonde mensen. Zijn huid leek een
gouden gloed te hebben... nou ja, hij was een man van goud, het
soort dat alleen maar mooi is en verder niets.

Toen zag hij Kate en draaide zich naar haar om. Zo frontaal was
hij – het leek nauwelijks mogelijk – nog indrukwekkender. Tot haar
schrik voelde ze dat ze bloosde tot in haar hals, maar het scheen
hem niet op te vallen. Hij zei alleen maar: 'Ik weet dat het een cliché is, maar wat doet een mooi meisje op een plek als deze?' Hij
zette een paar passen in haar richting. 'Ben je van streek? Hm, wat
nu?' Hij lachte. Die lach deed haar de das om. Hij had witte tanden, kuiltjes in zijn wangen, en zijn ogen bleven in tegenstelling tot
die van de meeste mensen wanneer ze lachten, gewoon open. Hij
was wat je noemt *un canon*, de belichaming van mannelijk schoon.

Kate zette een stap naar achteren. Ze was op haar hoede voor
dit soort knappe, charmante mannen, maar toch moest ze naar
hem kijken. Hij had iets bekends, maar als ze hem ooit had ont-

moet, zou ze hem onmogelijk kunnen zijn vergeten. Misschien was hij iemand van de tv. Met moeite wendde ze haar blik af.

'Je had de deur kunnen openhouden,' zei ze, en ze hoopte dat haar stem normaal klonk. 'Nu moeten we wachten totdat iemand van de Eisenberg bar mitzwah ons morgen binnenlaat.' Het kwam er scherper uit dan de bedoeling was. Met schuin gehouden hoofd nam hij haar op. Ze voelde zich meteen niet op haar gemak. Niet omdat hij haar keurde, maar omdat hij zo doordringend keek – alsof hij zich ieder detail van haar in zijn geheugen prentte, van haar sleutelbeen tot haar schoenen van Jimmy Choo. Ze draaide zich om en keek door de glazen deur naar binnen.

'Zou je dat erg vinden?' vroeg hij.

Ze zag Bina nog aan de overkant van de zaal staan, geflankeerd door Brice en Elliot. Elliot keek zoekend om zich heen, hij vroeg zich natuurlijk af waar ze bleef. O nee, ze kon Bina niet zonder haar bescherming aan tafel laten zitten! Dit ging niet goed... Ze rammelde aan de deurkruk. *'Merde!'* zei ze.

'Ah, parlez-vous français?' vroeg hij, iets te snel.

Met een ruk draaide ze zich naar hem om. Dit was niet zomaar een kanjer. Hij lachte alsof hij wist dat hij knap was, onweerstaanbaar knap. Ze werd er helemaal warm van. Die lach gaf haar het gevoel dat ze de eerste vrouw op aarde was die zich in die lach mocht koesteren. Hij was echt geweldig, de Fransen zouden hem *un bloc* noemen.

'Oui.' Ze bloosde diep, en vervloekte haar bleke huid. Ze had net zo goed haar gevoelens in neonletters op haar voorhoofd kunnen schrijven. *'Je parle un petit peu, mais avec un accent très mauvais,'* zei ze.

'Mais non. Pas mal. Vraiment.'

Knap als hij was – en zijn Frans was perfect – had ze toch geen zin om een vreemde taal met hem te oefenen, hoewel het wel verleidelijk was. Ze wendde zich af en probeerde de deur nog eens, maar deze sloten konden alleen van binnenuit worden geopend. 'We zitten hier vast,' zei ze.

'Wat een bof bij een gelegenheid als deze. Misschien is het een voorteken,' zei de Kanjer. 'Misschien mogen we niet deelnemen aan de bruiloft van Bunny Tromboli en Arnie Beckman.' Hij leunde tegen het hekje om het terras en sloeg een been over het andere. Weer bekeek hij Kate van top tot teen. 'Ik vind het wel goed zo.'

Kate was te gespannen om te kunnen flirten of om op complimentjes te reageren, vooral wanneer die kwamen van iemand die er zo geoefend in scheen te zijn als hij.

'Je ziet er niet uit alsof je uit deze buurt komt,' zei hij, in een aardige imitatie van Gary Cooper. Eigenlijk leek hij wel op Cooper, en daar was hij zich vast van bewust.

Kate gaf altijd de voorkeur aan mannen die een beetje een nerd waren, ook al was Elliot daartegen. Die waren echter, oprechter. Sinds een bijzonder knappe student uit Oxford die op een uitwisselingsbeurs in Amerika was tegen haar had gezegd: 'Op jou moet je wel hopeloos verliefd worden,' en een week later haar vriendin had uitgevraagd, was ze op haar hoede voor al te charmante mannen. '*Et vous?*' vroeg ze, bij wijze van test.

'*Oui, je suis un fils de Brooklyn,*' antwoordde hij met een ondeugende lach.

'Je accent is perfect,' merkte ze vol bewondering op.

'Mijn Franse accent of dat van Brooklyn?' vroeg hij, en weer lachte hij. Het zou verboden moeten worden, dacht ze. Ze kon niet aan de verleiding weerstaan tersluiks naar zijn ringvinger te kijken. Geen ring. Niet dat dat wat uitmaakte, natuurlijk. Ze kende deze man niet, wist niet wat er in hem omging – waarschijnlijk *rien* – en ze had ook geen tijd om daarachter te komen.

Ze wendde zich weer af om door het glas te kijken. Ze zag dat Elliot de tafel en de naamkaartjes had gevonden. Ze zag zijn gezicht niet, maar wel dat Bev Clemenza en haar man Johnny recht op hem af kwamen. Zoals te voorzien zaten Barbie en Bobby Cohen haar op de hielen. 'Ik moet naar binnen,' zei ze in plotselinge paniek. Ze greep de deurkruk en rammelde aan de deur.

'Ben je een vriendin van de bruid of van de bruidegom?' vroeg hij.

Ze tikte tegen het raam. 'Bruid,' antwoordde ze kortaf, en toen drong het tot haar door dat dat wel erg onbeleefd was. 'Bunny is een van mijn oudste vriendinnen,' voegde ze eraan toe. Door de ruit zag ze verlamd van schrik dat Elliot Bunny's hand schudde en daarna die van Johnny.

'Een veel oudere vriendin dan, hè?' vroeg hij en kwam bij haar staan.

Kate had geen zin in gedoe. 'Bunny en ik kennen elkaar nog van de basisschool,' zei ze terwijl ze paniekerig zwaaide, in de hoop dat het iemand zou opvallen. 'En ja, Bunny is ouder – bijna een hele maand. Maar daar trokken we ons nooit iets van aan.'

'Wat geeft het als je de festiviteiten gedeeltelijk mist?'

'Ik moet een vriendin in bescherming nemen tegen mijn kluppie.'

'Je kluppie?' vroeg hij met een lach. 'Ken ik daar iemand van?'

'Bev Clemenza, Bina Horowitz en Barbie Cohen.'

'Je meent het!' riep hij uit en hij bekeek haar nog eens goed. Verbaasd draaide ze zich naar hem om.

'C'est incroyable, mais vraiment.' Wat was er zo ongelooflijk, vroeg ze zich af, en waarom steeds dat Frans? Ze tuurde weer naar binnen. Jemig, de diskjockey begon al! 'Jij hoort dus bij het beruchte kluppie,' zei hij. 'Ik heb over jullie gehoord.'

'Pardon?' vroeg ze verwonderd.

'Hoe komt het dat ik je dan nog niet heb leren kennen?' vroeg hij, zich totaal niet bewust van haar vijandige houding. Echt narcistisch, vond ze.

Hij keek over Kate heen de zaal in. 'Bev en Barbie ken ik al, en Bunny natuurlijk ook. Allemaal namen met een B. En wie ben jij? Betty?'

'Ik heet Katherine Jameson,' zei Kate.

'En ik Billy Nolan. Waarom heb ik jou nooit ontmoet?'

'Ik ben uit Brooklyn verhuisd om te gaan studeren.'

'Ik ben uit Brooklyn verhuisd om naar Frankrijk te gaan. Wat heb je gestudeerd? En wat heb je daarna gedaan?'

'Ik ben afgestudeerd en nu woon ik in Manhattan.' Even zweeg ze. 'Billy, ik moet daar naar binnen.'

'Ik wil mijn jasje wel om mijn hand wikkelen en de ruit inslaan, maar...'

'Dat lijkt me overdreven,' maakte ze de zin voor hem af.

'Zodra de temperatuur daarbinnen oploopt, zetten ze de deuren wel open,' zei hij terwijl hij op de balustrade ging zitten. 'Is het jou ook opgevallen dat niemand uit Brooklyn ooit zijn naam verandert in iets minder kinderlijks? Barbie, Bunny, Johnny, Eddie, Arnie.' Hij grinnikte. 'In Brooklyn ben ik nooit William of Bill. Daar heet ik Billy.'

Hij stak zijn hand naar haar uit en Kate schudde die. Ze probeerde er nonchalant uit te zien, hoewel ze huiverde en haar nekhaartjes overeind gingen staan. 'Wat heb je liever, Billy of Bill?' vroeg ze.

'Hé, we zijn hier in Brooklyn!' vermaande hij haar. 'Ik gedraag me daarnaar. Hier ben ik Billy Nolan. En moet ik jou dr. Katherine noemen? Kate? Kathy? Katie?'

'Kate graag. Niet Katie, daar heb ik een hekel aan,' biechtte ze op. 'O kijk, ze draaien zeker hun liedje.'

Tot haar verrassing stond Billy op, pakte haar hand en begon te dansen. Voordat ze iets kon doen, hield hij alweer op. 'Doo wah diddy? Is dat hun liedje?' Hij vertrok overdreven verbaasd zijn gezicht.

Kate lachte. 'Nou, misschien ook niet.'

'Dat hoop ik dan maar. Anders geef ik dit huwelijk hoogstens drie weken. In het begin mag er toch wel een beetje romantiek zijn?'

Dat was ze helemaal met hem eens – en ze dacht ook dat de romantiek er bij hem wel snel af zou zijn. Ze bekeek hem eens goed. De zon deed zijn blonde haar glanzen. Hij was zo'n bijzondere Ier wiens huid bruin werd zodat zijn ogen blauwer leken. 'Dus jij denkt dat je de romantiek kunt bewaren?' vroeg ze.

'Als ik dat dacht, was ik nu al wel getrouwd.' Billy Nolan lachte hardop, en vanuit het niets kwam de uitdrukking *coup de foudre*, als bij donderslag, bij Kate op. Hij was echt heel bijzonder – en dat wist hij zelf ook, bracht ze zich in herinnering.

'Ach ja, het is moeilijk je te binden,' zei ze, en ze knikte erbij. Billy reageerde door zijn ogen wijd open te sperren, toen drukte hij zijn handen tegen zijn borst. 'Nu doen ze de hokey-pokey!' zei hij, alsof hij geschokt was.

'Vreemd hoor, voor een bruiloft in Brooklyn,' beaamde Kate schamper. Ze deden altijd de hokey-pokey of de alley cat, en soms allebei. Ze keek door het raam naar de tientallen dames die met hun rug naar hen toe aan het dansen waren. 'Nu trekken we natuurlijk nooit hun aandacht.'

'O jee, het is helemaal mis met me,' zei hij, en hij begon te beven. Kate vroeg zich af of dat nog een reactie op het woord 'binden' was. 'Gelukkig maar dat jij psychologe bent,' zei hij.

Achterdochtig keek ze hem aan. 'Hoezo?'

'Ik moet onmiddellijk behandeld worden. Ik heb een hokey-pokeyfobie.'

'Echt?' reageerde Kate. Ze kon dit soort halfgare praatjes nu echt niet gebruiken, maar zolang ze buitengesloten waren... 'Ik zeg dan altijd: "Waar ben je dan zo bang voor?"'

'Dat lijkt me wel duidelijk,' zei Billy. 'Heb je er nooit over nagedacht?'

'Waarover?'

'Over dat liedje. Ik bedoel: *You put your left foot in, you take your left foot out.* Blablabla. *You do the hokey-pokey and you turn yourself around. And that's what it's all about.*' Hij huiverde overdreven.

'Nou en?'

'Nou, is dat waar het allemaal om draait? Stel dat het leven inderdaad niets meer is dan de ene voet voor de andere zetten? Verder niks? Vind jij dat geen beangstigende gedachte?'

Voordat Kate kon bedenken of hij dat nu echt meende of niet, vlogen de deuren aan de andere kant van het terras open en iemand met een blauw pak aan stak zijn hoofd naar buiten. 'Hé, Nolan!' riep hij. 'Kom hier! Arnie wil het met je over de speech hebben.'

Voordat het hoofd zich kon terugtrekken, riep Billy: 'Hou die deur vast!' Lenig rende hij over het terras, en net op tijd bereikte hij de deur. Terwijl hij de deur voor Kate openhield, zei hij: 'Na u, *chère mademoiselle*.'

Weer bloosde Kate, maar toch stapte ze snel over de drempel de overvolle zaal in. Ze wilde Billy net bedanken toen ze Bev Clemenza's schrille stem hoorde: 'Katie! Katie! Hier!' Daarna durfde ze niet meer om te kijken.

13

Toen Kate naar haar kluppie liep, voelde ze dat ze bijna als een magneet naar Billy Nolan werd teruggetrokken. Ze schaamde zich dat ze zo geboeid door hem was en besloot hem uit haar hoofd te zetten. Hij was gewoon zo'n oppervlakkige man uit Brooklyn, een flirt. En zij had belangrijker zaken aan haar kop. 'Katie!' riep Bev weer. Kate wilde niet zien hoe bang Bina was. Ze kon er niets aan doen, maar ze vond het erg dat ze niet vanaf het begin bij Bina was geweest. Terwijl ze zich een weg door de menigte baande – ze twistten nu, *as they did last summer*, of zoals op de vorige bruiloft – schold ze binnensmonds op Billy, en op al die tijd die ze op het terras had moeten doorbrengen, hoe vermakelijk het ook was geweest.

Eindelijk was ze voorbij de dansvloer. Ze kon tafel negen nu goed zien. Gelukkig was Bina ergens onder de mensen, en Elliot was kennelijk ook van tafel opgestaan op zoek naar nog meer amusement. Bev was er wel, haar haar stond stijf van de haarlak en haar zwangere buik werd omspannen door een veel te strak jurkje. Barbie, met haar volle haar tot halverwege haar rug, zat ook aan tafel. Barbies vader, die juwelier was, had beter geboerd dan de vaders van de andere vriendinnen. Barbie had altijd meer kleren gehad, ze had reisjes naar Florida gemaakt, weekendjes in de Poconos doorgebracht, en meer dingen gedaan waarop de anderen toentertijd jaloers waren. Maar nu was ze een huisvrouwtje uit Brooklyn, met een baantje als inkoopster bij een modewinkel op Nostrand Avenue. Haar man Bobby was verzekeringsagent. Kate was bepaald niet meer jaloers op haar.

Barbie zat naast Bobby, en haar lage decolleté verraadde dat ze een te kleine push-up beha droeg. Kate wendde haar blik af van al dat vlees, maar de echtgenoten waren op een heel andere manier akelig om naar te kijken. Als ze niet een strikje en een buikband hadden gedragen die bij het toiletje van hun vrouw paste, had Kate niet geweten wie wie was. Ze waren aardige jongens uit Brooklyn, maar geen van beiden was zo knap als Billy Nolan. En hun blik was niet zo intelligent als die van Michael. Bij de gedachte aan Michael die aan deze tafel een gesprek moest voeren, kreeg ze kippenvel. 'Hé!' schreeuwde Bev. 'Kijk wie we hier hebben!'

Even dacht Kate dat zij zo werd begroet, maar Bev keek langs haar heen. Kate draaide zich om en zag dat Billy Nolan zich bij het bruidspaar aan de belangrijkste tafel had gevoegd. Hij praatte met de bruidegom. Bunny zwaaide even naar Kate en lachte trots terwijl ze haar Arnie een arm gaf. Kate zwaaide terug, maar haar blik dwaalde naar Billy af die met een ernstig gezicht met de bruidegom praatte, en toen ineens lachte. Nou, aan tafel negen zou niet worden gelachen, dacht Kate. Ze dwong zichzelf weg te kijken en haar aandacht op haar disgenoten te richten.

'Wauw, Kate, jij ziet er goed uit!' zei Bev. 'Maar jij bent dan ook Schorpioen en jouw planeet staat deze maand aan de hemel, dus dan is het ook geen wonder.'

'Ja, dat, en de uitverkoop bij agnes.b,' reageerde Kate met een lach. Kates eenvoudige jurk, mouwloos en hooggesloten, de knoopjes verborgen, was het tegenovergestelde van de overdadig opgesierde toiletjes van haar vriendinnen. Ze wist het niet, maar ze was zonder twijfel de elegantst geklede vrouw in de zaal. Het verbaasde Kate dat haar kluppie uit Brooklyn geen nummer van *Vogue, Allure* en *Cosmo* aan zich voorbij liet gaan, maar zich toch nog steeds op dezelfde manier kleedde als vroeger. Als er al iets was veranderd, dan waren het de strakkere bloesjes en schreeuwender patronen. Bev droeg ondanks haar dikke buik een stretchjurkje met zwart-gele tijgerstrepen. Barbie had een strapless jurk aan met Hawaii-motief, bananenbladeren en toekans overwoekerden haar li-

107

chaam. Kate wist niet of zij gewoon een slechte smaak hadden, of dat haar smaak was verpest door de nonnen op haar eerste school, die zwaar katholiek was.

'Je zou er iets op moeten dragen,' zei Bev bij wijze van begroeting. 'Een sjaaltje, of misschien een hanger.' Barbie zelf droeg een smaragd – ongetwijfeld een echte – die net boven haar decolleté hing.

'Ik moet maar op de juiste borstpartij en een juweel wachten,' zei Kate zoetsappig.

'Jij bent altijd zo cynisch,' zei Bev. 'Echt een Schorpioen.' Sinds Bev zwanger was geworden, las ze niet alleen de horoscooprubrieken, maar had ze zich echt in astrologie verdiept. Zeker hormonen, dacht Kate. Of misschien omdat ze er geen macht over had, en daarom ter compensatie maar het universum probeerde te duiden. Kate keek zoekend om zich heen. Waar waren Bina en de jongens? Ze was echt bezorgd. Eindelijk zag ze Elliot lopen, hij had drie drankjes gehaald.

'Voor jou, voor jou en voor jou,' en hij gaf de dames een cosmopolitan.

'Ooo, dank je,' zei Bev. 'Maar dat mag ik nu niet.'

'Wat een heer,' zei Barbie waarderend, en ze porde Robbie in zijn ribbenkast.

'Dit is mijn vriend Elliot.' Kate legde haar hand op zijn arm.

'We hebben al kennisgemaakt,' zei Elliot. Kate trok haar wenkbrauwen op. 'In de gang. Je vriendinnen zijn net zo bijzonder als jij, Katie.'

'O ja, we zijn heel bijzonder,' zei Bev.

'Waar is Bina?' vroeg Kate zacht aan Elliot. Ze keek om zich heen en zag Brice en Bina al aankomen.

Bev trok aan Kates arm. 'Zeg, die man met wie Bina is, wie is dat?'

Barbie trok een wenkbrauw op waar danig aan geharst was. 'Zo'n mooie smoking,' kirde ze. 'Armani.'

Kate moest lachen. Bina hing het joodse geloof aan, en Barbies geloof was de mode. Kate herinnerde zich dat Brice al had gezegd dat zijn smoking voor ophef zou zorgen.

'Denk je dat Jack dat wel goedvindt?' vroeg Barbie. 'Ik bedoel, hij is nog maar een paar weken weg en zij... Zou hij dat wel weten?' Kate haalde haar schouders op. Laat ze maar raden, dacht ze. Een goede afleiding...

'Hij heet geloof ik Brite,' zei Bev terwijl ze over haar buik wreef.

'Brice,' verbeterde Kate haar.

'Onder welk teken is hij geboren?' vroeg Bev.

'Stier geloof ik, dat zou ik hem moeten vragen,' zei Elliot. Hij schoof een stoel voor Kate uit, die blij was te kunnen gaan zitten. Het zou een hobbelig ritje worden.

'O Katie, een Stier? Dat is niks voor Bina!' jammerde Bev. 'Veel te gevaarlijk nu haar verloofde weg is.'

'O ja, Brice is heel gevaarlijk,' beaamde Elliot.

Kate legde maar niet uit dat Bina van Brice niets te duchten had. 'Ze zijn gewoon vrienden,' zei ze.

'Nou, die impressie krijg ik anders niet,' zei Barbie, die naast Kate was komen zitten. 'En hij is zo knap. Net een model. Hij zou perfect bij mijn nichtje Judy passen. Wat doet hij eigenlijk?'

'Advocaat,' zei Kate.

'Bij een groot kantoor of heeft hij een eigen praktijk?' vroeg Barbie.

'Dat moet je hem zelf maar vragen.' Kate zuchtte eens. Goeie ouwe Barbie. Alles moest in een hokje, en iedereen moest worden gekoppeld. Ze keek naar Brice en Bina, die het nog niet was gelukt de dansvloer over te steken. Ze moest lachen om Brice, die handig tussen de dansende menigte door sprong met Bina achter zich aan.

'Wat is er met Michael gebeurd?' vroeg Bev. 'Is dat verleden tijd?'

Kate hoefde geen antwoord te geven, want op dat moment kwamen Bina en Brice bij de tafel aan. Bina zei: 'Hallo iedereen,' en ging meteen zitten, zonder iemand aan te kijken. Tot Kates verbazing pakte ze een glas wijn en dronk dat in één teug leeg.

'Hoi,' zei Barbie, maar het was niet tegen Bina gericht. Ze leunde over de tafel heen en stak haar hand naar Brice uit. Doordat ze zo voorovergebogen zat, werd er veel boezem zichtbaar, meer dan Brice waarschijnlijk wilde zien – als hij al geïnteresseerd was. Misschien probeerde ze hem zo voor haar nichtje in de wacht te slepen, dacht Kate.

Ondertussen had Bina Kates wijnglas gepakt en dronk daar de helft van op. Voordat Kate er iets van kon zeggen, was het Bev al opgevallen. 'Sinds wanneer drink jij? Steenbokken drinken niet!' riep ze uit.

'*Plus ça change, plus c'est la même chose,*' zei Kate, en daarmee verbaasde ze zichzelf. Kennelijk had de ontmoeting op het terras grote invloed op haar.

'Wat?' vroegen Barbie en Bev tegelijk. Kate lachte alleen maar en haalde haar schouders op.

'Bobby, Johnny, dit is mijn vriend Elliot, en dit is Bina's vriend Brice,' zei Kate tegen de mannen, en daarmee onderbrak ze een hoogst interessant gesprek over de voors en tegens van een footballteam uit Dallas. 'Elliot, Brice, dit zijn Bobby en Johnny.' De mannen knikten eensgezind.

'Wat vinden jullie ervan dat de Rangers naar Dallas zijn vertrokken?' vroeg Bobby.

'Ik heb niet zoveel met sport,' zei Elliot.

'O, ik ben gek op football. Touchdown, scrimmage, je weet wel,' zei Brice met een brede lach.

De twee echtgenoten keken even verward. 'Ben je fan van de Giants of van de Jets?' vroeg Johnny achterdochtig.

'Van de Giants natuurlijk, ik ben gek op –'

'Brice!' viel Elliot hem vermanend in de rede.

'Een goede wedstrijd,' maakte Brice de zin af, en Kate kon weer ademhalen.

Bev en Barbie begrepen er ook niets meer van. Ze namen de twee mannen onderzoekend op. Kate wist dat ze hen keurden, als echtgenoten voor hun arme, ongehuwde vriendinnen. Ha! Wanneer zou ze die hoop de grond in boren door te onthullen dat Brice en Elliot al getrouwd waren – met elkaar? In ieder geval waren Bev en Barbie voorlopig afgeleid door hun knappe uiterlijk. Nou ja, ze zouden niet zo snel achter de waarheid komen.

'Wat is jouw teken?' vroeg Bev aan Brice.

'"Verboden Toegang",' antwoordde Brice met een onschuldige uitdrukking.

Elliot, altijd bereid tot een leugentje om bestwil, lachte lief naar Bev. 'O, hij is een Stier,' zei hij, en hij trapte onder tafel op Kates voet om er zeker van te zijn dat ze de grap begreep. Ondertussen hièld Bina Kates hand in een ijzeren greep.

'Hm. Een Stier, dus,' zei Bev nadenkend.

Bina pakte het drankje dat Bev had geweigerd, en sloeg het achterover.

'Bina!' riep Barbie uit. 'Wat doe je?'

'Ja, je moet het rustig aan doen,' raadde Bobby haar aan.

Brice schoof zijn stoel dichter bij die van Bina en haalde het lege glas weg. Bina zat stijf ingeklemd, tussen een buffer om haar vriendinnen op afstand te houden. Ze strekte haar hand naar Brices glas uit. Hij fronste, haalde zijn schouders op en gaf het haar toen. Ze dronk het in een paar slokken leeg. Bev en Barbie staarden haar aan. Kate zag aan Barbie dat ze haar besluit dat Brice goed bij haar nichtje zou passen, nog eens overwoog.

Er heerste een diepe stilte. Toen stelde Barbie de vraag die ze zo gevreesd hadden: 'Bina, vertel eens over Jacks aanzoek. Laat de ring eens zien?' Kate kneep in Bina's hand en probeerde van onderwerp te veranderen.

'Moet je de armband zien die ik van Michael heb gekregen,' zei ze snel. Ze hief haar arm op zodat iedereen het armzalige zilveren armbandje met het bedeltje kon zien.

Ze keken er nauwelijks naar. Bev, die niet altijd even discreet was, vroeg: 'Wat is er eigenlijk met Michael de dokter gebeurd? Bina heeft me over hem verteld.'

'Waarom is hij niet hier? Of is hij al weg?' vroeg Barbie.

Kate schudde haar hoofd. 'Hij moest naar een conferentie. Daarom is Elliot mee, dat is ook leuk.' Elliot en Kate wisselden een blik vol genegenheid uit. Barbie trok haar wenkbrauwen op. 'Wat is Michaels sterrenbeeld eigenlijk?' vroeg Bev. 'Dat weet ik niet precies, ik denk –' 'Wacht!' viel Barbie haar in de rede. 'Wat is hier aan de hand?' Kate zag dat ze erg achterdochtig keek. 'Bina, de ring!' riep ze uit. Plotseling greep Barbie Bina's arm en trok haar hand los uit die van Kate. Een diepe stilte viel over tafel negen. Bina's hand, nog steeds met de Franse manicure, lag als een ongeringd vogeltje op het schreeuwend roze tafelkleed.

14

'Waar is hij?' vroeg Barbie. 'Mijn vader heeft Jack een perfecte steen verkocht.' Ze keek naar de naakte vinger en toen naar Bina, die met verwrongen gezicht haar tranen probeerde in te houden. 'Wacht eens,' zei Barbie toen het haar begon te dagen. Ze klonk oprecht bezorgd, en dat sprak in haar voordeel. 'Bina, gaat het wel goed met Jack?'

Twee obers zetten borden met kip en sla op tafel. Kate hoopte dat dat de aandacht van Bina zou afleiden, maar zo werkte het helaas niet.

'Jawel...' zei Bina. Bev en Barbie wisselden een blik en fronsten hun wenkbrauwen.

'Hoe bedoel je dat?' drong Barbie aan.

'Nou, nadat hij is teruggekomen gaan we... gaan we ons waarschijnlijk verloven, en daarna...'

'Ik wist het wel!' riep Bev uit. 'Mercurius wast!'

'Dat is waar,' reageerde Brice. 'Daar had ik in mijn advocatenpraktijk de hele week al last van.'

Maar deze afleidingsmanoeuvre werkte ook al niet. 'Je bent hem kwijt, Bina!' zei Barbie. 'Kon je hem na zes jaar nou echt niet binnenhalen?'

'Barbie!' protesteerde Kate. Beschermend sloeg Elliot zijn arm om Bina's schouder.

'O god, gaat het wel?' vroeg Bev meelevend.

'Ja... en nee,' zei Bina, en meteen begon ze te huilen.

'Wat is het nou, ja of nee?' vroeg Barbie.

'Volgens mij is het nee,' zei Johnny en hij schoof zijn bord weg en stond op. Veelbetekenend keek hij Bobby aan, die gauw nog

113

een vorkje kip naar binnen propte voordat hij ook opstond. 'Eh, wij halen wel iets te drinken,' bood hij aan, en samen vertrokken de twee mannen van tafel.

'Lieverd, kunnen we nog iets voor je doen?' vroeg Barbie.

'Ik logeer bij Kate, en Elliot, Max en Brice zijn echt een geweldige steun,' vertelde Bina door haar tranen heen. 'Het gaat echt wel goed,' zei ze. 'Eerst huilde ik veel, maar nu' – ze keek Brice wazig aan – 'heb ik troost gevonden.'

'Precies,' deed Barbie een duit in het zakje. 'Je moet je op de toekomst richten.' Ze lachte naar Brice. 'Als je de bus mist, neem je gewoon de volgende. Je raakt je huis kwijt en vindt verderop onderdak.'

'Verkeerde straat,' fluisterde Elliot tegen Kate, en die keek hem boos aan.

Kate vond dat er een einde aan alle misverstanden moest komen. 'Brice en Elliot zijn hier samen,' zei ze.

'Ja, dat zien we ook wel,' zei Bev.

'Nee, ik bedoel, echt sámen.' Kate wachtte tot wat ze bedoelde goed doordrong. Ondanks *Queer Eye* en *Boy Meets Boy* – of misschien dankzij – wisten de mensen in Brooklyn dat homoseksualiteit bestond, al was het maar op tv.

'O,' zei Bev, 'dus daarom gaan jullie zo goed gekleed.'

Barbie zei tegen Bina: 'Nu ben je natuurlijk wanhopig en daarom ben je met hen gekomen, maar dat wil niet zeggen dat er voor jou in de toekomst geen...' Ze schraapte haar keel. 'Geen gewóne man is. Ik hoop dat ik niemand heb beledigd.'

'Nee hoor,' stelde Elliot haar gerust.

'Kijk nou naar Bunny,' zei Bev en ze gebaarde met haar hand met de ongelooflijk lange nagels in haar richting. 'Nog geen twee maanden geleden werd ze aan de kant gezet. En toen leerde ze Arnie kennen... en daarna werd alles anders.'

'Ik wil niet dat alles anders wordt,' snifte Bina. Kate was ineens blij dat Bina zoveel had gedronken, want anders zouden de tranen niet te stuiten zijn geweest. 'Ik wil Jack...'

Uiteindelijk kwamen de obers terug en vervingen de borden door een verpieterde salade. Er werd een wals ingezet, en aangetrokken door de verleidelijke klanken van Strauss keek iedereen naar de dansvloer. Eerst was Kate blij met een beetje afleiding, maar toen besefte ze dat er maar één paartje aan het dansen was, Billy en Bunny. Hij zwierde als een expert met haar rond. Kate, en alle andere vrouwen, keken bewonderend toe, en niet alleen omdat hij zo goed kon dansen. Omdat hij zo gracieus was, leek het of Bunny dat ook was. Spontaan klonk er applaus op, en even later kwamen er meer paren de dansvloer op. Kate wilde net iets over Billy vragen toen Bobby en Johnny terugkwamen met een blaadje vol glazen. Kate was blij met het hare, maar ze had moeite met Bina die een glas whisky-cola achteroversloeg.

'Kijk die Bunny eens! Het is maar goed dat ze die paar pondjes is kwijtgeraakt,' zei Barbie. 'Ik zei nog dat ze geen maatje zesendertig moest kopen als je minstens achtendertig hebt. Ze had geen maanden de tijd om af te vallen. Nadat ze werd gedumpt, ging ze op een dieet van Häagen-Dasz. En voordat ze het wist, was ze verloofd en getrouwd.'

'Het stond in de sterren,' merkte Bev dromerig op.

Kate werd afgeleid omdat de ober langskwam met koffie. 'Die jurk heeft ze drie weken geleden gekocht,' vertelde Barbie. 'En ze konden deze datum alleen maar prikken omdat een ander stelletje ertussenuit is geknepen. Als ze aan pilates had gedaan, had ze een laag uitgesneden jurk kunnen dragen. Daar zijn ze nu te groot voor.'

'Hou op,' intervenieerde Kate. 'Ze ziet er mooi uit omdat ze gelukkig is.'

Brice keek naar de paren op de dansvloer. 'Ik weet niet of ik die jurk wel mooi vind, maar haar smaak in bruidegoms laat niets te wensen over,' zei hij, en hij maakte een polaroid van Bunny en Billy. Brice klonk enthousiaster dan Kate nodig vond, maar het scheen niemand anders op te vallen.

'O, maar dát is haar man niet,' schamperde Barbie. 'Dat is Billy.'

115

Kennelijk was dit een teer punt. 'Hij is degene die haar heeft gedumpt, maar hij heeft haar ook aan Arnie voorgesteld.'

Kate rekte zich uit om langs de ober met het toetje te kunnen kijken. En ineens herinnerde ze zich weer de man die ze in SoHo had gezien, de man die Bina haar had aangewezen. Natuurlijk! Ze had hem dus wel degelijk eerder gezien...

'Zie je wel, Bina? Dat kan jou ook gebeuren,' zei Bev bemoedigend. 'Ik trek je horoscoop en dan zien we wat daaruit komt. Misschien wel een Stier,' opperde ze pinnig met een blik op Brice. 'Die Stier boft maar,' reageerde Brice galant. Hij leunde achterover en verslond de foto van Billy met zijn ogen. 'Prachtig,' zei hij en stak de foto in zijn jaszak.

'Vast,' zei Bina met dikke tong.

'De ene dag gedumpt, de volgende verloofd,' zei Barbie.

'Ik ben niet gedumpt!' riep Bina uit.

'Niet te geloven dat Billy getuige is, hè?' vroeg Barbie aan niemand in het bijzonder. Kennelijk kon ze er niet over uit.

'Ging jij niet met hem vlak voordat wij elkaar leerden kennen?' vroeg Johnny zijn vrouw. Blozend bekende Bev dat ze inderdaad een tijdje met Billy was gegaan. 'Het duurde maar een paar weken, vlak voordat wij elkaar leerden kennen.' Ze boog zich naar haar man toe en kuste hem. 'Het ging niet, hij is een Ram,' legde ze uit.

'Hij is een sukkel,' verduidelijkte Barbie. 'Hij is de sukkel die Bunny heeft gedumpt.'

Voor deze ene keer kon Kate niet anders dan het met Barbie eens zijn; zij had ook al besloten dat deze man te knap was, te gemakkelijk, te gladjes.

'Goeie ouwe Billy,' zei Bina, die al flink aangeschoten was. 'Laten we op Dumping Billy klinken.'

'Dumping Billy?' vroeg Elliot geïnteresseerd. 'Waarom noem je hem zo?'

'Omdat hij er bijna zijn beroep van maakt vrouwen te dumpen,' zei Barbie.

'Zo slecht is hij niet,' zei Bev. 'Een Ram kan zich nu eenmaal moeilijk binden.'

Johnny snoof. 'Niet te geloven dat jij met hem bent gegaan.'

'Nou, ik was anders niet de enige,' reageerde Bev verdedigend.

'Toch, Barbie?'

'Nee,' zei Barbie dapper. 'Billy was de laatste met wie ik ging voordat ik Bobby leerde kennen. Maar dat heeft niks te betekenen. Toen ik het uitmaakte –'

'Pardon?' zei Bev. 'Pas op je woorden, meid. Híj maakte het uit.'

'Wat doet het er ook toe. Zo erg is hij niet. Hij is grappig, en hij heeft stijl. Alleen komt het woord "binden" niet in zijn woordenboek voor.'

Brice fluisterde in Kates oor: 'Elliot had gelijk. Dit is echt beter dan *The Young and the Restless*. Realistischer.'

'Dat komt omdat soaps kunst zijn, en dit is het werkelijke leven niet,' reageerde Kate. Ze wilde niet eens denken aan wat die twee hier allemaal over te zeggen zouden hebben wanneer ze hier veilig weg waren.

Ze zag dat Elliot pen en papier had gepakt. 'Eens kijken of ik het goed heb begrepen,' mompelde hij voor zich uit. Ze vroeg zich af waar hij mee bezig was, maar voordat ze dat kon vragen stond Bina een beetje onvast op. Ze had besloten dat dit het juiste moment was om iedereen te laten weten dat ze diepongelukkig was.

'Dames en heren,' zei ze. 'U ziet hier Bina Horowitz, loser en ouwe vrijfster.'

'Vrijster,' verbeterde Brice haar.

'Maakt niet uit,' zei Bina. Ze probeerde op haar stoel te klimmen, en Elliot kon haar nog net opvangen toen ze viel. Maar hij kon niet voorkomen dat ze met stemverheffing zei: 'Alleenstaande vrouwen kunnen best kinderen krijgen, hoor. Niet alleen Rosie O'Donnel. Michael Jackson ook, en die is niet eens een vrouw. Ik ben een vrouw, verdomme!'

Ook al was het nog zo lawaaiig in de zaal, sommige mensen keken al naar haar. Gelukkig kraakte op dat moment de geluidsinstallatie en Billy Nolans stem overstemde die van Bina.

'*Excusez moi*,' zei Billy, toen tikte hij tegen de microfoon en zei deze keer in het Engels: 'Pardon. Wil iedereen even luisteren?' Iedereen praatte gewoon verder, dus tikte hij harder tegen de microfoon en toen kraakte het zo dat iedereen verschrikt zijn mond hield. 'Stilte graag,' schreeuwde Billy bijna. Dit was de perfecte gelegenheid om Bina te kalmeren. Kate en Brice probeerden haar handen te pakken, maar ze stribbelde tegen. Ondertussen leek Billy Nolan ook zo zijn problemen te hebben. 'Jezus, ik weet dat het b-bijna onmogelijk is om vrouwen uit B-Brooklyn stil te krijgen, maar jullie zouden me tenminste een kans kunnen geven!' Kate kromp in elkaar toen ze hoorde hoe moeilijk hij het had met dat stotteren. Ze keek naar het armbandje dat Michael haar had gegeven en zuchtte. Toen keek ze naar Elliot om te zien wat hij van Billy vond, maar hij lette niet op. Eigenlijk zag hij er meer uit of hij een wiskundig probleem probeerde op te lossen. Terwijl de getuige het glas hief om een dronk uit te brengen, zat Elliot gejaagd op zijn servet te krabbelen.

'Ik hef het glas op Arnie en Bunny,' zei Billy. '*À vous, mes amis. Toujours l'amour.*'

'Jezus,' zei Barbie en sloeg haar ogen ten hemel. 'Hij doet weer of hij Frans is.'

'Wie denkt hij wel dat hij is?' wilde Bobby weten. 'Spreek je moerstaal,' riep hij door de zaal.

'Sorry.' Billy bloosde. 'Oké.' Hij haalde diep adem en ging verder. 'Ik eh... Ik heb Arnie en B-Bunny aan elkaar voorgesteld,' zei hij snel. 'Ik ken Arnie al jaren, en B-Bunny... nou, die ken ik ook!'

Kate fronste haar voorhoofd toen er werd geschreeuwd en gefloten. Bunny bloosde en Arnie sloeg zijn ogen neer. Kate vroeg zich af hoe dat met Billy's gestotter zat. Als hij dat expres deed, was hij een ergere sukkel dan ze had gedacht. Gelukkig was de rest van zijn toespraak vrij van Frans, en hield hij het kort.

'Gefeliciteerd Arnie en Bunny!' zei hij. 'Het zijn aardige mensen. En een huwelijk is iets p-prachtigs... om op afstand getuige van te zijn. Op Arnie en Bunny.' Hij hief het glas als teken dat hij uitgesproken was.

Iedereen juichte en er werd enthousiast met mes of vork tegen de glazen getikt. Arnie en Bunny kusten elkaar. Toen het gejuich verstomde, vroeg Kate aan haar disgenoten: 'Zijn jullie echt met hem gegaan?' Bev en Barbie knikten beschaamd en haalden hun schouders op.

Op dat moment zette de muziek opnieuw in, en er kwamen weer mensen de dansvloer op. Dat was goed, want zo konden ze gemakkelijker ongezien verdwijnen. Alleen stond Elliot op en excuseerde zich. 'Waar ga je naartoe?' vroeg Kate. 'We moeten Bina hier weg zien te krijgen.'

'Kom zo terug,' zei hij en verdween in de mensenmassa.

Kate hield Bina vast. Ze keek naar de mensen die op *Every Breath You Take* schuifelden. Eindelijk kwam Elliot terug, en hij lachte zelfvoldaan.

'Waar was je?' vroeg Kate. 'Bina moet naar huis. Straks gaat ze in haar uppie de hora dansen.'

'Ik deed onderzoek, kansberekening,' reageerde Elliot.

'Geweldig,' snauwde Kate. 'Waarom? Waarom tijdens een bruiloft sommen bedenken voor vijfdegroepers? Als x vier cocktailworstjes uitdeelt aan vier bruiloftsgasten, en y twee gevulde –'

'Het heeft met statistiek te maken,' zei Elliot. 'Maar redactiesommen worden niet opgelost. Behalve eentje op het romantische vlak. Wacht maar af.' Hij richtte zich tot Brice. 'Neem jij haar linkerarm,' zei hij en wees op Bina. 'Dan neem ik haar rechter.'

Zonder nog iets te zeggen pakten de twee mannen Bina beet en leidden haar onopvallend van de tafel, de zaal door naar de uitgang. Kate kwam achter hen aan, en ze had het zichzelf verboden om te kijken om nog een laatste blik op Billy Nolan te werpen.

15

Een paar dagen later was Kate klaar met haar aantekeningen, en die wilde ze net in de archiefkast opruimen toen de telefoon ging. Ze had Michael al meer dan een week niet gezien. Hij had een seminar bijgewoond, en zij was door Bina in beslag genomen. Deze avond kwam hij eten, en ze dacht dat hij het was die haar belde. Ze nam op.

'Kate?' Het was Michael niet, ze herkende deze stem niet. Mannelijk, jong, en toch zwaar.

'Ja, dit is Kate Jameson.'

'Hoi. B-Billy Nolan.' Als hij niet zijn naam had gezegd, had ze door het stotteren ook wel geweten wie het was. Meteen bloosde ze.

'Hoe kom je aan mijn nummer?' vroeg ze. 'Mijn nummer op mijn werk?' Hoe durfde hij? Het zou al brutaal genoeg zijn om haar thuis te bellen. Kate maakte zich altijd erg druk om dat soort dingen. Dit was haar eerste baan, en nu belde die... die oen haar op het werk op. Ze zou degene van het kluppie die hem dit nummer had gegeven, vermoorden.

'Ik hoop dat het niet ongelegen komt?'

Ze had een zware dag achter de rug. Stevie Grossman, een derdegroeper, vertoonde verontrustend schizofreen gedrag, en dat was voor een kind van zijn leeftijd erg ongewoon. Kate wist dat hij naar een psychiater moest – ze kende iemand die verbonden was aan het Ackerman Institute for the Family – maar zijn ouders en dr. McKay wilden niet inzien dat de jongen echt een ernstig probleem had, en hadden Kates adviezen in de wind geslagen. En nou belde deze klojo – deze bijzonder knappe klojo – haar op het werk. 'Ik ben bang van wel,' reageerde ze koeltjes. Bij hoeveel vrouwen zou hij hebben gescoord? Wilde hij haar naam ook op zijn lijstje?

'Kan ik misschien beter op een ander tijdstip bellen?' vroeg Billy. 'Ik ben bang van niet,' zei ze. Nu zou ze moeten ophangen, maar iets weerhield haar daarvan. Onbeleefd zijn ging haar niet makkelijk af. 'Het spijt me, ik moet ophangen.' Ze hing op. Ze voelde zich schuldig, maar ook een beetje blij. Strakjes zag ze Michael weer. Wie dacht die Billy Nolan wel dat hij was?

Ze zette hem uit haar hoofd en pakte haar spullen bij elkaar. Ze deed de deur naar haar kantoortje op slot, en toen ze langs Elliots lokaal liep, zag ze hem op een stoel staan terwijl hij stickers op het raam plakte. WISKUNDE IS LEUK! stond erop. Hij plakte ze zo dat ze van buiten leesbaar waren, de achterkant naar het lokaal toe.

'Nou, dat zal ze overtuigen,' plaagde ze Elliot. Ze had Elliot nodig om haar op te vrolijken. 'In ieder geval is het zo goed voor de dyslectische kinderen.'

Met een ruk draaide Elliot zich om, verrast door haar stem, en bijna viel hij van zijn stoel. Hij greep zich aan het raam vast, toen keek hij haar lachend aan. 'Ook goedemiddag,' zei hij, toen zuchtte hij. 'Andrew Country Day. Leren om te leren.'

Kate liep het lokaal in, ging zitten en legde haar voeten op zijn bureau. Misschien wist hij hoe ze Stevies ouders kon overhalen hulp te zoeken. Elliot kon goed oplossingen bedenken. Maar hij gaf haar geen gelegenheid nader op de zaak in te gaan.

'Hoe is het met Bina?' vroeg hij terwijl hij haar voeten van zijn bureau probeerde te duwen.

'Naar omstandigheden redelijk goed,' antwoordde Kate schouderophalend. Na de bruiloft was Bina naar huis gegaan om de toestand onder ogen te zien, en om te 'genieten van haar vrijgezellenbestaan'. Dat hield om de een of andere reden in dat ze vaak bij Kate kwam voor een beetje troost, en bij Max om over Jack te roddelen.

'Arme Bina,' zei Elliot. 'Ik mag haar graag.'

'Ik ook,' reageerde ze. 'Ze is een soort zusje voor me.'

'Ik mag Bev en Barbie ook,' zei Elliot. 'Wat een giller.'

'Nou, ik was er niet steeds bij,' bracht ze hem in herinnering. 'Maar ik ben blij dat Brice en jij je geamuseerd hebben.'

'Geamuseerd? Brice kan bijna nergens anders over praten. Hij wacht met spanning op de volgende aflevering.'

'Er komt geen volgende aflevering. Het is geen soap, het is het leven. Bina werkt weer in haar vaders praktijk. Misschien leert ze een man kennen die iets aan zijn rug heeft.'

'Ik zou Bina graag weer eens willen zien,' zei Elliot.

'Brooklyn is geen voorstelling.' Kate stond op. Ze wilde niet dat haar vrienden erop neerkeken, ook al deed ze dat zelf wel. 'Bina is erg in mineur, ze had veel in Jack geïnvesteerd.' Ze slaakte een zucht. 'Ik moet gaan, ik heb met Michael afgesproken.'

'Blijf nog even zitten,' zei Elliot, en voor de verandering zei hij niets over Michael. Dat verbaasde Kate, en ze bleef zitten, al was het op het puntje van de stoel. Als hij weer over Michael begon, was ze zo weg. 'Ik denk dat ik weet hoe we Bina kunnen helpen,' zei hij.

'Hè toe, Elliot,' zei Kate en sloeg haar ogen ten hemel. 'Als je geen geschreven huwelijksaanzoek van Jack op zak hebt, zou ik niet weten wat –'

'Luister nou maar,' brak hij haar af. 'Dit is misschien net zo goed als een geschreven huwelijksaanzoek.'

Spottend keek ze hem aan, alsof ze verwachtte dat hij haar het geheim van de farao zou onthullen.

'Weet je nog dat Barbie op de bruiloft zei dat ze door die kanjer was gedumpt?'

Kate geloofde haar oren niet. Waarom begon hij ineens over Billy Nolan? Ze vertelde hem maar niet over het telefoontje, straks werd hij nog hysterisch. 'Welke kanjer?' vroeg ze.

'Die getuige. Billy,' zei Elliot. 'Weet je nog? De man die nog knapper is dan Matt Damon.'

'O die. Die van de toespraak. Nou en?' vroeg Kate, en ze deed haar best er verveeld uit te zien.

'Nou, Barbie ging met hem.'

'Barbie ging met iedereen,' zei Kate. 'Ze had bijna alle kerels uit Brooklyn gehad, en dan had ze op Staten Island verder moeten zoeken.'

'Je dwaalt af,' wees Elliot haar terecht. 'Misschien weet je het niet meer, maar Bunny ging ook met Billy en ook zij werd door hem gedumpt. En meteen daarna trouwt ze met Arnie.'

'Bunny heeft niet veel geluk met de mannen,' zei Kate. 'Nou en?'

'Nou, maar na Billy had ze wel geluk... als je Arnie zo kan beschouwen.'

Kate haalde haar schouders op. Had ze haar witte blouse nu bij de stomerij opgehaald of niet? Die wilde ze straks aantrekken... 'Nou en?'

'Nou, Bev ging met Billy, werd gedumpt en trouwde meteen daarna. Dat prikkelde mijn wiskundig brein omdat het zo onwaarschijnlijk is, en toen heb ik diepgaand onderzoek verricht.'

'Nou en?' vroeg Kate.

'Nou,' ging Elliot verder, en hij klonk een beetje geërgerd. 'Ik kwam erachter dat er op de bruiloft zes vrouwen waren die met Blly waren gegaan en door hem werden gedumpt.'

'Nou, dat maakt hem dan een grote versierder,' merkte Kate op. Ze herinnerde zich hoe charmant Billy op het terras was geweest, ze dacht aan het telefoontje, aan zijn knappe uiterlijk. Het verbaasde haar dat Elliot niet dertig of meer teleurgestelde vrouwen had gevonden. 'Goh, Elliot, je lijkt wel Sherlock Holmes.'

'Je snapt het nog steeds niet. Weet je nog dat ik je met statistiek moest helpen?'

'Hoe zou ik dat kunnen vergeten? Daar herinner je me te pas en te onpas aan.'

'Nou ja, ik ben nu eenmaal geniaal,' zei Elliot. 'En genieën worden nooit begrepen.' Hij rechtte zijn rug. 'Luister goed, Kate. Kijk, deze zes vrouwen die door Billy werden gedumpt, trouwden meteen daarna met een ander.'

Kate haalde haar schouders op. 'Vergeleken met die kwal is iedere man natuurlijk geweldig. Hij speelt met vrouwen.' Ze vond zelf dat het verbitterd klonk. Een beetje flirten, een telefoontje... Die Billy Nolan betekende niets voor haar.

'Kate, Kate, snap je het nog steeds niet?' Elliot schreeuwde bijna van ergernis. 'Ik heb het niet over hem, ik heb het over wat er gebeurt ná hem. Weet je dat het statistisch bijna onmogelijk is dat het zo gaat?'

'Kennelijk toch niet,' reageerde Kate, die zich nu ook begon te ergeren. Ze stond op. Ze had geen tijd meer om naar de stomerij te gaan, dus als haar witte blouse niet thuis was, moest ze haar groenzijden bloesje maar aandoen. Ze pakte haar tas op. 'Ik moet ervandoor.'

'Kate, ik heb het uitgerekend, en de kans is iets tussen de een op de zes miljoen driehonderdzevenenveertig en een op de tweeëntachtig miljoen zeshonderddrieënveertig. En dat is met een standaardafwijking.'

'Over afwijkingen gesproken,' zei Kate. 'Wanneer vind je de tijd om je haar te wassen?' Ze liep naar de deur en bleef toen ineens staan. 'Wat heeft Bina daar eigenlijk aan?'

'Snap je het dan niet?' schreeuwde Elliot. 'We gebruiken het in Bina's voordeel!'

Ze bleef staan en draaide zich om. 'Gebruiken?' vroeg ze.

Op dat moment verscheen dr. McKay ineens, als hoofdpijn op een zwoele dag. 'Hebben jullie onmin?' vroeg hij.

'Absoluut niet,' stelde Elliot hem gerust. 'We proberen de akoestiek van dit lokaal. Om de een of andere reden kunnen de leerlingen in de hoek bij de deur niet alles goed horen. Kate dacht dat het misschien aan de prikborden van kurk lag.'

Kate knikte. 'En Proust,' zei ze.

Dr. McKay knipperde met zijn ogen, en bijna lachte Kate hardop. Hij was altijd onder de indruk van iets literairs. 'O, ja. Nou, dit lijkt me voorlopig wel voldoende,' zei hij, en hij was net zo snel verdwenen als hij was gekomen.

'Hij denkt dat we als verliefd stelletje ruzie hadden,' zei Elliot.

'Of hij gaat koekjes bakken.' Dr. McKay bracht altijd eigengebakken cake mee voor evenementen. 'Vertel nou gauw waar het over gaat voordat ik moet rennen om de trein te halen.'

'Het gaat erom,' zei Elliot, 'dat Bina moet genieten van haar vrijgezellenbestaan, toch? Dus zorgen we ervoor dat ze met Billy uitgaat, die haar na een tijdje dumpt. Dan moet ze naar Jack, en een twee drie huplakee vraagt hij haar ten huwelijk.'

Kate vermoedde dat ze dat niet goed had gehoord. 'En ik dacht dat Stevie Grossman in therapie moest,' zei ze. 'Elliot, jij zou moeten worden opgenomen. Straks vertel je me nog dat ik net als Bev aan zwarte magie moet doen, en dat Bina een Vis nodig heeft zodat ze het geluk tegemoet kan zwemmen.'

'Kate,' zei Elliot op ernstige toon. 'We hebben het hier over statistische gegevens, over kansberekening – niet over astrologie. Ik ben Bev niet. Ik heb het allemaal uitgerekend, en ik weet bijna zeker dat het werkt.'

'Toe nou toch, Elliot!' riep Kate uit. 'Je bent niet goed wijs. En ik heb geen tijd om uit te leggen waarom jouw plannetje aan alle kanten rammelt.'

'Probeer het eens,' daagde hij haar uit.

'Ten eerste: Bina wil niet met een ander uit. Ten tweede: Billy is een sukkel die met alle aantrekkelijke meisjes uit Brooklyn heeft geslapen – en misschien ook uit Lower Manhattan. Ten derde: Ik ben dol op Bina, maar ze kan nog geen man versieren, en zeker niet een man als Billy Nolan. Is dat voldoende?'

'Oké,' zei Elliot. 'Maar geef me nou eens één goede reden waarom mijn plannetje niet kan werken.'

'Je bent echt niet goed bij je hoofd.' Ze liep de gang op.

'Dat zeg je niet meer als ik straks Bina's getuige ben,' riep Elliot haar na.

Jezus, dacht Kate, straks komt dr. McKay weer... Ze draaide zich naar Elliot om. 'Nee, Elliot. Nee.'

Elliot keek haar onderzoekend aan. 'Wie hielp je met je wiskunde?'

'Jij.' Ze zuchtte. Dit hadden ze al zo vaak gehad.

'En wie studeerde summa cum laude af?' vroeg hij.

'Jij. Maar –'

'En wie werd een baantje op Princeton aangeboden als assistent van de hoogleraar?'

'Jij, maar dat wil nog niet zeggen dat –'

'En toch twijfel je nog aan mijn deskundig oordeel?' Hij schudde zijn hoofd. 'In het land der blinden... Kate, dit is een heel bijzondere uitkomst, dit moet absoluut nader worden onderzocht, en jij noemt het mallepraat?'

'Ik heb het woord mallepraat niet in de mond genomen,' zei ze, en zachter voegde ze eraan toe: 'Dat is meer iets voor dr. McKay.'

'Maar je weet toch dat wanneer het op getallen aankomt, ik het nooit mis heb?' zei Elliot met een grijns.

Kate keek op haar horloge en draaide zich om om weg te gaan. Dan moest hij maar over de gang schreeuwen. 'Elliot,' zei ze terwijl ze wegliep. 'Ik geloof niet in tovenarij, ik ben niet bijgelovig, ik geloof niet in horoscopen of toevallige gebeurtenissen die de toekomst kunnen voorspellen. En nu moet ik gaan. Ik heb met Michael afgesproken, en ik heb al meer dan een week mijn benen niet geëpileerd.'

'O ja, Michael,' zei Elliot die langs de kluisjes liep. 'Ik dacht –'

'Ik wil nu niet dieper op je gedachten ingaan.' Ze had de deur bereikt. 'Dag dag.'

Elliot legde zijn hand op haar schouder. 'Kate, dit gaat niet alleen om jou, het gaat om Bina en háár toekomst. Laat me haar ten minste de feiten voorleggen. Ik vind dat zij de beslissing moet nemen.'

Kate keek haar vriend aan, schudde haar hoofd en haalde toen haar schouders op. Daarna holde ze de treetjes af, op weg naar haar afspraak.

16

Met het blijde vooruitzicht dat het weekend voor haar lag, slenterde Kate over Eighth Avenue. Ze besloot dat na dat gedoe met Bina, Bunny's bruiloft en Elliots belachelijke plannetje, ze er niet meer aan zou denken. Ze wilde zelfs niet denken aan haar cliëntjes op school. Ze had gemaksvoedsel gekocht bij de delicatessenwinkels in haar buurt: kipsalade met kerrie, een schitterende tros druiven en gepocheerde zeetong met citroen.

Kate vond vrijdag altijd een fijne dag. Dat kwam omdat ze het punt in haar leven had bereikt waarop ze een werkster had ingehuurd. Teresa kwam iedere vrijdag een halve dag schoonmaken, en die vijftig dollar was het zeker waard, want na een drukke werkweek kon Kate zich verheugen op een woonkamer die opgeruimd en gestofzuigd was, en een met schone lakens opgemaakt bed. Wanneer ze aan haar tienertijd dacht, wist ze nog hoe vervelend het was geweest om naar het huis met de vier vervuilde kamers te gaan waar ze met haar vader woonde, en de ellende van alleen het goedkoopste van het goedkoopste in te slaan – sardientjes, soep in blik, cornflakes. Om altijd angstig de deur open te doen, omdat ze nooit wist wat ze binnen zou aantreffen. Daardoor waardeerde ze het extra dat ze precies wist wat ze kon verwachten wanneer ze haar eigen deur opendeed, en ze was ook trots op haar ordelijke, schone appartement.

Toen ze langs de Koreaanse winkel kwam, viel haar oog op rozen in een ongebruikelijke abrikooskleur. Het zou leuk zijn als Michael bloemen voor haar meenam, maar als hij dat niet deed, zou het fijn zijn een boeketje van deze rozen in de woonkamer te hebben, en ook nog een paar in een vaasje naast haar bed. Ze liep de winkel in, en toen de oude baas haar een aanbod deed van 'twee bossies voor maar tien dollar, alleen voor mooi meisje' kocht ze lachend twee bossen, waarmee ze onder haar arm verder liep. Ze sloeg de hoek om. Veel van de ramen in haar straat stonden open, en terwijl ze langs de bakstenen huizen liep, zag ze in het souterrain mensen het eten bereiden, en anderen in de woonkamer met een boek of een glas wijn, en zelfs een paar kinderen die op de trappetjes of in de minieme voortuintjes speelden. Ze had de sleutels al in de hand toen ze snel de treetjes voor haar huis op liep. Ze liep de gang in, nam de post mee en liep de trap op naar haar appartement, en dat allemaal zonder de boodschappen, haar tas, de bloemen of de post te laten vallen.

Ze liep haar eigen appartementje in en trapte haar schoenen uit, die ze bij de deur liet liggen. Het was al over vijven, en ze moest de boodschappen nog opruimen, de bloemen schikken, douchen en iets anders aantrekken. Ze had nog maar weinig tijd. Net zette ze de laatste roos in een vaas toen de telefoon ging. Ze droeg de vaas naar haar slaapkamer en keek op de display wie haar belde. Voor een telefoontje van Bina had ze nu geen tijd. Het klonk misschien onaardig, maar ze was zich aan haar telefoontjes gaan ergeren.

'Ik wil je niet boos maken,' zei Elliot.

'Ik ben niet boos, ik heb alleen maar haast.'

'Natuurlijk ben je nu nog niet boos,' zei Elliot. 'Je mag niet boos worden nadat ik je hebt verteld wat ik je wil vertellen.'

'Dat ik er in dit rokje dik uitzie?' vroeg ze. 'Het is te laat om dat nog te veranderen. Je zei eerst dat het me goed stond.' Ze zette de bloemen op het nachtkastje en keek er tevreden naar. De slaapkamer zag er goed uit.

'Jij maakt grapjes, maar ik meen het serieus. Word niet boos, maar ik heb Bina zondag voor de lunch uitgenodigd.'

Kate, die de hoorn met haar schouder tegen haar oor hield geklemd, was net bezig haar nieuwe rokje uit te trekken, maar nu liet ze de telefoon bijna vallen. 'Waarom?' vroeg ze. 'Waarom in 's hemelsnaam?'

'Ik wist wel dat je boos zou worden,' zei Elliot. 'Maar ik heb nog meer speurwerk verricht, en –'

'Dacht je soms dat je Nancy Drew bent?' vroeg Kate. 'Niemand verricht speurwerk, niemand rijdt in een sportwagen, en niemand nodigt mijn vriendin uit Brooklyn uit voor de lunch in een appartement in Chelsea – behalve ik. En ik weet nog niet eens zeker of ík dat wel wil.' Ze hing haar rok op en tot haar blijdschap zag ze dat ze inderdaad haar mouwloze witte blouse al bij de stomerij had opgehaald. Die zou ze aantrekken, met de twee bovenste knoopjes open, en daaronder de grijze broek van Banana Republic. Maar eerst moest ze zorgen dat Elliot zijn idiote plannetje opgaf.

'Kate, het zijn niet alleen Barbie en Bunny. Er zijn zes vrouwen die met Billy zijn gegaan, en daarna – nadat hij hen had gedumpt – met een ander zijn getrouwd.'

'Hou je je daar nog steeds mee bezig?'

'Statistisch gezien is het bijna ongehoord. Je bent het Bina verschuldigd om haar –'

'Elliot, ik weet niet waarom je dat idiote plan niet uit je hoofd zet.' Geërgerd legde ze haar kleren op bed, toen hield ze de telefoon vlak voor haar mond. 'Je wilt alleen maar dat Bina komt zodat Brice en jij haar kunnen bekijken en uithoren, en later lachen jullie haar dan uit.'

'Wat een rotopmerking! We willen Bina juist helpen!'

Kate keek op de wekker naast het bed. 'Michael komt zo. Ik moet ophangen. Dag.' Terwijl ze de hoorn op de haak legde, hoorde ze Elliot nog jammeren: 'Maar Kate –'

Ze schoot de badkamer in en nam snel een douche, waarbij ze ervoor zorgde dat haar haar niet nat werd. Ze nam poses aan voor de badkamerspiegel, vervolgens nam ze haar borstel mee naar de keuken en borstelde haar haar terwijl ze een glas ice tea met perziksmaak inschonk.

Sinds ze het hadden goedgemaakt na de avond waarop Jack zijn huwelijksaanzoek onuitgesproken had gelaten, waren zij en

129

Michael in het stadium beland waarbij ze elkaar om de dag belden, en ze allebei aannamen dat ze het grootste deel van het weekend samen zouden doorbrengen. Hoewel het die dag warm was, liet ze het raam openstaan. Ze ging zitten en dronk haar ice tea terwijl ze op Michael wachtte. Ze hoefde alleen de sla te maken en de rest van de maaltijd uit de ijskast halen en dan konden ze genoeglijk gaan eten. In de ijskast stond ook nog een fles Frascati, en de tafel was al gedekt. Zoals gewoonlijk was Michael laat, maar dat vond ze niet erg. Zo had ze meer tijd om van de rust in haar appartement te genieten, en van het uitzicht op de andere huizen.

De afgelopen winter, toen ze het had uitgemaakt met Steven, waren de bomen kaal geweest en het uitzicht had grauw en leeg geleken, net zoals haar leven. Elliot had zijn best voor haar gedaan, en de tijd... nou ja, de tijd was verstreken en had gedaan wat die altijd doet.

Ze lachte even, blij dat die tijd achter haar lag. Vreemd eigenlijk; iemand zou eigenlijk een boek moeten schrijven over de stadia van binden en scheiden in de relaties van de eenentwintigste eeuw. Misschien moest ze dat Michael eens voorstellen. Iedere handeling stond voor een stap van groei, of van vermindering van liefde en vertrouwen. In het begin kende een paar alleen elkaars telefoonnummer thuis. Daarna wisselden ze hun nummer op het werk uit. Dan kwam dat belangrijke moment waarop je die nummers op je vaste telefoon en je mobieltje programmeerde, gevolgd door het ceremonieel achterlaten van de tandenborstel, en niet lang daarna andere persoonlijke spullen – deodorant, een crème, een scheerapparaat. Dan kwam het symbolische moment van elkaar de sleutel geven. Uiteindelijk werden al die handelingen in omgekeerde volgorde uitgevoerd. Kate wist niet wanneer Steven haar nummer in zijn mobieltje had gewist, maar ze wist precies op welke dag zij dat van hem had gedaan.

Hoewel Michael en zij nog geen sleutels hadden uitgewisseld, had ze het gevoel dat ze van het stadium van 'omgang' naar die van 'verkering' gingen, al hield ze niet van die uitdrukking. Eigenlijk was het wel een opluchting. Toen ze in de twintig was, leek het hele daten vrijblijvender, of de jongens hadden maar een spelletje gespeeld, en wanneer ze afscheid namen, wist Kate nooit of ze de volgende dag gebeld zou worden, of de volgende week, of misschien wel nooit. Misschien kwam dat omdat ze toen nog studeerde en er zoveel vissen in de vijver zaten; daarom was het makkelijk de een door de ander te vervangen. Maar na Steven was alles anders. Tijdens een afspraakje keurde ze de ander of er iets in zat wat erop wees dat dit langdurig kon zijn, en als ze niet echt dacht dat de man in haar was geïnteresseerd, verloor ze zelf haar interesse in hem.

Terwijl ze over de straat uitkeek en aan Michael dacht, kwam hij de hoek om. Vanuit haar positie kon ze hem zien zonder zelf gezien te worden. Van bovenaf had zijn loopje iets gemaakts, maar die gedachte zette ze als onwaardig uit haar hoofd.

'Hé, Michael!'

Hij bleef staan en keek op naar de bomen, toen zag hij haar bij het raam zwaaien. 'Hé!' riep hij terug. 'Sorry dat ik laat ben.'

Het was niet haar bedoeling hem schuldgevoelens te bezorgen. Met een lach haalde ze haar schouders op en gebaarde dat hij naar boven moest komen. Ze liep weg bij het raam en drukte de voordeur beneden open, daarna deed ze haar eigen deur open en wachtte.

Ze hoorde zijn voetstappen op de trap nog voordat ze hem zag. Ze negeerde zijn excuses en kuste hem. Hij hield haar even tegen zich aan, en dat was zo prettig dat ze het jammer vond toen hij haar losliet. Maar het eten verliep genoeglijk, en Michael was precies in de juiste mate dankbaar. Ze vertelde hem dat ze bij Brian Conroy, het jongetje dat zijn moeder had verloren, vooruitgang boekte, en ook over de problemen die ze hadden met twee broertjes – een tweeling – die steeds van plaats verwisselden zodat niet alleen de juf in verwarring werd gebracht, maar ook hun klasgenootjes. Michael nam zijn week door. Zijn nieuws ging de laatste tijd voornamelijk over hun hofmakerij en over de Sagerman

131

Foundation. Hij hoopte nog steeds op een aanstelling bij de University of Texas. Kate wist niet of zij deel uitmaakte van zijn plannen voor Austin. Daar had hij het niet over en zij vroeg er niet naar. Wilde hij dat ze meeging? Of zou hij het er een andere keer over hebben? Misschien wilde hij alleen het aanbod op zak hebben en wees hij het dan af. Austin... Kate probeerde er niet aan te denken. Texas was niets voor haar.

Na het eten hielp Michael met afruimen, toen toverde hij een doos op tafel waar een cake in zat voor het dessert. 'Ik heb vanille-ijs dat we erbij kunnen eten,' zei ze.

'Ik weet nog iets anders bij wijze van toetje,' zei Michael. Hij pakte haar hand. 'Had ik al gezegd dat je er geweldig uitziet?'

Ze schudde haar hoofd. 'Wilde je me dat nu zeggen?' vroeg ze, hopend op meer.

Hij liet zijn blik naar beneden dwalen. 'Die knoopjes zitten niet goed.' Hij was lang, hij kon in haar blouse kijken. Met een glimlach keek ze naar hem op. 'Je hebt je vergist.' Hij stak zijn hand uit naar het volgende knoopje. Even dacht ze dat hij de knoopjes wilde dichtdoen, maar toen drong het tot haar door waar hij mee bezig was. 'Dommerdje, je bent vergeten ze allemaal open te laten staan,' zei Michael. Even later had hij ze allemaal losgeknoopt.

Niet veel later lagen ze op bed. Na Steven, met wie het altijd zo hartstochtelijk was geweest, was Kate bang dat iedere andere man zou tegenvallen. Maar wat Michael aan humor miste, maakte hij goed in bed.

Kate ging zo in haar gedachten op dat toen hij haar overal streelde, ze zich eraan moest herinneren dat ze haar armen om hem heen moest slaan en niet alleen maar liggen genieten. Ze kusten en knuffelden en drukten zich tegen elkaar aan. Toen Michael haar zachtjes in de kussens drukte en op haar kwam liggen, was ze er meer dan klaar voor.

17

Toen Kate zaterdagmorgen wakker werd, glimlachte ze. Ze rekte zich behaaglijk uit, nog loom en ontspannen van het vrijen. Ze glimlachte breder bij de gedachte aan het weekendje nietsdoen dat voor haar lag. Ze wilde tegen Michael aan kruipen en hem fluisterend bedanken, misschien hem zelfs tot een herhaling verleiden, maar toen ze zich omdraaide merkte ze dat hij weg was. Het duurde even voordat ze zich herinnerde dat hij tussen zes en zeven altijd ging joggen. 'Wat er ook gebeurt,' had hij gezegd toen ze elkaar leerden kennen. Toen had ze zijn discipline bewonderd, nu was ze teleurgesteld. Straks kwam hij klaarwakker terug, hij zou gaan douchen en koffie willen, en die moest zij nog zetten.

Met een zucht keek ze op de wekker. Het was kwart voor zeven. Ze ging weer liggen en dacht aan wat ze kon doen: opstaan, douchen en ontbijt maken, of weer gaan slapen en wachten tot hij terugkwam. Hoewel ze graag nog een beetje wilde vrijen, wist ze dat als ze in bed op Michael bleef wachten, hij rechtstreeks naar de badkamer zou gaan en haar laten slapen. Waarschijnlijk zou hij stilletjes de *Times* lezen totdat ze opstond. Ze besloot het vrijen van afgelopen nacht in gedachten nog eens over te doen, en net sloot ze haar ogen toen de telefoon ging. Niemand durfde in het weekend zo vroeg te bellen behalve...

'Dag Elliot,' zei ze. 'Weet je dat het zaterdag is en nog maar tien voor zeven?'

'Stoor ik?' vroeg Elliot koket. 'Dan bel ik straks wel terug. Of duurt het bij hem langer dan een paar minuutjes?'

'Elliot, ik slaap,' zei Kate. 'Wat is er zo dringend?'

'Kate, ik wil niet dat je boos wordt.'

'Boos? Wat heb je nou weer gedaan?'

'Nou, ik weet hoe je bent. En ik bedoelde eigenlijk alleen Bina, maar zij vertelde het Barbie, en je weet hoe die is...'

Ja, dacht Kate, ze wist hoe Barbie was, maar dat wilde ze niet van iemand anders horen, en zeker niet van Elliot nog voor zeven uur 's ochtends in het weekend.

'Ik moest wel. De statistiek, en de kans op toekomstig geluk, ik kon er gewoon niet omheen.'

'Elliot, waar heb je het over?'

'Over de lunch. Ik had Bina al verteld wat ik had ontdekt, en zij wilde er meer van weten, en toen stelde Brice een lunch voor, maar die wilde ik afzeggen nadat ik met jou had gesproken. Maar nu heeft ze Bev en Barbie ook uitgenodigd. En Bunny is terug van de huwelijksreis, dus Bev heeft het haar ook verteld, en nu –'

'Jezus!' riep Kate uit. 'Je bedoelt dat je Bina met dat belachelijke idee van je hebt lastiggevallen? O, Elliot... Maar wat hebben de anderen ermee te maken? En wat is dat voor lunch?' Ze had gehoopt op een weekend zonder Bina, ze had zich met Michael willen ontspannen en opladen voor de nieuwe week. Ze probeerde zich te concentreren op wat Elliot zei, maar ze wilde liever niet geconcentreerd zijn, ze voelde zich nog loom en zacht en vrouwelijk en verwend. 'Elliot, breng Bina niet met die onzin het hoofd op hol.'

'Jij begrijpt niets van getallen en wat die willen zeggen, Kate,' zei Elliot. 'Nadat Bina met de meisjes heeft gepraat, kwamen er nog twee gevallen aan het licht van vrouwen de onmiddellijk nadat Billy hen dumpte, zijn getrouwd.'

'Nou en?' Ze hoorde de deur piepend opengaan. Als ze nu opstond, kon ze Michael misschien overhalen weer in bed te komen. Ze vond het opwindend als Michael bezweet was, maar hij was te netjes om aan haar wensen te voldoen. Maar toch, je wist maar nooit...

'Ik moet ophangen,' zei ze tegen Elliot.

'Ik begrijp het,' reageerde hij vol begrip. 'Veel plezier. Doe je ogen dicht en denk aan het vaderland. En zorg dat je morgen om halftwaalf hier bent.'

'Ik haat je,' zei Kate.

'Is dat niet opwindend?' vroeg Elliot. 'Morgen om halftwaalf. Zorg dat je er bent... anders ga je over de tong.'

Zondagmorgen klopte Kate om kwart voor elf op Elliots deur. Ze wilde voor het kluppie binnen zijn om haar onvrede te uiten, regels op te leggen en ervoor te zorgen dat Brice en Elliot zich gedroegen.

'Kate!' riep Brice gespeeld verrast toen hij de deur opende. 'Je bent vroeg. Wat kan daarvan de reden zijn?'

'Ik dacht dat ik jullie kon helpen door gemalen glas door de kipsalade te doen,' antwoordde ze met een onoprechte glimlach.

'Maar, maar, Juffertje Gastvrijheid,' zei Brice.

Ze liep langs hem heen naar binnen. Ze had nog een appeltje – kilo's appeltjes – met Elliot te schillen.

Haar prooi stond bij de bank, nauwelijks zichtbaar achter een stapel statistieken. Toen hij haar zag liet hij alles op de salontafel vallen. Brice, die altijd wist waar hij aan toe was, verdween in de keuken waar de heerlijkste geuren uit kwamen. 'Wat is dat allemaal?' vroeg ze Elliot, die bezig was de papieren te sorteren en die op een standaard zette.

'Dit is het bewijs,' antwoordde Elliot. 'Ik dacht dat ik Bina wel zou kunnen overtuigen als ze de feiten gepresenteerd kreeg.'

'Elliot, ik verbied het. Je mag op die manier niet in andermans leven ingrijpen.'

Elliot knipoogde overdreven, toen keek hij haar van over zijn bril aan. 'En dat van een vrouw die zo'n twintig kinderen van Andrew Country Day probeert om te vormen.'

Kate ziedde. 'Mijn werk is iets heel anders. Ik ben ervoor opgeleid om kinderen te beoordelen en te helpen. Sommige van die kinderen verkeren in een crisissituatie terwijl hun persoonlijkheid zich nog ontwikkelt. Ik wil voorkomen dat ze later problemen krijgen. Jij hebt met volwassenen te maken, jij bent er niet voor opgeleid, jij gaat er juist voor zorgen dat ze problemen krijgen.'

'Neem me niet kwalijk, dr. Jameson,' zei Elliot. 'Maar je vergeet dat ik ook opgeleid ben, en deze uitkomst is werkelijk verbazingwekkend.' Hij raakte de grafieken aan bij wijze van extra nadruk. 'En ik heb te maken met volwassenen die een eigen vrije wil kennen. Bina hoeft niet naar me te luisteren. Ze is vrij om te gaan en staan waar ze wil, ik hou haar niet gevangen.'

Die opmerking beviel Kate niet; haar kinderen hield ze ook niet gevangen. Maar misschien oordeelde ze te hard over Elliot. Misschien wilde hij echt alleen maar helpen, ook al brak hij daar waarschijnlijk harten mee.

'Kijk nou eens, Kate,' soebatte Elliot.

Kate pakte de eerste grafiek op. Ze had geen idee of wat ze zag ook echt waar was, maar fascinerend was het wel. Ze keek naar de andere zorgvuldig opgetekende modellen en zuchtte. Elliot had er veel werk aan gehad, en ook al was het indrukwekkend, toch wilde ze nog steeds haar veto uitspreken. Elliot was slim. Hij wist dat Bina en de anderen met open mond naar de kleurige grafieken zouden staren, helemaal onder de indruk, net als de toeristen op Times Square wanneer ze de lichtjes en de reclames zagen. Maar toeristen veranderen hun leven niet omdat ze een enorme reclame voor Pepsi hebben gezien.

'Kate, het kan echt geen kwaad. Op zijn minst is het een afleiding voor Bina, en dat heeft ze nu net nodig. Ze kan zichzelf niet in de praktijk van haar vader opsluiten en wachten tot er iets verandert.'

Kate dacht aan de drie of vier lange berichten van Bina die elke dag op haar antwoordapparaat stonden wanneer ze thuiskwam. 'Oké,' zei ze. 'Maar maak het niet mooier dan het is. Voor jou is het Spelen met Wiskunde, maar het gaat om Bina's leven. Hoe dan ook, al is die onzin waar, dan is een versierder als Billy Nolan nog niet geïnteresseerd in een doodnormaal meisje als Bina. Dus laat haar niet te veel hopen.'

Elliot knikte heftig. 'Geen hoop,' zei hij.

Brice kwam terug uit de keuken met twee flessen witte wijn. Een van de flessen zette hij neer, de andere ontkurkte hij. 'Proost,' zei hij terwijl hij inschonk en Kate het glas overhandigde. Net op dat moment ging de bel. 'Ik doe wel open,' zei Brice en hij liep naar de deur. 'Hallo, dames,' begroette hij het groepje.

En daar waren ze in hun volle glorie, het voltallige kluppie. Barbie liep als eerste naar binnen, in een roze haltertopje met een leren jasje daarover. Ze werd gevolgd door een zenuwachtige, maar hoopvolle Bina. Daarna kwam Bev met haar dikke buik, en vervolgens Bunny, die terug was van haar huwelijksreis en er gebruind uitzag.

'Hoi, jij bent Bunny de bruid,' zei Brice. 'Ik ben Brice, en die sexy dikzak is Elliot.' De meisjes giechelden, behalve Bunny, die bloosde. Omdat Bunny niet aan tafel negen met hen had kennisgemaakt, was ze nogal onwennig. Ze was streng katholiek opgevoed en Kate wist zeker dat ze had geleerd dat homoseksualiteit synoniem was aan zonde, perversiteiten en het molesteren van kleine jongetjes. Brice, die had gemerkt dat ze aarzelend tegenover hen stond, maar nooit erg subtiel was, sloeg zijn arm om Bunny's schouders. 'Op je bruiloft kregen we geen kans om met je te praten. Maar het was geweldig. Echt geweldig.'

Iets beters had hij niet kunnen zeggen. 'Wacht maar tot je het op video hebt gezien,' riep Bunny uit, plotseling bereid om vriendschap te sluiten.

Kate vertrok haar gezicht. Het bekijken van de video kon wel eens erger zijn dan alles live meemaken, maar Brice was een en al enthousiasme. 'O ja, die willen we graag zien! En wat een jurk!'

'Maatje zesendertig,' zei Bunny trots. 'Priscilla of Boston.'

'Dat dacht ik al!'

'Ze bofte,' zei Barbie. 'De jurk was speciaal gemaakt voor een ander. Maar die had niet gezegd dat ze zwanger was, dus toen de jurk klaar was... nou ja, dat kun je je wel voorstellen.'

'Ik kreeg hem tegen de kostprijs,' vertelde Bunny aan Brice.

Door alle aandacht ontspande ze. Al gauw stonden ze rond het koude buffet geschaard en schepten hun borden vol en dronken wijn, met uitzondering van Bev. Kate nam hen tersluiks op. Bevs buik leek tweemaal zo dik als op de bruiloft. Ze probeerde er niet vol afschuw naar te kijken, en onbewust was ze toch een beetje jaloers omdat haar eigen buik zo plat was.

Ook Elliot was het opgevallen dat Bev flink was uitgedijd. 'Wauw,' zei hij tegen haar. 'Ga je zo meteen bevallen of krijg je een tweeling?'

'Erg hè? Ik ben verschrikkelijk dik en ik moet nog twee maanden.' Schouderophalend keek Bev naar haar buik.

'Weet je nog dat je na je eindexamen de hele zomer aan de lijn deed en maatje vierendertig werd?' vroeg Bunny. Zij hield het gewicht van iedereen bij, en ze wist precies wie er hoe zwaar had gewogen op ieder moment sinds ze hen had leren kennen.

'Ik probeer minder te eten,' legde Bev aan Elliot uit. 'Ik denk dat ik tien kilo ben aangekomen.' Ondanks haar voornemen legde ze zalm, roomkaas en twee bagels op haar bord, eentje met maanzaad en eentje met sesam, en met een schuldige uitdrukking ook nog zure haring in roomsaus. 'Tenzij ik een kind van tien kilo krijg, zal ik nog grote problemen krijgen,' zei ze met een lach.

'Wat wil je liever: een jongen of een meisje?' vroeg Elliot.

'Maakt me niet uit,' antwoordde Bev. Ze waggelde van de tafel naar de bank, met Bina en Bunny achter zich aan. 'Johnny zegt: "Als het maar gezond is."'

'Dat zegt hij niet meer als hij je vanonderen ziet nadat de baby is geboren,' zei Barbie giechelend.

Het verbaasde Kate nog steeds dat deze vrouwen zulke lelijke dingen konden zeggen zonder dat de ander boos werd. Ze keek naar hen terwijl ze gingen zitten en het appartement opnamen alsof ze net een poel van verderf hadden betreden. Het was een machtig avontuur voor vier meisjes uit Brooklyn om eens te zien hoe het er bij een homostelletje uitzag – zelfs Bina had de vorige keer dat ze hier was niet de gelegenheid gehad om eens goed rond te kijken. Kate kon alleen maar vermoeden wat ze hadden gedacht aan te treffen. En ze wilde niet opmerken dat Bunny's oom Tony en Barbies jongste broer bijna zeker homo waren, maar dat niet durfden bekennen. In ieder geval moest het geruststellend zijn dat er in Elliots huis niets verontrustends was. Dankzij Brice was het een stijlvol appartement (alleen de Beanie Babies waren een beetje kitscherig). Kate glimlachte. Ze wist dat goede smaak voor iemand uit Brooklyn beangstigend kon zijn.

Als kleurige vogeltjes zaten ze op stok. Een soort toekans, dacht Kate. Ook al waren ze provinciaal (en doodnieuwsgierig), toch was het aandoenlijk dat ze allemaal met Bina mee waren gekomen. Dat maakte hen voor Kate extra dierbaar.

Barbie was natuurlijk het brutaalst. Ze keek keurend om zich heen. 'Wat kost dat nou, zo'n appartement in Manhattan?' wilde ze weten.

'Geen geld,' informeerde Brice haar. 'De huur is bevroren, we betalen nog steeds maar achttien per maand.'

'Achttien dollar huur per maand?' vroeg Bina verbaasd. 'Mijn grootmoeder op Ocean Parkway heeft ook een huur die bevroren is, en zij betaalt zesenzestig dollar per maand.'

Maar Bunny was beter op de hoogte. 'Jezus,' bracht ze vol afschuw uit. 'Voor achttienhonderd dollar per maand krijg je in Brooklyn drie slaapkamers met balkon.'

'Schat,' reageerde Brice. 'Misschien vind je me niet goed wijs, maar ik heb liever een hutje in Manhattan dan een kast aan Prospect Park.'

'Ik dacht dat jullie al uit de kast waren,' zei Barbie met een zelfingenomen grijns.

'Schat, sommigen van ons hebben nooit in de kast gezeten,' zei Brice. Even heerste er stilte.

Bijna wanhopig zei Kate: 'Nou, gezellig, hè?' Daarna keek ze Elliot aan met een blik van: Ik had het je toch gezegd? 'Al mijn vriendinnen bij elkaar.'

Bina giechelde nerveus, maar Bev was het met Kate eens. 'Je

hebt veel vriendinnen, Kate. Maar jij bent dan ook Schorpioen. Vrouwelijke Schorpioenen hebben altijd veel vriendinnen.'

'En vrienden,' voegde Elliot er zachtjes aan toe.

'Dus je hebt een plannetje om Jack te vermoorden?' vroeg Barbie.

'Dat niet precies,' reageerde Elliot. Hij legde zijn vork neer, stond op en liep verlegen naar de standaard. Eerst keek hij naar Bina en toen naar Kate. Hij legde zijn hand op de eerste grafiek en draaide die om zodat ze het allemaal konden zien. 'Zoals Bina weet heb ik op Bunny's bruiloft een geweldige wiskundige ontdekking gedaan.'

'Wat dan?' vroeg Bev.

'Kansberekening,' zei Elliot. 'Sommige gebeurtenissen kunnen worden voorspeld omdat de gegevens uit het verleden constant en betrouwbaar zijn.'

'Huh?' zei Bina. Kate onderdrukte een lach. Arme Elliot...

'En daarmee nemen we die rotzak van een Jack te grazen?' vroeg Barbie.

'Nou nee, want daar heeft niemand wat aan,' zei Elliot. 'Maar stel dat we geen wraak gaan nemen omdat ik een trucje weet waardoor Jack ongetwijfeld Bina ten huwelijk zal vragen?' Hij keek de aanwezigen aan. 'En met haar trouwt?'

Bina liet haar theelepeltje vallen, Bev verslikte zich in een hap bagel, en Barbie en Bunny mompelden waarderend. Alleen Kate snoof. 'Elliot!' zei ze waarschuwend. Toen richtte ze zich tot Bina. 'Dit is maar theorie, hoor. Een voorstel. Misschien heeft hij het wel helemaal mis. Je hoeft niet te luisteren. Zelf vind ik het maar onzin.'

Elliot rechtte zijn rug. 'Kate,' zei hij. 'We weten allemaal wat jij van tovenarij vindt. Dus is het maar goed dat dit daar niets mee te maken heeft. Dit is een wiskundige theorie die we in de praktijk gaan brengen.'

'Wat heb je toch, Katie?' vroeg Bev. 'Wil je soms alles verpesten?'

'Waar heb je het eigenlijk over?' vroeg Barbie.

Elliot knikte en wees naar de grafiek. 'Deze statistische gegevens zijn... nou ja, ongelooflijk. Maar ook accuraat. Ik heb onderzoek verricht en kansberekeningen gemaakt, en je zult zien dat zelfs met een differentiaalquotiënt voor –'

'Is hij professor of zo?' fluisterde Bina tegen Kate.

Kate snoof. 'Hij is gestoord met een dwangneurose.'

'Ja, geweldig hè?' zei Brice met zijn hand op zijn hart.

Elliot was helemaal op dreef gekomen en sloeg geen acht op de onderbrekingen. 'Weten jullie nog dat Bev en Barbie zeiden dat ze waren gegaan met de kerel die Bunny pas had gedumpt?' Hij richtte zich tot haar. 'Dat is niet beledigend bedoeld, hoor.'

'Zo vatte ik het ook niet op,' reageerde Bunny. 'Toen ik met hem ging had ik maatje vierendertig – ik woog vijfenvijftig kilo. Echt helemaal top.'

'Nou, maar hij dumpte ons ook,' zei Bev.

'Mij kon het niet schelen,' stelde Barbie iedereen gerust. 'Hij is toch een sukkel.'

'Precies,' zei Elliot met een knikje voor Barbie. 'En daarna leerde je Bobbie kennen en trouwde je met hem.'

'Niet meteen daarna. Er zaten drie weken tussen.' Barbie zweeg even, toen voegde ze eraan toe: 'Bev trouwde meteen nadat ze was gedumpt met Johnny.'

'Bij Johnny en mij stond de maan in Venus. Het was voorbestemd,' reageerde Bev. Niemand besteedde aandacht aan die opmerking.

'Daarom ging Elliot op de bruiloft een beetje neuzen,' legde Brice uit.

'Ik verzamelde gegevens,' verbeterde Elliot Brice uit de hoogte.

'Elliot, heb ik je al verteld over Gina Morelli en Nancy Limbacher?' vroeg Bev, die graag meewerkte aan het plan. 'Billy ging ook met hen en dumpte hen ook.'

'Daar was ik zelf al achter gekomen. Na Billy Nolan zijn ze allebei getrouwd. Ze waren ook op Bunny's bruiloft.'

'Natuurlijk. Gina was een collegaatje, en Nancy is de beste vriendin van mijn nichtje Marie,' zei Bunny.

'Marie Genetti?' vroeg Elliot. 'Zij is ook met Billy gegaan.'

'Billy met Marie? Nietes! Dat heeft ze me nooit verteld!' riep Bunny uit.

'Dus nu weten we dat Billy Nolan met iedere vrouw van hier tot Albany is gegaan, en dat hij hen allemaal heeft gedumpt. Nou en?' snauwde Kate. Op het terras had ze hem leuk gevonden. Stom dat ze zich tot zo'n sukkel aangetrokken had gevoeld.

'Nou heel veel,' zei Elliot. 'Ik heb zitten spitten, ik heb telefoontjes gepleegd. Iedereen die door die kerel wordt gedumpt, trouwt.'

'Hoe weet je dat?' vroeg Barbie. Kate glimlachte. Als grootste roddeltante van het kluppie was ze natuurlijk niet blij met deze onthullingen.

'Hij deed net of hij een artikel voor *Jane* moest schrijven,' antwoordde Brice trots.

'Je lijkt inspecteur Columbo wel,' merkte Bev vol bewondering op.

Elliot lachte en nam het compliment met een buiging in ontvangst. Daarna sloeg hij de volgende grafiek op. 'Kijk,' zei hij en hij wees. 'Deze vijf vrouwen zijn met William Nolan gegaan.' Op de grafiek stonden de namen van de vrouwen en de datum, plaats en tijd waarop ze Billy Nolan hadden leren kennen. 'En hier,' zei hij, en hij wees naar de volgende grafiek. 'Hier hebben we de tijdlijn van iedere relatie. Vanaf **het** punt dat Billy hen dumpt is er een periode van drie komma twee weken tot vier komma zeven maanden voordat de vrouw in het huwelijk treedt.' Iedereen was stil. Zelfs Kate was onder de indruk.

'Ging die rotzak met Gina Morelli toen hij met míj ging?' vroeg Bunny.

'Volgens de verkregen gegevens ging hij nooit met meer dan één vrouw tegelijk. Maar dat doet er ook niet toe,' zei Elliot. 'Waar het om gaat' – hij wees naar de eerste grafiek – 'is dat vlak nadat de vrouw door de heer Nolan wordt gedumpt, ze teruggaat naar een vorig vriendje, of een andere man leert kennen. En soms, zoals in Bunny's geval, is ze door Billy zelf aan die man voorgesteld. In

alle gevallen was de man na Billy de man met wie ze trouwden.'
Hij zweeg en keek de dames met een brede lach aan, alsof hij nu
wel duidelijk genoeg was geweest.

'Wauw, mooi hoor, Elliot – en wat een werk,' zei Bev, ernstiger
dan nodig was.

'Precies. Nu ben je de ergste roddeltante van heel de stad,' merkte Kate koeltjes op.

'Ja. Maar wat nou?' vroeg Bunny. 'We weten allemaal dat Billy
Nolan een grote versierder is.'

'Maar dit weten jullie niet,' zei Elliot en hij sloeg een derde grafiek op. Er stonden veertien namen op, met in de volgende tabel
wanneer ze met Billy gingen, en in de volgende kolom wanneer ze
getrouwd waren – allemaal, op twee na. 'Niet de mééste vrouwen
trouwen na Billy, ze trouwen allemáál na Billy.'

De vrouwen bestudeerden de lijst.

'Snap je?' vroeg Elliot. 'Weten jullie wat de statistische waar-
schijnlijkheid van dit fenomeen is?' Hij sloeg de volgende grafiek
op. 'Ik heb het uitgerekend met en zonder standaardafwijking, en
dan is de kans op deze uitkomst van een op de zes miljoen driehonderdzevenenveertig tot een op de tweeëntachtig miljoen zeshonderddrieënveertig.'

Kate vroeg zich af hoe het met die twee overgebleven vrouwen
zat, maar ze dacht dat ze het daar later wel over kon hebben, en
dan meteen de poten onder Elliots theorie wegzagen.

'Ik snap het niet,' gaf Bunny toe. 'Ik denk niet dat Billy Nolan
met tweeëntachtig miljoen vrouwen kan gaan en die dan ook nog
dumpen. Dat lijkt me gewoon onmogelijk. Zijn er wel zoveel vrouwen in New York?'

'Hij hoeft niet met tweeëntachtig miljoen vrouwen te gaan,' zei
Barbie met iets van verachting. 'Hij hoeft alleen maar met Bina te
gaan. Toch, Elliot?'

'Echt? Echt, Elliot?' vroeg Bina. Haar stem klonk hoopvol en ze
was weer bijna zo levendig als op die middag van de manicure.

'O Jezus!' zei Kate, die zich niet meer kon inhouden. Ze stond

143

op en liep met grote stappen door de kamer. 'Elliot, je weet dat ik dit een stom plan vind. Het is volslagen belachelijk.'

'Stil, Kate,' zei Bev. 'Ik probeer het te begrijpen.' Met tot spleetjes geknepen ogen keek ze Elliot aan. 'Je bedoelt dat iedereen die met Billy gaat meteen daarna trouwt?' vroeg ze.

'Allemaal?' vroeg Bina.

Kate vond dat dit niet zo door kon gaan. In plaats van een ochtendje met Michael in bed en daarna samen de *Times* lezen en een lekker maaltje voordat ze afscheid namen, zat ze opgescheept met dit stelletje maniakken met dit idiote plan. Ze had nooit gedacht dat ze erin zouden trappen. 'Het is bijgelovige nonsens,' zei ze, vooral tegen Bina.

'Het heeft niks met bijgeloof te maken,' hield Elliot gekwetst vol. 'Het zijn feiten.'

Bunny bleef maar naar de grafieken turen en probeerde iets slims te zeggen. Dat deed ze op school ook altijd, met hetzelfde effect. 'Je bedoelt dat de kans dat Bina ooit trouwt tweeëntachtig miljoen tegen een is, tenzij ze met Billy Nolan gaat?' vroeg ze Elliot.

'Nou,' zei Elliot, die net deed of hij over die belachelijke vraag moest nadenken. 'Niet helemaal. Ik kan de kans dat Bina trouwt niet goed berekenen, daarvoor heb ik niet voldoende gegevens. Maar de kans is tweeëntachtig miljoen tegen een in haar voordeel als ze met Billy gaat.'

Kate zag Bina verbleken. Zelf bloosde ze van woede en ergernis. Ze wilde net wat zeggen toen Barbie opstond en de kruimels van haar rok streek.

'Goed,' zei Barbie. 'Dan moet Bina met Dumping Billy gaan. Per slot van rekening heeft ze niets te verliezen.'

Bina stond ook op en zei aarzelend: 'Elliot, ik vind het heel aardig dat je er zoveel tijd in hebt gestopt, maar ik wil alleen maar met Jack gaan.' Kate zag dat haar ogen zich met tranen vulden. 'Ik wil Jack terug.'

'Op deze manier kríjg je Jack terug, Bina,' zei Elliot. 'Je gaat met Billy, wordt gedumpt, en dan zie je Jack weer en... voilà.'

Kate richtte zich tot Bina. 'Dit is echt belachelijk. Ik wist niet dat het zo door en door krankzinnig was... Maar ik had hem beloofd dat hij je mocht laten zien dat...'

'Waarom is het krankzinnig?' vroeg Bev.

'Nou, omdat we niet eens weten of Billy wel met Bina wil gaan, zeker als je in aanmerking neemt hoe ze eraan toe is,' zei Barbie, toen kneep ze nadenkend haar ogen tot spleetjes. 'Maar als iemand haar eerst onder handen neemt...'

'Kijk naar de getallen, schat. Getallen liegen nooit,' zei Brice tegen Bina. Hij pakte haar hand, maar ondertussen keek hij moederlijk trots naar Elliot.

Kate was er zeker van dat Bina, die zo lang monogaam was geweest, er niet eens over zou peinzen.

'Zijn ze echt allemaal getrouwd?' vroeg Bina vol ongeloof aan Elliot.

'Ja. Nu ja, om precies te zijn, eentje is in het klooster gegaan, en een ander bleek lesbisch te zijn,' biechtte Elliot op. 'Maar ze zijn allebei voorzien, de ene met God en de ander met een vriendin. Dus dat is veertien van de veertien.'

'Is hij niet geweldig?' vroeg Brice aan niemand in het bijzonder.

'Hij is volslagen gek,' snauwde Kate. 'Bina, je moet er niet eens over nadenken.'

'We hebben tijd genoeg voordat Jack op een strategisch moment terugkomt – net nadat het uit is,' zei Bev.

'Voor de veiligheid moeten we ervoor zorgen dat hij haar dumpt,' waarschuwde Elliot. 'Ik weet niet wat er met zijn partner gebeurt als híj wordt gedumpt.'

Bev en Barbie lachten hardop. 'Niemand dumpt hem,' zei Barbie.

'Hij is natuurlijk heel erg knap,' zei Bev. 'Maar dat verklaart niet alles. Dat verklaart alleen maar waarom hij iedere vrouw kan krijgen.'

'En waarschijnlijk ook waarom hij hen dumpt,' zei Elliot.

'Nee,' zei Bunny. 'Hij is altijd heel aardig, hij lijkt een beetje...

145

'Nou ja, ik weet het niet.' Even dacht ze diep na. 'Alsof hij teleurgesteld is dat het niet werkte.'

Elliot haalde diep adem. 'De psychologie van de man interesseert me niet,' zei hij. 'De vraag is: Waarom trouwen vrouwen nadat hij hen heeft laten vallen?'

Dat vroeg Kate zich ook af.

Maar Bina luisterde al niet meer. Ze staarde naar de grafieken. Kate wist dat ze wanhopig was. Elliot, die zag dat Bina op het punt stond te happen, vroeg: 'Wil je nog meer details?'

Kate zag Bina's hoop en haar liefde voor Jack op haar gezicht staan. 'Hoeft niet, ik doe het!' riep Bina uit.

'Bina!' reageerde Kate geschokt.

'Mooi, dat is dan geregeld,' zei Bunny en ze stond op. 'Nu moet ik terug naar Arnie.'

'Maar we zijn nog niet helemaal klaar,' zei Barbie op de toon die veel meisjes op hun vroegere school de haren te berge had doen rijzen. 'Hij gaat niet zomaar met iedereen. Hij verlangt een zekere eh... stijl.' Ze nam een bevallige pose aan. 'Denk je dat Billy met Bína wil gaan?'

'Barbie!' Alweer diep geschokt wendde Kate zich tot Barbie. Ook al waren de leden van het kluppie tegen elkaar vaak meedogenloos, dit ging te ver.

'Die jongen is echt sexy,' mompelde Brice terwijl hij de polaroid op tafel legde die hij op de bruiloft had gemaakt.

'Heel sexy,' zei Bev en ze wuifde zichzelf speels koelte toe.

'Inderdaad,' was Bunny het met hen eens. 'Dat is eigenlijk niks voor Bina.'

Voordat Kate voor Bina op kon komen, ontplofte Bina zelf: 'Ik ben hier ook nog, hoor! Waarom doen jullie of ik er niet bij ben?'

'Sorry, Bina,' zei Kate, daarmee namens iedereen haar verontschuldigingen aanbiedend. Ze begreep hoe haar vriendin zich moest voelen, vernederd om tot een statistisch gegeven te zijn teruggebracht. En waarom? Ze wilde alleen maar bij Jack zijn.

'Het was niet onze bedoeling je te kwetsen, lieverd,' zei Bev en sloeg haar armen om haar vriendin heen, tenminste, zo goed en kwaad als dat ging met die dikke puilbuik.

'Niemand zei dat je niet Billy's type kunt worden,' zei Barbie, en dat moest dan voor haar verontschuldiging doorgaan.

'Precies. We willen je helpen, niet kwetsen,' deed Elliot een duit in het zakje.

'En om het goed te maken...' Brice sloeg een roffeltje op tafel.

'Een metamorfose!'

Toen dat magische woord eenmaal was gevallen, wist Kate dat er geen weg terug meer was.

18

Kate zat in haar kantoortje en probeerde de problemen van Bina, Jack en Billy, en wat ze noemde: 'al die onzin' uit haar hoofd te zetten. Bina's metamorfose en het idiote plan om te zorgen dat Billy met haar ging was niet zo belangrijk als het probleem waar ze nu voor stond. Jennifer Whalen, een mooi en keurig gekleed meisje van negen, zat tegenover haar en was bezig met waar ze kennelijk erg goed in was.

'Dus mijn vader opent het portier van de limousine en Britney Spears stapt uit. En ze loopt zo naar binnen, naar ons appartement. Ze heeft zelfs bij ons gegeten. Gehaktballen. En als je me niet gelooft, hier is het armbandje dat ze me heeft gegeven.' Jennifer trok aan het elastiekje met kralen dat ze om haar pols droeg. 'Zie je wel? Dat is het bewijs.'

Kate onderdrukte een zucht. Ze wist dat het geen zin had het over deze leugen te hebben, of alle andere sterke verhalen waar Jennifer niet alleen haar klasgenoten op vergastte, maar ook haar leraren. De vraag was waarom Jennifer vond dat ze moest liegen. Wilde ze aandacht? Ze was het middelste kind van het gezin. Haar oudste zusje zat ook op Andrew Country Day, en thuis had ze nog een broertje van een jaar. Had de baby haar van haar plekje als jongste beroofd?

Of voelde ze zich minder dan anderen? Kate wist dat Jennifer en haar zusje financiële steun kregen omdat het gezin, hoewel bemiddeld in vergelijking met Kates jeugd, gewoon middenklasse was en het schoolgeld voor twee kinderen niet kon betalen. Misschien voelde Jennifer zich minderwaardig aan haar vriendinnen omdat die in grotere huizen woonden, in de vakantie vaak naar

Aspen, de Hamptons of zelfs Europa gingen, en Jennifer daar niet tegenop kon.

Het ergste zou natuurlijk zijn dat Jennifer de begintekenen van een waan vertoonde. Maar desondanks had Kate het gevoel dat hier een gezond, spontaan meisje voor haar zat dat ongetwijfeld het verschil tussen werkelijkheid en fantasie kende.

Kate wilde dat Jennifer ophield met liegen, maar ze wilde niet met haar in discussie. Ze had zonder te reageren geluisterd. Ze zou Jennifer natuurlijk naar een therapeut kunnen verwijzen, maar het klikte goed tussen haar en het meisje. Dit soort gevallen waren altijd lastig, maar Kate herinnerde zich wat A.S Neil had geschreven: Bij kinderen moet je soms op je instinct afgaan. Bij hen is analyse een kunstvorm, geen wetenschap. Kate besloot het erop te wagen.

'Zal ik je een geheimpje vertellen?' vroeg ze. Jennifer knikte. 'Ik ga trouwen. En de bruiloft wordt een heel gebeuren. Die vindt plaats in een kasteel, en Justin Timberlake komt ook.' Jennifer sperde haar ogen wijd open. 'En hij neemt *NSYNC* mee. Maar mijn zusje is woedend omdat zij de Backstreet Boys heeft uitgenodigd, en je kunt je wel voorstellen wat er gebeurt als die ook komen.'

Jennifers ogen vielen bijna uit hun kassen, maar ze knikte en zei: 'Die hebben vast de pest aan elkaar.'

'Nou en of. En ze hebben ook een hekel aan mijn aanstaande man. Weet je met wie ik ga trouwen?'

Met open mond schudde Jennifer van nee.

'Met dr. McKay,' zei Kate.

Jennifer verstarde. Kate zag twijfel, ongeloof, opluchting en toen misschien begrip op haar gezicht. Het was net zo'n filmpje waarin een bloem versneld ontluikt. 'Nietes!' zei Jennifer.

'Welles,' hield Kate vol, en ze knikte. 'En weet je, we rijden te paard over het middenpad van de kerk naar het altaar.'

'Nietes!' herhaalde Jennifer, nu wat heftiger. Daarna giechelde ze. 'Dr. McKay op een paard?'

Kate moest ook lachen. Maar toen hield ze op. 'Jennifer, ik vind jou een heel aardig meisje. Weet je waarom?' Jennifer schudde haar hoofd. 'Omdat je slim bent en mooi en grappig. En je hebt heel veel fantasie. Je hebt echt talent voor fictie.'

Jennifer fronste. 'Wat is dat?'

'Ik denk dat je goed verhalen zou kunnen schrijven. Of boeken. Of misschien wel films.'

'Kan ik een film schrijven?'

'Vast.' Kate knikte. 'Voordat de film er is, schrijft iemand een verhaal.' Ze wilde niet nog meer liegen. 'Niet elk verhaal is goed genoeg om te verfilmen, maar je weet natuurlijk nooit.' Ze zweeg om de complimentjes en de nieuwe ideetjes te laten bezinken. 'Makkelijk is het natuurlijk niet. Denk je dat mevrouw Reese je een beetje op weg zou willen helpen?' Joyce Reese was de creatieve lerares van groep acht, en een goede vriendin van Kate.

'Ik zit nog maar in groep zes,' zei Jennifer, maar dat maakte het natuurlijk alleen maar spannender.

'Dat is zo,' reageerde Kate. 'Maar ik denk dat je wel opstellen voor groep acht zou kunnen schrijven. En als er een verhaal van jou in de schoolkrant komt, kan iedereen het lezen.'

Jennifer staarde haar aan. Zo bleven ze een tijdlang zwijgend zitten. Kate zag aan het meisje dat ze heel diep nadacht. 'Britney Spears is niet bij me thuis geweest,' zei Jennifer.

'Maar het was een mooi verhaal,' zei Kate zo neutraal mogelijk. 'Als je het als verhaaltje vertelt of opschrijft, zal iedereen willen weten hoe het verder ging. Ze zullen je heel bijzonder vinden omdat je zulke leuke verhalen kunt verzinnen.'

'Ze worden altijd boos,' zei Jennifer. 'Ze worden boos omdat het niet waar is.'

'Was jij boos toen ik je over mijn bruiloft vertelde?'

Jennifer bestudeerde zwijgend haar nagels. 'Eerst vond ik het leuk. Ik dacht dat het een geheimpje was. Maar toen ik door kreeg dat je zat te... te liegen, en... en werd ik wel een beetje boos,' moest ze toegeven.

Kate knikte. 'Dat krijg je wanneer je mensen voor de gek houdt. Dan worden ze boos.'

In de gang ging de bel. Even later hoorden ze dat deuren werden geopend, en het lawaai van kinderen die uit een lokaal dromden.

'Kom je volgende week hier terug? Dan praat ik ondertussen eens met mevrouw Reese.'

Jennifer knikte.

'Het spijt me, maar nu moet je gaan, anders mis je de bus.'

Tegen haar zin stond Jennifer op. 'Je hebt gelogen,' zei ze. 'Vertel het alsjeblieft aan niemand,' fluisterde Kate. 'Vooral niet aan dr. McKay.'

Jennifer lachte. 'Wie wil er nou met hém trouwen?' zei ze en liep Kates kantoortje uit.

Kate kwam thuis, gooide haar tas op de bank en schopte haar schoenen uit. Ze kreeg niet eens de kans om even te gaan zitten omdat er op de deur werd geklopt. Jezus, ze had helemaal geen zin in bezoek! Ze liep naar de deur en deed open. Daar stond Max, nog keurig in het pak, kennelijk ook net thuis van zijn werk. Meestal kwam hij pas na donker thuis. Hij leunde tegen de deurpost, zijn arm omhoog en zijn hoofd tegen zijn arm aan. Waarschijnlijk was hij het weekend weggeweest, want hij had een gezond kleurtje gekregen. Daardoor leken zijn ogen nog blauwer.

'Hoi,' zei ze.

'Hoi,' zei hij terug. 'Is Bina bij jou?' vroeg hij zacht.

Dat ergerde haar. Sinds Jack ervandoor was, leek het hier wel Bina's Zoete Inval. 'Nee,' snauwde ze. 'Maar je kunt haar thuis bellen.'

'Nee, dat gaat niet,' zei Max op normaal volume. 'Ik wilde je iets laten zien, en... nou ja, ik weet niet of zij dat wel moet zien.'

Kate sloeg haar ogen ten hemel, maar ze stond toe dat Max haar hand pakte en haar meetrok de trap op.

De deur van zijn appartement stond open. Binnen was het een typisch vrijgezellenhuis: zwartleren bank, fitnessapparaten, een dure geluidsinstallatie, en de stapel kranten die blijkbaar voor mannen noodzakelijk was. Max had natuurlijk het nieuwste model laptop, en daar bracht hij haar naartoe.

'Kijk hier eens naar en vertel me dan wat ik moet doen,' zei hij. Hij maakte zijn das los en drukte toen op een paar toetsen. Even dacht Kate dat hij haar iets over aandelen wilde vragen, maar zij had nooit ergens een aandeel in, behalve in gesprekken. Maar in plaats van grafieken verscheen er een foto op het scherm. Het was Jack die met ontbloot bovenlijf op een balkon uitkeek over een prachtig uitzicht over een haven, en naast hem stond een al even prachtige vrouw.

'Jemig,' zei Kate. 'Hoe kom je daaraan?'

'Die mailde hij me vandaag,' antwoordde Max. 'Denk je dat ik dit aan Bina moet laten zien?'

'Denk je dat ik de gel in je haar in de fik moet steken?' Bij de gedachte dat Bina die grijnzende sukkel zou zien werd ze misselijk. Toen zij erachter was gekomen dat Steven haar bedroog, was ze zo van streek geweest dat ze drie dagen in bed was gebleven. Bij Bina zou het nog harder aankomen...

Zonder erbij na te denken streek Max zijn golvende haar uit zijn gezicht. 'Ik dacht het niet,' zei hij. 'Maar weet je, ik voel me verantwoordelijk, want ik heb hen aan elkaar voorgesteld...'

Kates ergernis smolt weg. Ze had hem altijd een beetje stereotiep gevonden, zo'n echte yup van Wall Street. Als hij vriendinnetjes had, was hij nooit bijzonder geïnteresseerd geweest. Maar nu leek hij oprecht bezorgd. Er kwamen warme gevoelens in haar op, vermengd met schuldgevoel omdat ze hem waarschijnlijk verkeerd had beoordeeld.

'Ik ken Jack, hij is geen man om er meerdere vriendinnen op na te houden.' Hij schudde zijn hoofd. 'Ik heb Bina gezien, ik weet hoe dit haar heeft aangegrepen. Ik zei dat het niks voorstelde. Ik bedoel, wie had kunnen denken dat Jack...' Max staarde naar de foto op het scherm. Kate merkte aan hem dat hij erg onder de indruk was. 'Ze is erg mooi,' zei hij zacht.

'Nou, ik hoop dat ze gelukkig zijn,' merkte Kate zuur op. 'Ze hebben vast veel gemeen.'

'Hé, hij is nog niet getrouwd!' wierp Max tegen. 'Zelfs Jack zou niet zo stom zijn.'

'Hoe weet je dat?' vroeg Kate.

'Lees het mailtje maar,' zei Max, en hij scrolde naar het bericht van Jack.

Het is hier geweldig. Prachtige natuur, elektronica spotgoedkoop, en de vrouwen zijn ongelooflijk. Je moet eigenlijk ook hier komen. Het draait hier allemaal om geld, en voor dollars kun je alles krijgen.

Kate las niet verder. 'Walgelijk,' zei ze. Ze wendde zich af en liep naar de deur.

'Dus jij vindt dat ik dit niet aan Bina moet laten zien?'

'Nee, natuurlijk niet, Dombo,' zei Kate. Ze rende de trap af naar huis. Toen ze naar binnen liep, ging de telefoon. Ze keek op de display. Het was Elliot. 'Schiet me maar dood,' zei ze in de hoorn.

'Jij ook goedenavond,' zei Elliot. 'Je zit toch niet te eten, hoop ik? Brice en ik gaan zaterdagmorgen iets aan Bina doen, voor de metamorfose. Doe je mee?'

Even aarzelde Kate, verscheurd door wat ze net bij Max had gezien en haar afkeuring van Elliots plan. Was een metamorfose niet net zo'n leugen als de verhalen van de kleine Jennifer? Het was een visuele manier van je voordoen als een ander... Maar ze herinnerde zich Jacks schokkende mailtje. 'Ik doe mee,' zei ze.

Pas toen ze had opgehangen drong het tot haar door dat ze haar afspraak met Michael dan moest afzeggen. Ze deden altijd iets samen op vrijdagavond en zaterdag. Omdat Steven zo wispelturig was geweest, vond Kate het prettig dat ze Michael elke woensdag, vrijdag en zaterdag zag. Door de week gingen ze meestal naar een film en daarna bleven ze thuis. In het weekend waren ze beurtelings bij hem of bij haar.

Misschien hield Michael iets te veel aan routine vast, want hij was altijd een beetje gebelgd als ze het schema een beetje moest veranderen. Wanneer hij dat moest doen – en dat kwam maar zelden voor – maakte hij ruimschoots zijn excuses. Nu ja, het was jammer van zo'n rustige zaterdag samen, maar misschien kon ze hem vragen zaterdag te werken in plaats van op zondag, zoals zijn gewoonte was. Ze pakte de telefoon en met een ongemakkelijk gevoel toetste ze Michaels nummer in.

19

Twee dagen later liep het kluppie met Brice en Elliot over Fifth Avenue. Allemaal wilden ze bij Bina's metamorfose betrokken zijn.

'Het werd ook wel tijd,' zei Barbie. 'Je ziet eruit als een orthodoxe jodin.'

'Dat komt door haar haar,' viel Brice haar bij. 'Net een pruik, en geen erg goeie.'

'Brice!' vermaande Elliot hem voordat Kate iets kon zeggen.

'De waarheid doet altijd pijn,' zei Bev, en ze wreef even over Bina's arm, en daarna over haar eigen buik.

'Ik geloof dat ik, eh, naar het toilet moet,' zei Bina. 'Ik ben zo zenuwachtig. Jack vond mijn haar leuk.'

'Niet leuk genoeg,' reageerde Barbie.

'Maak je geen zorgen, bij Louis hebben ze een damestoilet,' zei Brice, en hij trok haar mee de marmeren foyer in. Kate schudde haar hoofd. Iedereen wist dat ze dit afkeurde, maar niemand lette op haar, behalve Brice die zich naar haar omdraaide en zei: 'Weet je, nu je toch hier bent kan Pierre jouw haar ook wel knippen.'

'Geen sprake van,' snauwde Kate. Ze vond haar lange haar mooi. Steven had het mooi gevonden, en Michael ook. Het was sexy, en als het moest kon ze het makkelijk opsteken. Diepbeledigd liep ze achter het groepje aan de lift in om naar de veertiende verdieping te gaan waar de salon was met uitzicht over St. Patrick's Cathedral.

'Wauw!' zei Bina terwijl ze naar de skyline keek. 'Bijna net zo geweldig als vanaf Epcot.' Kate sloeg haar ogen ten hemel.

Brice keek niet eens. 'We hebben een afspraak met Pierre,' zei hij tegen de receptioniste. 'Zeg maar dat Brice er is voor een knipbeurt, en daarna overleg met Louis.' Duidelijk onder de indruk keken Bev, Barbie en Bunny elkaar aan. Doordat ze al jaren *Allure* lazen, wisten ze heel goed wie Louis Licari was, de koning van het haarverven. En Brice mocht hem kennelijk bij zijn voornaam noemen... 'Kom, volgens mij kunnen ze hier alles met je hoofd doen wat nodig is,' zei hij tegen Bina terwijl hij haar bij de hand nam en meetrok naar de stoel van de haarstylist.

'Behalve het zaagsel eruit halen,' mopperde Kate. Ze keek Elliot eens aan, maar die haalde enkel zijn schouders op. Kate was blij dat Bina zoveel aandacht kreeg, dat had ze net nodig op dit moment. Maar vreemd genoeg was ze ook een beetje jaloers. Zij had nooit hulp gezocht toen het uitraakte met Steven, want ze had niet gedacht dat ze veel aan het kluppie zou hebben.

Het duurde vier uur. Omdat ze er toch waren, liet Barbie zich knippen, en Bev liet haar gezicht doen terwijl Bunny zich liet masseren – een verlaat huwelijkscadeautje van Brice en Elliot. Kate liet alleen haar nagels doen, en ze zocht een kleur uit die haar eigenlijk niet eens beviel. Maar Bina onderging een echte metamorfose. Rond haar gezicht werd haar haar iets lichter van kleur, en door die asblonde plukken werd haar donkerbruine haar extra levendig en warm. Kate stond versteld dat zoiets met een paar kunstgrepen kon. Bina's haar werd heel eenvoudig geknipt, tot ongeveer op kaaklengte, en nu leek het of ze bewegend licht op haar hoofd had, een halo van haar. Zelfs Kate moest toegeven dat het een opmerkelijke verandering was.

'Allemachtig,' zei Elliot toen hij opkeek van de proefwerken die hij nakeek. Giechelend schudde Bina met haar hoofd, en de halo glansde als een schilderij in de kerk. De receptioniste en de twee caissières gingen van oh en ah – daarvoor werden ze ook betaald. Barbie, Bev en Bunny kirden als waanzinnig geworden duifjes.

Even vroeg Kate zich af of ze zich zou laten kaalscheren. Een ander kapsel, andere make-up, misschien dat dan... Ze haalde diep adem en had zichzelf weer in de hand.

'Goed,' zei Brice. 'Dat waren de gordijnen. En dan nu de bekleding.' Hij keek naar wat Bina aanhad, een oude blouse van Gap en een lange plooirok. 'Op naar Prada!' riep hij, en het hele groepje dromde naar buiten en in twee taxi's.

Voordat Bina ook maar de kans kreeg de ambiance en de prijskaartjes in zich op te nemen, stond ze al voor drie passpiegels terwijl de verkoopster de zoom van een rok speldde. Volgens Kate was de rok al te kort en te strak, aan een kant zelfs nog korter zodat er een heel stuk dij zichtbaar was. 'Vinden jullie dit iets voor me?' vroeg Bina haar bewonderende vriendinnen.

Barbie liep keurend om Bina heen. Kate wist nog hoe ze zelf op school in elkaar gekrompen was onder Barbies keurende blik. Wat Barbie zag, beviel haar. 'Is het niet leuk om eens iets roods te dragen? Dat is het nieuwe beige, weet je,' zei ze.

Kate begreep daar niets van, maar ze vond dat Bina er belachelijk uitzag. Toch werd de rok gekocht, en even later stonden ze bij Victoria's Secret. Brice pakte een Wonderbra en gaf die aan Bina. 'Kom schat,' zei hij. 'Meisjes hebben steun nodig.'

'Vergeet dit niet.' Bunny gaf haar een zwartkanten string.

Bina keek naar de beha en het minieme slipje in haar hand. 'Dat trek ik niet aan, hoor.' Ze hief de string op en draaide die om en om. 'Ik... ik weet niet eens hoe dit zit,' bekende ze. 'En trouwens, ik ga niet met hem naar bed, dus het doet er niet toe wat voor ondergoed ik draag.' Ze keek Elliot aan. 'Op de grafiek stond toch niet dat ik met hem naar bed moest? Want dat doe ik niet, hoor.'

'Schat, het gaat niet om de seks, het gaat erom dat jij je sexy voelt,' zei Brice. 'En als jij je sexy voelt, zullen anderen je sexy vinden. Zo is het toch, Elliot?'

'Daar weet ik niks van,' maakte Elliot zich er vanaf.

'Bina, je bent een Steenbok,' zei Bev. 'En echt, die hebben hulp nodig, willen ze aantrekkelijk zijn voor mannen. Kijk eerst eens wat het voor je doet.'

Bina verdween in de paskamer en kwam terug met uitpuilende ogen en borsten. Ze had haar bloesje aangetrokken voordat ze uit de paskamer kwam, maar de twee bovenste knoopjes zaten niet dicht. Barbie deed het derde knoopje ook open. 'Mooie voorgevel,' zei ze.

Bina staarde naar zichzelf in de spiegel. Daarna wendde ze zich tot Kate. 'Ik wou dat Jack me zo kon zien,' zei ze. Kate voelde een steek van medelijden met Bina. De vrolijke Bina, altijd even ingetogen, zag er nu als een mannenverslindster uit, en nog steeds kon ze alleen maar aan Jack denken. Ze deed dit allemaal voor hem, en Kate wist niet of dit een daad van zelfverminking was of van liefde. Ze betwijfelde of een man als Billy zijn oog op Bina zou laten vallen, ook al was ze nog zo opgetut. Bina was immers nog steeds 'het brave meisje van Ocean Avenue'. In ieder geval gaf het Bina afleiding, en wie weet wat ervan kwam? Als ze er zo sexy uitzag, leerde ze misschien iemand anders kennen. In ieder geval wist Kate heel goed dat zijzelf zonder Michael, een huwelijk en kinderen kon, maar dat Bina maar één doel voor ogen had: trouwen en kinderen krijgen, bij voorkeur met Jack.

'Draai je eens om,' zei Bev. 'Kijken of ik de afdruk van je slip kan zien.'

'Hoe zou dat kunnen?' vroeg Bina. 'Ik heb nauwelijks een slip aan.' Ze draaide zich braaf om. 'Dit voelt naar,' zei ze.

'Wie mooi wil gaan, moet pijn doorstaan,' reageerde Bunny.

Bij Tootsie Plohound volgde Bina weer Barbies aanwijzingen op en kocht haar eerste paar verleidelijke sandaaltjes.

'Je moet nog een laag uitgesneden topje hebben,' zei Bev die goed bijhield wat ze al hadden. 'Ik bedoel, je hebt ze, je hebt nu push-ups, dus je kunt ze net zo goed laten zien. En je hebt altijd al een slanke taille gehad, dus je kunt best iets straks hebben.' Ze keek naar haar eigen buik. Als dat stretchtruitje nog strakker zat, werd de baby nog geplet, dacht Kate.

'Ja, dan heeft ze alles,' was Brice het met Bev eens.

Terwijl ze met zijn zevenen over de drukke West Broadway liepen, verwonderde Kate zich erover dat Elliot en Brice zo makkelijk met haar vriendinnen uit Brooklyn konden opschieten. Jarenlang had ze geprobeerd dit te voorkomen, ze had Bina en de anderen ook nooit voorgesteld aan Rita, haar studievriendin, en ook niet aan Maggie, de choreograaf die ze op fitness had leren kennen. Ze had gedacht dat ze die twee werelden apart moest houden, en ze had zeker niet gedacht dat het zo gladjes zou verlopen als met Brice en Elliot nu het geval was.

Terwijl iedereen dolle pret had, voelde Kate zich ongemakkelijk. Ze had erg haar best gedaan om te veranderen, haar uiterlijk, haar vocabulaire... Nou ja, bijna alles waarvan ze dacht dat het niet paste bij wie ze was of wilde zijn. Ze dacht dat ze een uniek personage had geschapen. Ze dacht dat ze meetelde. Maar nu ze Bina als bij toverslag zag veranderen, vroeg ze zich af of dit niet net zo goed telde als haar eigen, langzame metamorfose. Bina's metamorfose werd door anderen geregeld, en zelf was Kate ook veranderd omdat ze zich gedeeltelijk had gericht op anderen, al waren dat maar mensen uit een tijdschrift, of onbekenden die ze in Manhattan over straat had zien lopen.

Terwijl Elliot alweer taxi's aanhield, zei Brice: 'Een halfuurtje bij Make Up For Ever en ik maak een koningin van je,' beloofde hij Bina.

Bina keek diep geschokt. 'Ik wil geen andere make-up,' protesteerde ze terwijl de taxi optrok.

'Voordat je je make-up kunt veranderen, moet je eerst make-up op hebben,' snauwde Bunny. Ze haalde een lipstick uit haar tasje. 'Probeer deze eens.'

'Och, laat haar toch,' smeekte Kate. Ze vroeg zich af wat al deze kritiek en veranderingen met Bina's zelfvertrouwen deden. Maar Bina nam de lipstick aan en deed die op haar lippen. Het was vreselijk – ze zag eruit als mevrouw Horowitz op een begrafenis.

'Ik geloof niet dat rood haar kleur is,' zei Brice vanaf de stoel naast de taxichauffeur. Hij gaf Bina een tissue. 'Zalm past denk ik meer bij je.'

Tegen de tijd dat ze klaar waren om naar huis te gaan, had Bina met haar creditcard meer uitgegeven dan anders in drie maanden. Kate was uitgeput, maar ook blij omdat Bina zich leek te amuseren, ook al was het dan met onbenullige dingen en een belachelijk plan. Dit was de eerste keer sinds Jack was vertrokken dat ze meer aan zichzelf had gedacht dan aan hem. Elliot hielp Bev de treetjes voor het huis van Kate op.

'Zo, nu een modeshow!' eiste Brice zodra ze allemaal binnen waren. Barbie, Bunny en Bev vielen hem bij, en Kate ook, zij het een beetje aarzelend. Het was vreemd hen allemaal samen in huis te hebben, benauwend zelfs. Het was een botsing der culturen in de kleine ruimte die voor haar heilig was. Maar Kate scheen de enige te zijn die van slag was. Bev zat met haar voeten omhoog en haar handen op haar buik, Barbie zat zedig in de schommelstoel, Bunny stond bij de schoorsteenmantel en keek af en toe in de spiegel of ze nog wel bruin van de huwelijksreis was, en Brice zocht in de tassen terwijl Elliot met een glimlach op de bank achterover leunde.

Bina nam de tassen mee naar Kates slaapkamer en een paar minuten later verscheen er een heel andere Bina. Er heerste even een diepe stilte. Kate was geschokt. In één dag was Bina letterlijk van top tot teen veranderd, ze herkende het sexy meisje nauwelijks dat voor hen een rondje draaide. Ze dacht aan Billy Nolan en hoe hij op het terras naar haar had gekeken. Zou een man die haar uiterlijk wist te waarderen ook onder de indruk zijn van een vrouw die gekleed ging zoals Bina nu?

'Wauw! Je ziet er geweldig uit!' verbrak Bev de stilte.

Toen floot Elliot, en Barbie, Brice en Bunny klapten. Kate klapte met hen mee. 'Goed, nu hoeven we je alleen nog maar naar Billy te brengen en je op een presenteerblaadje aan te bieden,' zei Elliot.

'Hoe dan?' vroeg Bina, alsof er niets aan was om een gebraden kippetje op een presenteerblaadje te zijn.

'We gaan naar zijn zaak,' zei Elliot. 'De Barber Bar in Williamsburg. En dan –'

'Werkt hij daar?' viel Kate hem in de rede. Elliot sloeg geen acht op die opmerking en legde een tijd vast waarop ze elkaar voor de aanval zouden ontmoeten, alsof hij Wellington was die een veldslag voorbereidde.

'Niet dat je het zelf niet kunt, maar mag ik volgend weekend bij je komen om eerst even je haar en je make-up te doen?' vroeg Brice. 'En ik heb ook nog een verrassing voor je.'

'Die verrassing moet wat mij betreft maar wachten,' zei Bev. 'Ik moet naar huis, naar mijn Johnny.'

'Goed, Bev,' zei Barbie. 'En jij, Bunny, doe jij mee?'

'Tuurlijk,' zei Bunny.

Kate keek naar haar en ze vroeg zich af of ze wel van de wittebroodsweken had genoten na... na Billy. Toen vroeg ze zich af of zij wel op huwelijksreis wilde met Michael. Ze waren eens een weekend naar het strand van Jersey geweest, en daar had ze zich best geamuseerd. Maar twee hele weken...

Kate richtte haar aandacht weer op haar gasten, die nu naar huis moesten. 'Tot ziens,' zei Barbie. 'O Bina, ik vind het zo leuk voor je. Met de juiste kleren gaan alle deuren voor je open.' Kate probeerde niet hardop te lachen. Hoe had Barbies moeder van tevoren geweten dat deze naam zo uitstekend bij haar dochter paste?

Er werd gekust en omhelsd, en toen verdwenen de drie vrouwen door de voordeur.

Bina bleef nog even met Brice en Elliot, die haar naar de subway zouden brengen. Uiteindelijk was Kate weer alleen. Ze vroeg zich af wat dr. Horowitz en mevrouw Horowitz zouden zeggen wanneer Bina thuiskwam. Mevrouw Horowitz had iets aan haar hart; misschien moest ze haar bellen om haar voor te bereiden.

Pas toen Kate in bed lag en bijna in slaap viel, vroeg ze zich af hoe zij er na een metamorfose zou uitzien. Toen sloot ze haar ogen en de rest van die nacht sliep ze – maar niet erg goed.

20

Kate zat in haar kantoortje tegenover een eeneiige tweeling die eenzelfde groene ribcord broek droeg en eenzelfde wit T-shirt met een klauwende Tyrannosaurus Rex. Allebei hadden ze een naamkaartje op de borst – de ene met JAMES, de ander met JOSEPH. Kate was expres op haar bureau gaan zitten om boven de twee jongetjes uit te torenen. Het gesprek had al geruime tijd geduurd en Kate dacht dat de situatie nu wel opgehelderd was.

'Ik breng je nu terug naar het lokaal van meneer Gupta, James,' zei ze en wees naar een van de jongens – degene met JOSEPH op zijn T-shirt. 'En jij, Joseph, jij gaat terug naar het lokaal van mevrouw Johnson,' zei ze op strenge toon tegen de ander. 'Waar jullie horen,' voegde ze eraan toe.

De jongens Reilly waren een leuk stel, ze gedroegen zich goed en waren slim. Maar dit jaar zaten ze met goedkeuring van hun ouders in verschillende klassen. Sinds ze uit elkaar waren gehaald, hielden ze niet alleen hun klasgenoten voor de gek, maar ook hun onderwijzers en zelfs dr. McKay. Ze wisselden van identiteit wanneer ze maar wilden, maar toen Kate hun ouders had voorgesteld de jongens verschillend te kleden in plaats van aldoor hetzelfde, hadden ze gezegd dat de jongens dat maar zelf moesten uitmaken. En de jongens wilden er hetzelfde uitzien.

De laatste tijd was het erger geworden, maar Kate dacht dat haar toespraakje over vertrouwen en mensen voor de gek houden was doorgedrongen in de vreemde en interessante wereld van de tweeling. 'Dus we zijn het eens?' vroeg ze.

Op dat moment ging de telefoon. Kate draaide de tweeling de rug toe en nam op. 'Dr. Jameson,' zei ze.

'Dr. Jameson? Dit is dr. Bina Horowitz. Ik kom morgen om zes uur naar uw praktijkruimte voor het consult. Ik heb gehoord dat we eerst dr. Brice moeten consulteren,' zei Bina.

'We worden niet afgeluisterd, Bina,' reageerde Kate. Jaren van afluisteren door haar moeder hadden Bina paranoïde gemaakt. 'Kom maar voor Operatie Belachelijk, ik ben om vijf uur thuis. Nu moet ik ophangen, ik ben aan het werk.'

Kate hing op en draaide zich naar de tweeling terug. 'Ik wil dat jullie nu jullie naamkaartjes ruilen,' zei ze. Ze knikten, trokken de stickers los en gaven die beschaamd aan de ander. Weer ging de telefoon. Met een zucht draaide ze de tweeling opnieuw de rug toe, die snel van plaats en naamkaart ruilde.

'Dr. Michael Atwood is hier voor je,' zei Louise, de secretaresse, vanuit de administratie. Ze klonk of ze verkouden was.

'Goed, ik kom zo. Dank je,' zei Kate, en ze bleef de hoorn vasthouden. Dit was heel onverwacht. Michael hield zich aan vaste gewoontes, en Kate vroeg zich af waarom hij nu ineens spontaan langskwam.

Kate was zo in gedachten verzonken dat ze de verwisseling van de tweeling niet opmerkte. 'Denk eraan,' zei ze tegen hen, er niet helemaal bij, 'dat het niet zomaar een grapje is om je voor elkaar uit te geven. Het is niet aardig om anderen voor de gek te houden. Wanneer je hen echt nodig hebt, vertrouwen ze je niet meer. Begrijpen jullie dat?' Normaal gesproken zou ze dat nog eens herhaald hebben, maar nu was ze zo verrast en nieuwsgierig naar wat Michael te zeggen had dat ze het vergat.

De tweeling knikte onschuldig. Kate sprong van het bureau en pakte de jongens bij de hand. Ze liep met hen het kantoortje uit en door de gang. Michael stond ver weg op de gang, en hij lachte breed maar schaapachtig. Kate lachte niet terug. In plaats daarvan bleef ze voor de deur van een lokaal staan en gebaarde dat 'James' daar naar binnen moest. 'Joseph' liet haar hand los, lachte triomfantelijk en rende naar de deur aan de overkant van de gang.

Pas toen liep Kate met een lach naar Michael toe. 'Wat een verrassing,' zei ze als beloning voor zijn spontane gedrag. 'Waarom ben je hier gekomen?'

'Ik wilde je eens in actie zien. Streng, hoor.' Hij glimlachte. 'Je kunt goed met kinderen omgaan.'

'Dank je,' reageerde Kate. Heel even vroeg ze zich af of hij ooit aan haar dacht als de moeder van zijn kinderen, maar ze riep zichzelf snel tot de orde. Daar was het nog veel te vroeg voor. 'Ben je bijna klaar?' vroeg hij. 'Vind je het niet erg dat ik hier ben?'

'Nee,' zei Kate. 'Ik vind het juist leuk.'

'Ik wilde je nu al iets laten zien,' zei Michael. Met een elegant gebaar haalde hij een wetenschappelijk tijdschrift uit zijn aktetas.

'O Michael! Je artikel!' Daar had hij maanden aan gewerkt. Hij had zelfs veldonderzoek gedaan. Het betekende veel voor hem en voor zijn carrière. Kate was echt blij voor hem.

'Vers van de pers van de University of Michigan's *Journal of Applied Science*,' zei hij trots.

Kate omhelsde hem. 'Ik ben zo blij voor je,' zei ze. 'Wat een verrassing!' Ze pakte het tijdschrift aan en zocht het artikel. Hij had er een grote rode sticker bij geplakt. Ze glimlachte. Soms was hij... verrassend kinderlijk. Dat had iets ontroerends.

Samen liepen ze terug naar haar kamer. 'Dit is het eerste exemplaar,' zei hij. 'Ik dacht dat als je hier klaar was, we iets konden gaan drinken en daarna misschien een hapje eten.' Met een lach keek ze naar hem op. 'Ik verheug me op een weekend samen,' zei hij, toen sloeg hij zijn arm om haar heen en drukte een kus in haar hals. Zijn stoppeltjes kriebelden en ze giechelde, net op het moment dat dr. McKay in de deuropening verscheen.

'Neem me niet kwalijk,' zei hij.

Michael deed een pas terug, en Kate deed haar best er niet uit te zien als een betrapt schoolmeisje. Ze moest een lach onderdrukken, want dr. McKay zag er zowel in verwarring gebracht uit als afkeurend. Ze kon zich voorstellen dat hij zich afvroeg of ze Elliot bedroog of dat het uit was en ze zich meteen in de armen van een ander had gestort. Maar omdat dat zijn zaken niet waren, lachte ze naar hem. 'Kan ik iets voor u doen, dr. McKay?'

'Er is iets met de tweeling Reilly aan de hand,' zei dr. McKay. Kate merkte dat hij moeite deed niet naar Michael te kijken.

'Ja,' zei ze. 'Ze zijn net hier geweest en we hebben het erover gehad. Dr. McKay, mag ik dr. Michael Atwood aan u voorstellen?' Dr. McKay knikte kortaf in Michaels richting, toen wende hij zich weer tot Kate. 'Ik weet dat je met hen hebt gesproken,' zei hij. 'Maar kennelijk hebben ze weer een wisseltruc uitgevoerd.'

'Oeps,' zei Kate. 'Dan moet ik er maar eens dieper met hen op ingaan.'

'Dat lijkt me heel verstandig.' Dr. McKay draaide zich om en verdween.

Michael keek Kate aan. 'Oeps?' zei hij. 'Is dat Freud of Jung?'

Kate moest lachen, ook al schaamde ze zich en was ze bezorgd. Nu ja, maandag zou ze zich daarop storten. Nu moest ze Michael vertellen dat de plannen voor het weekend veranderd waren.

Terwijl ze de school uit gingen en over het schoolplein liepen, pakte Kate Michaels hand en zei: 'Ik ben blij dat je hiernaartoe bent gekomen, dan hebben we meer tijd voor elkaar.' Michael knikte lachend. Zo, dat was het voorbereidend verhaal, dacht Kate. 'Maar weet je, Michael, morgen moet ik ergens naartoe.'

'Morgen? Maar morgen is het zaterdag.'

'Weet ik, maar Bina...'

'O, Bina.'

'Een paar uurtjes maar,' zei Kate.

'Een paar uurtjes op zaterdagavond,' zei Michael, en Kate hoorde het verwijt in zijn stem.

'Het spijt me,' zei ze. 'Het is echt jammer, maar ik kan er niet onderuit.' Terwijl ze het zei, ergerde ze zich aan zichzelf en aan hem. Ze hoefde haar excuses niet aan te bieden. Waarom voelde ze zich zo schuldig? Het was maar een kleine verandering in de plannen, en het kon geen kwaad voor hem om eens wat flexibeler te zijn.

Michael knikte, toen keek hij naar de grond. Kate wachtte tot hij aan het idee was gewend. Hij stak zijn hand in zijn jaszak, trok die weer terug en liet haar een gloednieuwe sleutelring zien met twee glimmende sleutels eraan. 'Nou,' zei hij. 'Ik ben blij dat ik deze voor je heb laten maken. Dat is handig voor zaterdag. Je kunt jezelf binnenlaten.'

Kate nam de sleutels aan alsof het juwelen waren. Het uitwisselen van de sleutels betekende dat je elkaar vertrouwde en dat de band hecht was. 'O, Michael,' zei ze. Ze kuste hem, en toen drong het tot haar door dat ze hem nu ook haar sleutels moest geven. En het drong ook tot haar door dat ze dat eigenlijk helemaal niet prettig vond.

De volgende avond kwamen Brice en Elliot naar Kates appartement om Bina's haar en make-up te doen. Kate voelde zich een beetje schuldig en Bina zag er totaal anders uit dan vroeger, sexy en modieus. Toen Kate naar haar eigen jurkje keek – een gebreid blauw gevalletje, kort maar met een rolkraag – vond ze dat ineens erg eenvoudig, hoewel ze wist dat het haar goed stond. Steven had het mooi gevonden. Toen bracht ze zichzelf in herinnering dat het allemaal om Bina draaide, niet om haar. Billy betekende niets voor haar.

'Dit is nog beter dan dat tripje naar Nevis vorig jaar herfst,' zei Brice. 'Ik ben altijd al geïnteresseerd geweest naar hoe andere volkeren leven.'

Kate schraapte haar keel om Brices aandacht te trekken, en ze keek tersluiks naar Bina. Maar Bina had het te druk met leren op de hooggehakte sandaaltjes te lopen en had Brices opmerkingen niet gehoord. Brice kreeg medelijden met Bina en zei: 'Alles goed optillen, meisje!'

Bina rechtte haar rug en heel even verdween de geconcentreerde blik en lachte ze. Aarzelend zette ze een paar stappen, en liep toen vol zelfvertrouwen de kamer door. 'Goh, wauw,' riep ze uit. 'Bedankt Brice, dat werkt echt!'

Kate kon het niet laten. 'Brice,' vroeg ze, 'waar heb jij geleerd op naaldhakken te lopen?'

'Is er een feestje?'

Door de deur heen klonk Max' stem gesmoord, maar het was onmiskenbaar de zijne. Iedereen zweeg. Elliot, die het dichtst bij de deur was, trok die open. Met een kledingstuk van de stomerij over zijn schouder en een tasje van de Chinees in de ander stond Max op de gang. Met grote ogen staarde hij naar Bina, hij bekeek haar van top tot teen. Toen liet hij van verbazing allebei de tassen vallen, maar kon nog steeds zijn ogen niet van Bina af houden. 'Bina?' vroeg hij. 'Ben jij dat?' Toen, alsof hij uit een betovering ontwaakte keek hij beschaamd naar de grond. Hij pakte de kleren aan de hangertjes op terwijl Elliot de doosjes van de Chinees opraapte. Gelukkig was er niets uit gelopen.

'Hoi Max,' zei Bina. Kate wendde zich af van de deuropening omdat ze nauwelijks kon geloven dat Bina in die twee woorden zo'n flirterig gevoel kon leggen. In al de jaren dat ze haar kende, had ze haar nog nooit op die toon horen praten. Er was iets nieuws, iets verleidelijks in haar stem geslopen, een soort lokroep. Plotseling dacht Kate dat het Bina best zou lukken Billy Nolan te versieren.

'Hier, je avondeten,' zei Elliot opgewekt terwijl hij de tas aan Max overhandigde. 'Wij moeten nu gaan.'

Kate pakte haar tasje en duwde Bina achter Brice aan de deur uit. Helaas moest ze de deur nog op slot doen, en Max maakte van het oponthoud gebruik door Bina te vragen: 'Wat is er met jou gebeurd?'

Bina opende haar mond, maar voordat ze iets kon zeggen deed Brice het woord voor haar: 'Dat weten alleen haar kapper en ik. Doei!' Hij pakte Bina bij de hand en trok haar mee de trap af.

Toen Kate achter hen aan kwam, keek ze nog even om. Max stond als aan de grond genageld op de overloop. 'Maak je geen zorgen, het was Bina niet,' zei ze. 'Het is Bina's slechte tweelingzusje.'

De taxi snelde over de brug, en leek nu in Brooklyn verdwaald te zijn. 'Weet u waar de Barber Bar is?' vroeg Kate.

'Natuurlijk weet hij dat,' zei Elliot. 'Maar we stappen eerder uit. We hebben op een hoek met de anderen afgesproken. Ondertussen moet ik Bina nog het een en ander bijbrengen.' Daarna zei hij tegen Bina: 'Denk eraan, als je wilt dat het een succes wordt, moet je bereid zijn tot het uiterste te gaan.'

Kate zuchtte. 'We kunnen net zo goed weer naar huis gaan. Bina heeft toch gezegd dat ze niet met hem naar bed wil?'

'Dat hoefde toch niet?' klaagde Bina. 'Ik hou van Jack en ik wil niet –'

'Rustig nou maar, jullie,' viel Elliot haar in de rede. 'Dat hoeft allemaal niet. Ik heb het over verleidelijke trucjes. Zoals likken.'

'Wat moet ik likken, Elliot?' vroeg Bina gespannen.

'Je lippen,' antwoordde Elliot.

'En verder niets, hoor je?' voegde Kate eraan toe.

'En daar wordt hij opgewonden van?' Bina fronste haar wenkbrauwen. 'En verder?'

'Je negeert hem,' zei Elliot, alsof dat heel vanzelfsprekend was.

'Hoezo?' vroeg Kate. Ze vond het maar niks. Straks negeerde Billy Bina en viel het hele plannetje in het water.

'Omdat hij overduidelijk moeite heeft zich te binden,' legde Elliot uit. Geërgerd keek hij Kate aan. 'Zeg eens, jij bent hier de zielknijper, niet ik!'

'Ik snap het niet,' moest Bina bekennen.

'Als je hem negeert, ben je geen bedreiging,' zei Elliot. 'En als hij je geen bedreiging vindt, vraagt hij je uit, en vraagt hij je nog eens uit. We moeten voldoen aan de voorwaarde van twee komma zeven maanden.'

'Oké,' zei Bina vriendelijk. 'En verder?'

'Je moet zorgen dat hij van slag raakt,' antwoordde Elliot.

'Dat zal niet moeilijk zijn,' reageerde Kate. 'Je hoeft hem alleen maar te vertellen waarom we dit doen. Ik denk dat Billy Nolan daar danig van uit zijn doen zal raken.'

Elliot lette niet op Kate. 'Probeer een uitdaging voor hem te zijn, maar niet uitdagend genoeg om antipathiek te zijn. Snappie?' vroeg hij.

'Ik... ik geloof van wel,' stamelde Bina.

'Nou, kom op, jongens,' zei Brice toen de taxi tot stilstand kwam. 'Billy en het kluppie wachten op ons!' Hij keek hen een voor een aan en lachte toen. 'Dit is net de Osbournes op bezoek bij Sesamstraat.'

De taxi zette hen af bij de subway in Bedford Street, waar ze hadden afgesproken. Bev en Barbie waren er al. Bev zag er erg zwanger uit, en Barbie leek haar kleding uit de kast van een vijftienjarig tienermeisje te hebben gestolen.

'Ik ben al in eeuwen niet meer met de meiden uit geweest!' jubelde Bev.

'Ik ook niet. Biologisch gezien, dan,' reageerde Elliot. Hij keek met een liefhebbende blik naar Brice, die onmiddellijk een diepgaand gesprek over roklengte begon met Barbie.

'We zien Bunny in de bar,' zei Bev.

'Ze is toch pas getrouwd?' reageerde Kate ongelovig. 'Ze zijn net terug van hun huwelijksreis! Wil ze in het weekend niet liever bij Arnie zijn?' Zodra ze het zei, drong het tot haar door dat haar nieuwe cultuur in botsing kwam met haar oude.

'Nou, ze is pas getrouwd en heeft de huwelijksreis achter de rug. Wat wil je nog meer?' vroeg Bev.

Kate moest lachen. Het kluppie had een heel pragmatische kijk op het huwelijk: het was iets noodzakelijks, maar verder sloeg je er geen acht op. De meiden deden dingen met de meiden, de kerels met de kerels.

Nu ze het gemengd gezelschap eens goed bekeek, begon ze weer aan de hele onderneming te twijfelen. Ongemerkt zonderde ze Bina even af. 'Je hoeft dit niet door te zetten, hoor,' fluisterde ze.

'Kate,' zei Bina. 'Na al die jaren die ik aan hem heb besteed, wil hij genieten van zijn vrijgezellenbestaan. Wie denkt hij wel dat hij is? Ponce de Léon?' Ze keek om naar Bev – om precies te zijn, naar Bevs uitpuilende buik. 'We hebben geen van beiden de Bron van de Eeuwige Jeugd ontdekt... Maak jij je geen zorgen over je biologische klok?'

Elliot, die het hele gesprek had kunnen volgen, nam dit moment waar om zich ermee te bemoeien. 'Kate is een moderne meid,' zei hij en sloeg zijn arm om haar heen. 'Zij heeft haar eitjes ingevroren voor later.'

'Echt?' vroeg Bina diep onder de indruk.

'Je meent het!' reageerde Barbie.

'Luister maar niet naar hem, hij is zo gek als een deur,' zei Kate alsof het haar allemaal niks kon schelen, hoewel ze bloosde. 'Waar is die bar eigenlijk?' vroeg ze om iedereen af te leiden.

'De volgende hoek om, geloof ik.' Bev wees naar een zijstraat. 'Bunny heeft het me uitgelegd. Het moet hier ergens zijn.' Ze gingen de hoek om. 'Er moet zo'n gestreepte paal zijn, net als bij de kapper –'

'Hier!' Brice wees naar een nauwelijks zichtbare rood-wit-blauwgestreepte paal verderop, en daar liepen ze naar toe.

21

'Omdat we hier zijn opdat ik Billy leer kennen, trakteer ik,' zei Bina, daarmee Kates gedachten onderbrekend. 'Wat willen jullie? Bier?'

'Ik help wel dragen,' bood Kate aan. 'Gaan jullie maar een tafeltje zoeken. En als we over tien minuten niet terug zijn, komen jullie ons maar redden.'

Kate ging Bina voor naar de bar. Het was er druk. 'Probeer Billy's aandacht te trekken,' zei ze. Ze zag hem al bij een hoek van de bar. Het witte overhemd deed zijn brede schouders en gebronsde teint goed uitkomen. Even vroeg Kate zich af of hij zo ijdel was dat hij vaak op de zonnebank lag, maar veel tijd om daarover na te denken had ze niet. 'Roep hem eens,' zei ze tegen Bina.

'Wat moet ik dan zeggen?' vroeg Bina.

Helaas kwam er op dat moment een andere barman op hen toe, een oudere, kale man met een bierbuik. 'Wat hadden jullie gewild, dames?'

'Jemig,' fluisterde Bina. 'Dat is hem niet...'

'Ja, zo versier je hem wel,' reageerde Kate. Tegen de barman zei ze: 'Bedankt, we kijken nog even.'

Kate bekeek de mensen rond de bar. Aan Billy's kant was het duidelijk drukker, daar had een heel stel meisjes de krukken in beslag genomen. Een jongeman stond aan de bar en nam de bestellingen op. Kate pakte Bina bij de hand en trok haar mee naar de andere hoek van de bar, en door flink ellebogenwerk te verrichten lukte het haar een plekje aan die kant te bemachtigen.

Terwijl Kate wachtte, zuchtte ze. Ze was te oud om hier rond te hangen. Maar was ze op haar eenendertigste dan al oud? In ieder geval was deze bar niet zo fantasieloos als de meeste, vond ze terwijl ze om zich heen keek. Er stonden nog oude, gerestaureerde kappersstoelen op de zwart-witte marmeren vloer geschroefd, en achter de mahoniehouten bar hingen de originele spiegels en schappen van de kapperszaak. Tussen de wodka en de whisky stonden ook antieke scheerkommen en oude flessen haarwater, aftershave en nog veel meer.

Kennelijk was de oorspronkelijke kapperszaak tot uitgaansgelegenheid verbouwd. Behalve de bar en de rij barkrukken waar de mensen omheen drongen, waren er ook muurbankjes en helemaal achterin tafeltjes met stoelen. Het lawaai was oorverdovend, net als hard gelach in de tunnel van de subway, en Kate was blij dat Michael er niet bij was. Het was hier wel erg kleinsteeds.

Bina keek achter Kate langs. 'Jemig, daar is hij!'

Kate hield haar rug naar de bar gekeerd, naar Billy toe. 'Ja, dat is hem. Ga links van me staan en probeer zijn aandacht te trekken,' beval ze, in de hoop dat het zou werken.

'Wat eerst?' vroeg Bina. 'Mijn lippen likken? Of hem van streek maken?'

'Roep hem nou maar en bestel bier,' zei Kate. Ze draaide zich naar de bar om Bina te helpen. Billy was net klaar iets voor een ander in te schenken, en zijn tanden waren net zo wit als zijn hemd, en zijn haar glansde meer als goud dan Kate zich herinnerde. Ze porde Bina aan. 'Zeg nou iets.'

'Billy! Hier!' zei Bina ademloos. Misschien hoorde hij iets bijzonders in haar stem, want hij kwam meteen.

'Wat zal het zijn, dames?' vroeg hij terwijl hij zijn perfecte gebit liet zien. Kate keerde zich af, maar het was al te laat. Billy keek haar recht aan, en ze dacht niet dat ze het zich verbeeldde, maar dat hij haar echt herkende. Weer gaf ze Bina een por.

'Vijf jus en een biertje,' stamelde Bina, daarna werd ze knalrood.

'Zeg nou iets,' siste Kate Bina toe, die met een verstarde glimlach naar Billy staarde.

Billy kneep zijn ogen tot spleetjes en keek Kate onderzoekend aan, maar Kate keek uitdrukkingsloos terug. 'Is dat voor een tafel vol Bobs en één dronkelap?' vroeg hij met een grijns. Hij sloeg geen acht op Bina's gegiechel en keek Kate aan.

'Ze bedoelt vijf bier en een jus,' antwoordde Kate met uitgestreken gezicht.

Billy bleef haar maar aankijken. 'Het is een beetje cliché,' zei hij. 'Maar volgens mij hebben we elkaar al eerder ontmoet.'

'Ik denk dat je mijn vriendin Bina kent. Van de bruiloft van Bunny en Arnie,' zei Kate. 'Bina, dit is Billy.' Het viel haar op dat Billy niet eens naar Bina keek, zijn blik bleef maar op haar gericht. Ze kreeg het er warm van.

'Hoi,' zei Billy tegen Bina. Nog steeds keek hij Kate aan. 'Maar jij en ik, wij hebben elkaar toch ontmoet –'

'Bina woont ook in Brooklyn,' viel Kate hem in de rede. Ze wendde haar blik af en richtte die op haar vriendin.

'O ja? Hier in de buurt?' vroeg Billy, en voor de eerste keer keek hij naar Bina.

'Zo'n beetje, in Park Slope,' antwoordde Bina gespannen.

Billy tapte vijf bier. 'Dat is een heel verschil, Park Slope of Williamsburg, Reina.'

'Bina, ze heet Bina,' snauwde Kate.

Billy haalde zijn schouders op en zette de drankjes op een blaadje. Kate pakte het dienblad en liep met Bina naar de tafel waar de anderen zaten.

'Hij was er!' riep Bina uit.

'Wie?' vroeg Elliot plagerig.

'Hij!' piepte Bina.

'Mel Gibson?' vroeg Bev, die het spelletje meespeelde.

'Bill Clinton?' deed Barbie mee.

'Billy,' zei Kate zacht tegen Elliot. 'Maar hij was to-taal niet geïnteresseerd.' Elliot vertrok zijn gezicht. Het was nu wel duidelijk dat Bina hulp nodig had. 'Nou, hier zijn de drankjes, dames,' zei Kate en ze zette het blad op tafel. 'Ik ga even naar de wc.'

Ze wrong zichzelf door de mensenmassa naar de kleine wc. Die was verrassend schoon. Ze was net binnen toen ze vlak voor de deur stemmen hoorde.

'Zag je hoe die rooie naar me keek?' hoorde ze de eerste stem. Het was een rauwe, diepe stem; de oudere barman die ze Pete had horen noemen. 'Man, wat een meid! Zag je haar ogen? En dat was niet het enige wat mooi aan haar was.' Hij grinnikte veelbetekenend.

'Welke rooie?' Deze stem herkende ze meteen. Het was Billy Nolan.

'Die er met dat bier vandoor ging.'

'Die keek niet naar jou,' zei Billy met nauw verhulde minachting.

'Weet je,' gromde Pete. 'Jou gaat het voor de wind, maar soms ben je niet erg subtiel. Ze had het op mij voorzien.'

Kate hoorde Billy zuchten, daarna werd het stil. Na een tijdje verbrak Billy het zwijgen. 'Susie was daarnet hier.'

'Shit!' riep Pete uit. 'Dan heb ik haar gemist. Wat een stuk, zeg! Waarom heb je haar gedumpt?'

'Weet niet,' antwoordde Billy. 'In ieder geval, ze kwam me dus zeggen dat –'

'Laat maar,' viel Pete hem in de rede. 'Ze is zeker verloofd?'

'Hoe weet je dat?' vroeg Billy.

'Billy ouwe jongen – kijk, ik weet niet wat je met die vrouwen doet, maar zodra jij omgang met ze hebt, worden ze trouwlustig. Degene die na jou komt, laten ze niet meer gaan.'

Kate was klaar op de wc, en eigenlijk wilde ze het gesprek niet verder aanhoren. Maar terwijl ze doortrok, haar handen waste en die onder de droger droogde, hoorde ze de mannen nog steeds praten.

'Meestal kan het me niet veel schelen,' zei Billy. 'Maar een paar weken geleden was ik op Arnies bruiloft en toen besefte ik ineens dat ik van al mijn vrienden de enige ben die nog single is.'

'Jij staat achter de bar,' reageerde Pete. 'Dat je single bent, wordt van je verwacht. Ik zie jou nog niet trouwen, hoor. Trouwens, hoe zit het eigenlijk met Tina?'

Kate had genoeg gehoord. Snel deed ze de deur open, in de

hoop terug te kunnen naar het tafeltje voordat de pauze van Billy en zijn vriend voorbij was. Maar ze had te lang gewacht. In het gangetje stond ze ineens recht tegenover Billy Nolan. 'Hé, rustig, Roodje,' zei hij toen Kate zonder iets te zeggen langs hem wilde lopen. Ze sloeg geen acht op hem. De gang was smal, en toen iemand gehaast langsliep, werd ze tegen Billy aan gedrukt. Hij legde zijn hand op haar schouder. 'Kijk een beetje uit!' riep hij de gehaaste man na. Toen keek hij naar Kate. *'Je pense...'* Hij zweeg. *'Je n'oublie pas,'* zei hij in het Frans.

Waarom toch altijd Frans, vroeg Kate zich af. 'Ik ben jou ook niet vergeten,' gaf ze toe, maar meer als dooddoener.

'Precies. We hadden het over existentiële onderwerpen. Ik combineer Sartre en bruiloften graag,' voegde hij eraan toe, en Kate kon een lachje niet meer onderdrukken, ook al probeerde ze dat nog. Deze jongen was onwaarschijnlijk zelfverzekerd. Hoe kreeg ze hem ooit zo ver dat hij Bina mee uit vroeg? 'Wat doe je hier aan de overkant van de rivier?' vroeg Billy.

'Iets drinken met mijn vriendinnen daar in de hoek,' zei Kate en ze wees naar hun tafeltje. Net op dat moment tikte Pete Billy op de schouder.

'Zo, Bill,' zei hij. 'Dit is niet de tijd om veroveringen te maken, de klanten wachten op je.'

Tot haar ontsteltenis bloosde Kate omdat ze als 'verovering' werd beschouwd. 'Tot ziens,' zei ze en ze dwong zichzelf hem liefjes toe te lachen.

Ze keerde terug naar het tafeltje, in de hoop dat ze beet had. En ja hoor, niet lang nadat de glazen leeg waren en Barbie Bina's lipgloss had bijgewerkt, verscheen Billy aan hun tafel met vijf biertjes. 'Welkom in de Barber Bar,' zei hij en zette het bier op tafel. Hij lachte naar Kate. 'Dus je loog niet op de bruiloft toen je het over je kluppie had.'

Iedereen keek naar Kate. Ze had niemand van hun *pas de deux* op het terras verteld. Nu had ze daar spijt van. Ze zag dat Bev Bina met haar elleboog aanstootte.

'Hoi Billy,' zei Bunny. 'Zo te zien gaat het goed met de zaken.'
'Het is lekker druk,' merkte Bev goedkeurend op. 'En er wordt gedanst.'
'Ja,' zei Billy. Toen keek hij Kate aan. 'We doen hier ook de hokey-pokey.'
'Heb je nooit een avond vrij?' vroeg Bev.
'Meestal zaterdagavond. Maar een van ons heeft zich ziek gemeld. Gelukkig dat ik er was, anders had ik al deze schoonheden gemist,' zei Billy.
Boven het rumoer uit hoorden ze Pete, de oudere barman, roepen: 'Hé, Billy, ik kan het niet alleen af, hoor! Waar is Joey?'
Billy keek niet eens om. Wanhopig greep Bunny zijn hand. 'Dit is mijn vriendin Bina,' zei ze. 'Jullie zouden een keer samen moeten praten.'
Met een lege uitdrukking keek Billy Bina aan. 'Ja, leuk.' Toen richtte hij zich weer tot Kate, die zich ook wanhopig begon te voelen.
'Heb je zin om woensdag met Bina en mij te gaan bowlen?' vroeg ze.
Hij knipperde met zijn ogen, toen lachte hij. 'Nooit gedacht dat jij van bowlen hield,' zei hij.
Barbie, die altijd op alles was voorbereid, drukte een papiertje met Bina's telefoonnummer in Billy's hand. 'Hier,' zei ze. 'Bel Bina maar om het te regelen. Zij is de baas over het bowlen met Kate.'
Er klonk weer gebrul uit de richting van de bar, en deze keer draaide Billy zich wel om.
'Kom eraan!' schreeuwde hij terug. Hij lachte stralend naar het kluppie en verdween in de massa.
'Mijn god,' zei Brice. 'Wat is hij knap... Mag ik ook mee?'
Elliot wierp Brice een blik toe, daarna keek hij Kate onderzoekend aan. Voordat hij iets kon zeggen, was Bev bezig high-fives uit te delen met iedereen die rond het tafeltje zat. Straks doen ze nog een wave, dacht Kate. 'Goed werk,' zei Barbie terwijl ze Kate een high-five gaf.

'Je hebt ons gered,' vond Bunny.

'Volgens mij denkt hij dat hij een afspraakje met jou heeft, Kate,' zei Brice.

'Nou,' zei ze, 'daar komt hij nog wel achter wanneer hij Michael leert kennen. In ieder geval heeft hij Bina's telefoonnummer.'

'Bedankt Katie,' zei Bina. Ze zag er uitgeput uit. Kate lachte naar haar, maar ze vroeg zich af hoe ze Michael kon overhalen woensdag te gaan bowlen.

22

Kate voelde zich schuldig toen ze op de bel drukte en zich opeens herinnerde dat ze Michaels sleutels had. Ze vloekte zacht. Ze keek op haar horloge, en schaamde zich nog dieper toen ze zag dat het kwart voor een was. Hij lag vast te slapen, en zou het vast niet prettig vinden dat ze naar bier rook. Op de een of andere manier leek het oké om iets voor haar vriendinnen te doen, maar niet om lol met hen te hebben.

Toen Michael opendeed, aangekleed maar slaperig in zijn ogen wrijvend, omhelsde ze hem vluchtig en liep langs hem heen de gang in.

'Je had niet voor me moeten opblijven,' zei ze. Wat ze eigenlijk bedoelde, was dat ze beter naar haar eigen appartement had kunnen gaan, of beter nog, niet naar Brooklyn.

Maar Michael rekte zich geeuwend uit. 'Bedtijd,' zei hij. Kate knikte en ging naar de badkamer.

'Ik moet plassen,' zei ze.

Zodra ze de deur had dichtgedaan, waste ze haar gezicht, poetste haar tanden, gorgelde en poetste haar tanden nog een keer. Ze ving een glimp op van haar gezicht in de spiegel toen ze de handdoek pakte. Ze zag er zo... zo heimelijk uit. Even zag ze in haar kaaklijn, haar blik en haar haar een beangstigende gelijkenis met haar vader. Ze moest ervan huiveren. Toen besefte ze dat het niet zozeer de fysieke gelijkenis was, maar haar schuldige, ineengekrompen houding. Onbeweeglijk bleef ze in het licht van het kale peertje van Michaels vrijgezellenbadkamer staan en keek nog eens goed naar zichzelf. Er was niets om zich schuldig over te voelen, hield ze zichzelf voor. Als Michael een strak schema aanhoudt, hoef je je daar niet schuldig over te voelen. Het is helemaal niet erg om met een paar vriendinnen iets te gaan drinken.

Maar Kate wist dat het dat niet was. Het kwam omdat ze aan Billy Nolan moest denken. Dat wilde ze niet, en ze wilde ook niet het idee hebben dat ze met hem had geflirt. Als ze al had geflirt, dan had ze dat voor Bina gedaan. Maar ze had Billy om de tuin geleid, ze had gedaan of ze een afspraakje met hem had gemaakt en hij had dat serieus genomen. Ze had een afspraakje met een ander, dat was toch zeker Michael bedriegen? Toen Kates moeder nog leefde, had ze Kate een gedegen katholieke opvoeding gegeven, en nog steeds zat Kate vast aan het begrip van zonde. Was ze echt schuldig?

Als ze nu met haar minnaar naar bed ging, zou ze zich een sletje voelen. Het lag niet aan de geur van het bier, of van de sigarettenrook in haar kleren. Ze schaamde zich voor haar gevoelens.

Ze waste zich snel en kwam in beha en slipje de badkamer weer uit. Toen ze de slaapkamer in kwam, merkte ze tot haar ontsteltenis dat Michael al naakt in bed lag, en dat de kaars op het nachtkastje brandde. Meestal sliep hij in een pyjamabroek en een T-shirt. Dat hij die nu niet droeg en de kaars had aangestoken, was een duidelijk signaal.

'Mag ik een hemd van je lenen?' vroeg ze.

Michael knikte en gebaarde naar het bureau. Ze nam een witkatoenen hemd en trok dat aan, daarna kroop ze naast hem in bed.

'Leuk gehad?' vroeg hij terwijl hij zijn arm om haar heen sloeg.

'Gaat wel,' zei ze. 'Ik ben verschrikkelijk moe.' Even zweeg ze om dit tot Michael te laten doordringen. Meestal pikte hij zoiets wel op. 'Kunnen we niet gewoon knuffelen?' vroeg ze, toen draaide ze hem de rug toe en kroop tegen hem aan, als lepeltjes in een doosje.

'Natuurlijk,' zei Michael, en ze was blij dat het niet teleurgesteld klonk. Hij bewoog, blies de kaars uit en kwam toen weer tegen haar aan liggen. Kate slaakte een zucht, van schaamte, uitputting of te veel bier. Toen deed ze haar ogen dicht en viel even later in slaap.

Die zondagmorgen volgden Michael en Kate de vertrouwde routine. Hij had de *New York Times* gekocht en bagels, en twee uur lang lazen ze stukjes van artikelen aan elkaar voor terwijl ze bagels met roomkaas en sneetjes roggebrood aten. Kate las in het katern over lifestyle een verhaal over schoonheidssalons in Afghanistan, en stuitte toen per ongeluk op de huwelijksrubriek. Dat probeerde ze meestal te voorkomen, omdat het haar van slag bracht. Het was net zoiets als om een dode duif op de stoep heen lopen.

Toch las ze de berichtjes, zoals gewoonlijk wanneer ze die per ongeluk onder ogen kreeg. Dat had ze niet moeten doen. De ene bruiloft na de andere, iedereen even gelukkig en blij. Er stond hoe de ouders van de bruid heetten, wie familie van haar was, wat haar broers of zusters hadden gezegd en een beschrijving van de feestelijkheden waarvan ze altijd depri werd. Als zij met Michael trouwde, wat zou de *Times* dan over haar schrijven? 'De bruid, die al bijna tweeëndertig is, is een wees. Ze besloot de bruiloft eenvoudig te houden. "Ik kan een groot feest niet betalen, en ik heb niet genoeg familie en vrienden om het groots aan te pakken," zei Katherine Jameson-Atwood. "Ik weet eigenlijk niet eens of ik hier wel goed aan doe, maar wie weet dat nou wel?"' Tersluiks wierp ze van achter de krant een blik op Michael en ze vroeg zich af hoe hij eruit zou zien op zo'n grofkorrelige foto met zijn hoofd dicht bij het hare. Ze sloeg de krant dicht en legde die opzij.

Ongedurig stond ze op en liep naar het raam. Het gebouw waarin Michael woonde, een naoorlogs geval van wittige baksteen, bestond uit honderden saaie appartementen. Maar het uitzicht vanaf de hoogste verdiepingen was spectaculair. Ze keek uit over Turtle Bay, en kon zelfs een stukje van de East River zien. 'Volgens mij wordt het bewolkt,' zei ze.

Michael kwam achter haar staan en sloeg een arm om haar borst en schouder, net of ze een opstaande kraag droeg. 'Nou,' zei hij, 'we kunnen of naar buiten gaan en een wedstrijdje skateboarden, of we kunnen naar de slaapkamer gaan. Jij mag het zeggen.'

Kate lachte en liet zich aan haar hand naar het bed trekken, hoewel ze niet zeker wist of ze daarvoor wel in de stemming was. Maar toen ze naast elkaar lagen en hij haar had uitgekleed, ontspande ze onder zijn kussen. Toen hij haar zachtjes in haar nek beet, kreeg ze een prettig huiverend gevoel. In de langzaam opkomende trance van seksueel genot vergat ze zichzelf. Ze voelde zijn handen over haar lichaam glijden, bekwaam maar ook een beetje voorspelbaar. Toen hij op haar kwam liggen, verlangde ze naar hem. Opgenomen in het ritme en haar gretige reactie voelde ze zich voor het eerst dit weekend echt lekker. Ze sloot haar ogen en voelde de eerste voortekenen van een orgasme. Toen ze bijna kwam, fluisterde ze: 'Yes.' Ze kneep haar ogen stijf dicht, en ineens zag ze het gezicht van Billy Nolan voor zich, zo duidelijk als ze dat de avond tevoren had gezien. Ze hield haar adem in en kreunde, maar niet van genot.

Toen Michael klaarkwam, besefte ze tot haar schrik dat ze opgelucht was.

Terwijl ze daar zo lagen, dacht ze aan het bowlen. Ze kon zich Michael niet voorstellen met een bowlingbal, maar ze moest hem mee zien te krijgen, anders bleef Billy geloven dat ze met hem uit was. Elliot kon ze niet meenemen, iedere man had meteen door dat ze niets met elkaar hadden – in ieder geval niet op seksueel gebied. Omdat ze zich zo schuldig voelde, wilde ze alles zo snel mogelijk in orde hebben. 'Michael,' fluisterde ze. 'Slaap je?'

'Bijna,' mompelde hij.

'Ik wil je iets vragen.'

Hij keek haar aan met die geschrokken blik in zijn ogen die mannen krijgen als ze denken dat je het 'over ons' wilt hebben.

'Wat vind je van bowlen?' vroeg Kate.

23

'Jippie!' zei Bina toen Kate, Michael en zij eindelijk hun bowlingschoenen aan hadden gekregen.

'Strike!'

'Verdomme, dat was puur geluk.' Achter hen hield een stel kantoorpikken een wedstrijdje, maar of het een bowlingwedstrijd was of wie het meest kon drinken, was niet helemaal duidelijk. Ze bevonden zich in de Bowl-A-Rama. Het lawaai was oorverdovend terwijl de kegels omvielen en de gekken schreeuwden. 'De zoete smaak van de overwinning, de verslagenheid bij verlies,' kirde Kate.

'En de ellende van schoenen die niet goed passen,' grapte Michael met een blik op de niet erg fris ruikende schoenen. Bina had ook zo haar twijfels, maar die hadden meer met mode te maken.

'Past dat rood wel bij wat ik aanheb?' vroeg ze Kate nerveus.

'Tuurlijk,' zei Kate, hoewel de schoenen vreselijk waren, maar dat waren Bina's nieuwe kleren ook. Kate kon merken dat Barbie Bina had geholpen met uitkiezen wat ze voor deze bijzondere gelegenheid moest dragen.

Denkend aan het doel van hun aanwezigheid hier zocht Kate met haar blik naar Billy Nolan. Het was een grote chaos. Naast hen was een clubje net klaar, en Kate werd bijna misselijk van hun oranje-bruine hemden. Zelf droeg ze een eenvoudig wit hemd en een spijkerbroek, en Michael droeg een sportief jasje, misschien wel het enige jasje in de wijde omtrek.

Bina stond op. Kate keek nog eens goed naar haar, en het drong tot haar door dat wanneer Bina zich in dat zwarte minirokje bukte, er niets verborgen zou blijven. Op haar strakke groene topje droeg ze een fuchsiarood sjaaltje, de kleur waar Barbie zo gek op was. Helaas maakte dat sjaaltje Bina's gezicht ziekelijk bleek, en dat werd nog verergerd door het groen van haar topje. Nou ja, dacht Kate, het wordt toch niks.

Ze kregen een baan aangewezen, en toen ze plaatsnamen op de plastic kuipstoeltjes vroeg Michael als een echte heer of ze iets wilden drinken. Voordat Bina goed had nagedacht, vroeg ze om een cola. Kate bestelde een biertje. Ze dacht dat Michael zijn wenkbrauwen optrok toen hij naar de bar ging.

Zodra hij weg was, vroeg Bina: 'Waar blijft hij, Katie?' Ze keek naar de ingang. 'Hij zei dat hij op tijd zou komen. Misschien komt hij wel niet opdagen... O, Katie, ik ben zo zenuwachtig.'

'Rustig nou maar, schat,' zei Kate. 'Hij komt heus wel.' Eigenlijk was ze zelf ook zenuwachtig. Ze wist dat ze Billy voor de gek hield, al wist hij dat zelf nog niet. Ze hoopte dat ze alles netjes recht kon breien, en het erop laten lijken dat Billy het verkeerd had begrepen, want ze was een beetje bang dat hij nijdig zou zijn. Billy Nolan zou het niet erg prettig vinden als hij erachter kwam dat hij onder valse voorwendselen een avond met Bina opgescheept zat.

'Goh, ik moet zo zweten, mijn topje wordt er nat van,' zei Bina. 'Ik ga naar het damestoilet om mijn make-up nog even goed te doen.' Ze stond op en liep langs de dikke buiken en springende mensen heen.

Michael kwam terug met de drankjes. Kate zag dat hij ook snacks had gehaald.

'Bina ziet er eh... anders uit dan de laatste keer dat ik haar zag,' zei hij.

'Nou, maar toen jij haar zag, had ze een hysterische aanval,' bracht Kate hem in herinnering.

'Dat bedoel ik niet,' reageerde Michael. 'Ze ziet er eh... opzichtiger uit.'

'Ze ziet eruit of ze in *Forty-second Street* speelt,' zei Kate. Ze besefte dat ze gespannen klonk. Ze legde haar hand op Michaels arm. 'Lief van je om mee te komen,' zei ze. 'Na wat Bina heeft meegemaakt, is het belangrijk dat ze een nieuw leven opbouwt.'

'Nou ja, het heeft niet lang geduurd voordat ze eroverheen was,' zei Michael. Hij ging zitten en pakte een kartonnen bekertje met fris. Even ergerde Kate zich. Gezien haar achtergrond was ze altijd op zoek geweest naar een man die niet te veel dronk, maar helemaal niet drinken was misschien net zo erg. Voor de eerste keer kwam het in haar op dat Michael misschien wel bang was niet alles in de hand te hebben.

Hij kneep in haar arm. 'Het was leuk je vorige week aan het werk te zien,' zei hij. 'Zoiets kun je natuurlijk overal doen. Je zou ook een eigen praktijk kunnen vestigen.'

'Ik vind het prettig op school,' reageerde ze afwezig. 'Daar krijg je meer feedback over gedragsveranderingen.'

Hij reageerde daar niet op. Kate keek van de toiletten naar de ingang. Ze hoopte dat dit belachelijke plan met Billy zou werken. Op dat moment kwam Billy Nolan binnen. Hij zag Kate nog voordat ze naar hem kon zwaaien en liep naar haar toe. Waarom was Bina nou nog niet terug, dacht Kate. Zo werd het extra moeilijk om hem duidelijk te maken met wie hij eigenlijk een afspraakje had. Wat deed ze zo lang in de toiletten, nam ze soms een douche of zo?

Kate stelde Billy aan Michael voor. Ze gaven elkaar een hand. Het viel Kate op dat Billy er uiterst aantrekkelijk uitzag. Hij droeg een oude zwarte spijkerbroek en een strak zwart T-shirt waardoor zijn atletische bouw goed uitkwam. Toen ze zijn armen zag, vermoedde ze dat hij nog geen twee procent lichaamsvet had. Echt narcistisch, dacht ze. Hij zou wel voortdurend aan fitness doen zijn om zulke spieren te ontwikkelen. Het amuseerde haar dat hij zijn eigen spullen had meegenomen. Het was minstens vijftien jaar geleden dat ze iemand had gesproken met een eigen bowlingbal.

Billy zette de zware tas op de stoel naast die van Kate. 'Rock and bowl!' zei hij terwijl hij haar iets te doordringend aankeek.

Haastig stond Kate op en tuurde om zich heen. 'Bina zal zo wel terug komen,' zei ze.

'Prima,' zei Billy, duidelijk niet geïnteresseerd in waar Bina was. Tot Kates ontzetting sloeg hij zijn arm om haar heen. 'Je ziet er goed uit,' zei hij, veel te intiem naar haar smaak.

Snel zette ze een stap opzij en ging dichter bij Michael staan, die was blijven zitten. Ze legde haar hand op zijn schouder. Even keek Billy verbaasd, toen ging hij zitten en trok zijn schoenen aan. Met een schuldig gevoel nam Kate naast Michael plaats. Als reactie op Billy's al te hartelijke begroeting sloeg die zijn arm om haar heen.

Billy keek op van zijn veters en keek hen allebei aan. 'Hebben jullie elkaar net leren kennen?' vroeg hij. 'Of zijn jullie soms familie?'

'Nee, we zijn al een tijdje bij elkaar,' antwoordde Michael onschuldig. Kate dacht dat ze Billy zag blozen, maar toen keek hij alweer naar zijn schoenen.

Op dat moment kwam Bina tot Kates grote opluchting terug. Ze zag eruit of een team van Max Factor alles op haar gezicht had gesmeerd wat ze in huis hadden. Echt iets om te gaan bowlen. Maar toen ze lachte, was het een warme lach. 'Hoi,' zei ze tegen Billy terwijl ze naast hem kwam zitten.

Billy keek van Kate naar Bina. Toen keek hij langs Kate, die veilig tegen Michael aan zat geleund. 'Ik was bang dat je niet zou komen,' zei Bina. Kate wendde haar blik af, maar niet snel genoeg. Aan Billy's gezicht te zien begreep hij nu wat er aan de hand was, en kennelijk was hij daar niet blij mee. Ze kon er alleen maar het beste van hopen.

'Oké,' zei Kate en ze ging op het plaatsje achter het scorebord zitten. Ze voerde de informatie in, en daar verschenen hun namen op het scherm – Michael en zij tegen Bina en Billy. 'Zo, we kunnen beginnen.'

'Ja,' zei Billy met een blik op het scherm. 'Maar waar beginnen we aan?'

Kate dacht dat ze woede in zijn stem hoorde, of misschien klonk het verbitterd, maar ze dacht dat ze daar beter geen acht op kon slaan.

'We kunnen nog niet beginnen,' jammerde Bina. 'Ik heb geen bal.' Ze keek naar Billy op en deed alles, behalve met haar wimpers werken. 'Help je me alsjeblieft?' vroeg ze. Toen likte ze haar lippen. Kate vroeg zich af of ze Elliots aanwijzingen door de war had gehaald en hem probeerde af te schrikken.

Billy wierp Kate een veelzeggende blik toe. Daarna pakte hij Bina's hand en nog steeds met zijn blik op Kate gericht stond hij op. 'Tuurlijk,' zei hij. 'Ik weet niet veel van ballen behalve die van mijzelf, maar ik doe mijn best. Al heb ik het idee dat sommigen elkaar de bal niet eerlijk toespelen.'

Kate bloosde. Ze herkende dit soort gedrag, dat zag ze ook bij haar kleine cliënten. Hij zou het haar betaald zetten dat ze hem om de tuin had geleid. Billy en Bina liepen weg, en Michael wachtte totdat ze buiten gehoorsafstand waren.

'Enig, hoor,' zei hij. 'Denk je dat hij in de loop van de avond nog andere lichaamsdelen bespreekt?' Hij ging naast Kate bij het scorebord zitten. 'Ken je hem al lang?' vroeg hij, onbewust dezelfde vraag stellend als Billy.

Tot Kates verrassing deed het haar deugd dat hij zo bezitterig was. 'Och, hij sprak Bina aan op die bruiloft waar ik toen was,' antwoordde ze.

'Aardige jongen. Met een goede uitrusting,' was alles wat Michael erover kwijt wilde.

Even later kwamen Billy en Bina terug. Bina had een afschuwelijke bowlingbal, blauw met fuchsiarode stippen. 'Eindelijk een bal gevonden die bij mijn sjaaltje past!' vertelde Bina enthousiast. 'Billy heeft me geholpen.' Kate weerhield zich ervan haar hoofd te schudden. Bina deed net of het uitzoeken van een bal gelijkstond aan een draak verslaan. Bina tilde de monsterlijke bal op en liet die toen bijna vallen. Ineens herinnerde Kate zich hoe onhandig Bina kon zijn. 'Kluns, smuns,' zei mevrouw Horowitz altijd. 'Zolang je maar mooie cijfers haalt.' Bina probeerde haar mollige vingers in de gaatjes te krijgen.

Ondertussen ritste Billy zijn tas open en haalde daar een veel betere zwarte bal uit. 'Kijk,' zei hij met opgelegd sarcasme. 'Mijn bal past ook bij wat ik aanheb!'

Kate, die Bina's gevoelens niet wilde kwetsen, besloot daarop te reageren. 'Nou ja, jij bent helemaal in het zwart, en je hebt je eigen bal meegenomen.'

Billy wierp Kate een gemaakte lach toe. 'Dat maakte het inderdaad minder tot een uitdaging.' Hij richtte zich tot Michael. 'Zeg Mike, wat heb jij voor bal?'

'Tien pond,' antwoordde Michael. 'En ik word liever Michael genoemd,' voegde hij er droog aan toe.

Kate zag dat hij zijn ogen tot spleetjes kneep. Het was wel duidelijk dat hij zich niet amuseerde. Maar het was ook duidelijk dat hij aanvoelde dat er tussen Billy en haar iets speelde.

Bina pakte haar cola. 'Ik heb niet meer gebowld sinds het partijtje van Annie Jackson. Dat was nog op de basisschool. Weet je nog, Katie?'

'Hoe zou ik dat kunnen vergeten?' reageerde Kate met een glimlach. 'Ik had te veel Pop Rocks op en kotste mezelf helemaal onder.'

'O ja!' kirde Bina. 'Walgelijk was dat.' Ze keek naar Billy en likte haar lippen weer.

Billy kwam ook bij het scorebord staan. 'Och, ik weet niet,' zei hij en zette zijn voet precies naast die van Kate, op haar veter. Kate trok haar voet terug en de veter ging los. 'Sommige vrouwen zien er fraai uit in hun eigen kots.' In verwarring gebracht zette Kate haar voet op de stoel en knoopte de veter weer vast.

'Nou, zulke dingen zie je vast vaak genoeg,' zei ze, en tegen Michael: 'Billy werkt in een bar.'

'Veel kans met al die dronken vrouwen,' zei Billy. 'Wat jij, Mike?'

'Michael,' verbeterde Michael. 'En ik heb daar geen ervaring mee.'

'Nou, ik heb mijn eigen bar, dus ik heb vast ook meer ervaring,'
reageerde Billy koel.

Het verbaasde Kate dat Billy de eigenaar van de Barber Bar was
– als dat al zo was.

Billy keek haar even aan, toen sloeg hij zijn arm om Bina heen.

'Ik heb denk ik wel met meer dingen meer ervaring,' zei hij.

24

'Au!' gilde Bina. 'O, au!' Ze schudde haar hand alsof het een slap visje aan een hengel was, toen stopte ze haar wijsvinger in haar mond. Kate had niet opgelet, maar toen Bina haar bal wilde oppakken nadat die was geretourneerd, was er net een andere bal uitgespuugd door de machine en had ze haar vinger tussen de twee ballen gekregen.

Billy pakte haar hand en boog zich eroverheen. 'Gaat het?' vroeg hij.

Kate wendde zich af en keek naar Michael, die naast haar zat. Toen ze dit belachelijke plan ten uitvoer had gebracht, had ze gedacht dat Billy boos zou worden en moeilijk zou doen. Ze had aan Bina's teleurstelling gedacht. Maar ze had niet aan Michael gedacht, en het effect dat een avondje bowlen in Brooklyn op hem kon hebben. Ze sloeg haar arm om hem heen. Hij was stiller dan normaal en kennelijk van slag omdat hij er niet veel van terechtbracht. Michael was niet supersportief, maar hij was fit en speelde regelmatig squash, en ze wist dat hij een tegenstander van formaat was. Hij hield er niet van te verliezen.

Kate keek op het scorebord, daarna liet ze haar hoofd op zijn schouder rusten. 'Wat maakt de stand nou uit?' suste ze, en ze besefte dat ze ook zo tegen haar cliëntjes sprak. 'Vind je het wel leuk?'

Michael negeerde die vraag omdat het overduidelijk was dat hij het niet naar zijn zin had. 'Niet te geloven dat ik op de derde plaats sta,' zei hij hoofdschuddend. Kate vroeg zich af of ze expres mis moest gooien zodat Michael nog een tweede plaats kon behalen, maar ze wist dat de score van Bina en haar er niet toe deed.

Michael was uit zijn humeur omdat Billy hem versloeg, en ruim ook.

Billy kwam bij hen staan. Hij pakte zijn drankje en keek hoofdschuddend naar het scorebord. 'Gaat niet zo goed, vanavond,' zei hij, maar Kate dacht dat ze hem zelfvoldaan zag lachen toen hij Bina hielp zich voor te bereiden op een bal die ongetwijfeld weer in de goot zou belanden.

Kate besloot niet naar hen te kijken en richtte zich weer tot Michael. Ze voelde zich voor hem verantwoordelijk en ze vond het vervelend dat hij van streek was. Als ze echt helemaal eerlijk was, moest ze toegeven dat ze het ook rot vond dat Billy hem de baas was. Ze hield zichzelf voor dat ze zich daar niets van moest aantrekken, en dat het heel normaal was voor Michael om zich zo te voelen; dat was een overblijfsel uit de tijd dat *Homo sapiens* nog strijd moest leveren om het hoogste mannetje te zijn. 'Veel mensen verwarren een sportieve prestatie met iets persoonlijks,' zei ze.

'Ja hoor, wanneer de Cubs verliezen, stort mijn wereld in,' reageerde Michael. Het klonk bijna als een snauw.

Michael kwam uit Chicago, en eigenlijk was hij helemaal geen fan van de trieste Cubs. Maar dit waren niet de Cubs die het opnamen tegen een beter team. Dit was Michael tegen Billy Nolan. En Michael kreeg ervan langs!

'Zo moeilijk is dit niet, echt ongelooflijk dat ik nog geen strike heb gemaakt.'

'Och, het is maar voor de lol,' bracht ze hem in herinnering. 'Het is maar bowlen.' Ze gebaarde naar Bina die bij de streep stond te treuzelen. 'Trouwens, erger dan Bina kan het niet.'

Billy, die een slok van zijn bekertje fris nam, had het gehoord en grijnsde breed. 'Naar de kegels kijken, Bina,' moedigde hij haar aan. Daarna zette hij zijn beker neer. 'Wacht!' riep hij. Hij liep naar haar toe, ging achter haar staan en legde zijn armen om haar heen zodat ze een betere houding aannam.

Kate voelde een steek van jaloezie, al wilde ze dat niet bekennen. Geholpen door Billy liet Bina de bal gaan – deze keer met haar ogen dicht. Allemaal keken ze naar de bal die over het midden van de baan rolde en wonderlijk genoeg alle kegels omkegelde. Kates mond viel open, en Michael zag er gepikeerd uit. 'O god! O god! Raak! Ik heb ze allemaal geraakt!' schreeuwde Bina. Ze deed een triomfdansje met haar armen in de lucht waardoor een groot deel van haar fuchsiarode slipje onder het zwarte rokje zichtbaar werd. Kate zag dat andere mensen naar haar keken en lachten, en hun duimen naar haar opstaken.

'Touchdown!' juichte Bina. Ze omhelsde Billy en rende daarna naar Kate. 'Katie, ongelooflijk, hè?' riep ze terwijl ze Kate bij de arm greep en op en neer sprong. 'Ik had ze allemaal!' Toen zwiepte ze haar armen opzij, waardoor ze per ongeluk het bekertje bier uit Kates hand stootte zodat het bier over Michaels hemd stroomde.

'Bina, vanavond lukt het je goed om dingen om te gooien,' zei Kate terwijl Michael verschrikt opsprong.

'Het spijt me,' zei Bina blozend tegen Michael. Ze pakte het vochtige doekje van Bowl-A-Rama dat op het scorebord lag. Michael hield zijn hemd van zijn buik af, zijn ellebogen wijd alsof hij een haan nadeed. Kate zag dat niet alleen zijn hemd nat was geworden, maar ook zijn broek. Toen Bina zonder veel succes met het doekje zijn hemd en zijn kruis droog begon te deppen, zette Michael een stap naar achter.

'Nee, laat me nou,' zei Bina. 'Ik krijg het wel in orde. Sodawater op het hemd, en sodawater en zout op je broek.'

Kate glimlachte ondanks Michaels ontzetting. De familie Horowitz wist alles van vlekken verwijderen: wijn in linnen, ballpoint in zijde, teer op leer. De lijst was eindeloos en werd vaak besproken. Kate pakte Michael bij de arm. Hulpeloos keek hij haar aan.

'Snel,' zei Bina en pakte zijn andere arm. 'We moeten opschieten voordat de vlek intrekt. Echt, dat weet ik.'

'Ze heeft er inderdaad verstand van,' zei Kate en knikte hem toe.

'Het doet er niet toe,' zei Michael, maar toen keek hij naar zijn hemd en broek.

'Ga maar met haar mee,' zei Kate.

'Ja, dan maken we je weer toonbaar,' zei Bina en ze nam hem met zich mee.

Kate keek hen na, en ze had echt spijt dat ze hem had meegevraagd. Michael verdween in de menigte als een schip met averij dat door een vastbesloten sleepbootje wordt voortgetrokken. Kate zuchtte.

'Mike heeft zijn dag niet.'

Ze draaide zich naar Billy om, die met zijn benen over elkaar geslagen tegen een bankje leunde. Hij trok zijn wenkbrauw op.

'Speelt niet erg goed.'

'Alleen maar omdat hij op de derde plaats staat –' begon Kate.

'Laatste plaats,' corrigeerde hij haar.

'Pardon?' vroeg Kate. Billy wees naar het elektronische scorebord. Hij kwam dichter bij haar staan. Ze voelde zijn arm tegen haar schouder. Ze kreeg het er helemaal warm van, en ze kon alleen maar hopen dat hij niet zag dat ze bloosde.

'Laatste plaats,' herhaalde hij en hij tikte tegen het scorebord. 'Na Bina's strike staat hij op de laatste plaats.' Kate voelde zich licht in het hoofd worden. Billy Nolan stond zo dichtbij dat ze kon ruiken welke zeep hij gebruikte, en ze voelde zijn lichaamswarmte. Even had ze de neiging haar ogen te sluiten en zich in zijn armen te storten. Maar in plaats daarvan deed ze een stap naar achteren en pakte een bowlingbal op.

'Je bent alleen maar jaloers,' zei ze zonder erbij na te denken. Zelf wist ze ook niet goed wat ze daarmee bedoelde.

Hij draaide zich naar haar om. 'Inderdaad,' zei hij.

'Ja?' vroeg ze. Ze kon zich niet zo goed in de hand houden als hij, en ze was verbaasd omdat hij dat zomaar durfde toegeven.

'Ja,' zei Billy. En veel minder nonchalant voegde hij eraan toe: 'Ik had de indruk dat ik een afspraakje met jou had. En dat wist je. Je hebt me erin geluisd, en ik kan nog bijna niet geloven dat ik erin ben getrapt, of dat jij zo'n geniepig spelletje speelt.'

Kate liet de bal in de ballenbak terugvallen. Ook al had hij gelijk, ze was toch verontwaardigd. Ze had het met de beste bedoeling gedaan, en wie was hij om zich moreel haar meerdere te voelen?' 'Je hebt een afspraakje met mijn beste vriendin,' reageerde ze, in de verdediging gedrukt.

'O ja?' beet hij haar sarcastisch toe. 'Dacht je dat?'

'Ja,' loog Kate. 'En je hebt mijn vriend beledigd, en nu ben je kwaad op mij. Wat mankeert jou?'

'Nou, ten eerste maak ik zelf wel uit met wie ik afspraakjes maak,' zei Billy. Hij nam haar van top tot teen op, toen ging hij zitten en sloeg zijn benen over elkaar. 'En met Bina zou ik nooit afspreken,' zei hij ronduit.

Kate voelde zich plaatsvervangend beledigd. Ze was er al bang voor geweest dat zoiets zou gebeuren, en nu vreesde ze dat Billy een rotopmerking tegen Bina zou maken. Inwendig verwenste ze Elliot, Barbie en het hele stel. Het was gevaarlijk om in andermans leven in te grijpen, en nu moest zij boeten voor hun stommiteit. 'Dat is knap beledigend,' zei ze.

'Beledigend? Mag ik niet boos zijn omdat je me erin hebt laten lopen? Ik zeg alleen maar wat ik ervan vind,' zei hij.

'Daarom zegt iedereen natuurlijk ook wat ze van jou vinden,' snauwde ze.

'Wat bedoel je daarmee?' vroeg Billy, die nu rechtop ging zitten.

Met moeite hield ze zich in bedwang. Ze wilde niet dat Bina werd gekwetst, ze moest zich hieruit zien te draaien. Ze wendde haar blik af. 'Nou, iedere vrouw in Brooklyn, behalve misschien die van Brooklyn Heights, kent je reputatie,' zei ze terwijl ze haar tas pakte.

'Wat voor reputatie?' vroeg Billy. Hij stond op en kwam achter haar aan. Toen ze niets zei, legde hij zijn hand op haar schouder en trok haar naar zich toe. 'Wat voor reputatie?' vroeg hij weer.

'Dat weet je toch zelf ook wel? Je weet toch dat ze je Dumping Billy noemen?' reageerde Kate geërgerd.

'Dumping Billy? Hoezo?'

Kate keek naar hem op. Hij was lang, zeker tien centimeter langer dan zij. Ze zag dat hij gekwetst keek, kennelijk had hij die bijnaam nooit eerder gehoord.

'Waarom noemen ze me zo?' vroeg hij.

'Omdat je altijd al je vriendinnetjes dumpt.' Kate keek in de richting van de bar en de toiletten daarachter. Wanneer kwamen Michael en Bina nu eens terug? Ze kreeg genoeg van dit gesprek, ze wilde alleen nog maar het beste van de verpeste avond maken.

'Ik dump niemand,' zei Billy. Voor de eerste keer ging hij in de verdediging. 'Ik bedoel, er zijn nogal wat relaties uitgeraakt, maar ik dump niet.'

'Ach, toe nou,' reageerde Kate. 'Mijn vriendinnen kennen tientallen vrouwen die je hebt gedumpt. En ik heb die naam niet verzonnen. In ieder geval, jouw gedrag is bijna pathologisch.'

'Wat?' vroeg Billy op hoge toon. Blijkbaar was hij nu echt woedend.

Kate besefte dat ze te ver was gegaan, en dat de avond nu definitief verpest was, maar toch ging ze door. Geërgerd haalde ze diep adem en zei toen langzaam en duidelijk: 'Pa-tho-lo-gisch. Dat wil zeggen –'

'Een abnormale afwijking van wat als gezond wordt beschouwd,' maakte hij de zin voor haar af.

Verrast knipperde ze met haar ogen. Billy drong zich langs haar heen, pakte zijn tas en draaide zich naar haar om.

'Het wil ook zeggen dat ik hier weg ben. Het spijt me dat ik Bina moet dumpen, want ik had liever jou gedumpt. Maar gelukkig maakt je vriend Michael nu weer kans op de derde plaats.'

Even later was hij weg. Helemaal alleen stond Kate bij hun bowlingbaan terwijl ze zich afvroeg wat ze moest zeggen wanneer Bina en Michael terugkwamen.

25

De volgende ochtend zat Kate in haar kantoortje tegenover een jong meisje. Tina, een druk kind uit groep vijf zat met een verband om haar arm op een van de kleine stoeltjes. Tina bezeerde zich keer op keer, en Kate dacht niet dat dat kwam omdat ze zo onhandig was, of dat het met zelfverminking te maken had. Ze dacht dat Tina waarschijnlijk last had van dwangmatig handelen; om de een of andere reden zocht ze voortdurend de uitdaging, ze had de spanning nodig. Dit ziektebeeld werd op haar terrein niet door iedereen aanvaard, maar Kate zag er wel wat in.

Al een uur was ze met dit kind in gesprek, en ze dacht dat ze vooruitgang boekte. 'Dus je doet dat niet nog eens?' vroeg ze Tina. Met een lach keek Tina op. 'Nee,' zei ze, en ze voegde eraan toe: 'Behalve als Jason me uitdaagt.'

'Als hij je durft uit te dagen van het dak te springen...' Kate zweeg. Hoe kwam ze daar nu bij? Dat was iets wat haar vader gezegd kon hebben. Ze lachte, deed haar ogen bijna dicht en boog zich naar Tina toe, het meisje dat tegen geen enkele uitdaging nee kon zeggen. 'Ik daag je uit om dat niet te doen,' zei ze. 'Ik wed dat je alles doet wat Jason zegt.'

'Nietes,' zei Tina.

'Ik daag je uit om nee te zeggen,' zei Kate.

Ze wist niet zeker of het wel zou werken. Misschien sprong Tina wel echt van het dak... Net op dat moment ging de bel waardoor ze uit haar gedachten werd gerukt. 'Volgende keer hebben we het over je vriendschap met Jason, oké?' zei ze.

Tina knikte, stond op en huppelde het kantoortje uit.

'Ik zei toch dat het niet zou werken,' zei Kate langzaam en duidelijk zodat het misschien eindelijk tot Elliot zou doordringen. 'Het was niks. Het werkte van geen kanten. Het heeft geen zin. Het is onmogelijk.'

'Weet je dat wel zeker?' vroeg Elliot.

Ze keek hem veelbetekenend aan. Ze waren op weg naar het fitnesscentrum Crunch dat leuke reclamespotjes op tv had met als slagzin: Wij vellen geen oordeel. Maar Kate zelf was in de stemming om heel wat oordelen te vellen. Zelfs voor zijn doen zag Elliot er vreselijk uit. Ze liepen over Eighth Avenue, en hij droeg een slobberige korte broek, een gescheurd T-shirt en een vissershoedje met een madrasruitje dat zeker uit een kringloopwinkel kwam. Hij had ook nog twee verschillende sokken aan. 'Weet je,' zei Kate om van onderwerp te veranderen, 'je ziet eruit of je net uit een psychiatrische kliniek bent ontslagen.'

'Dank je,' reageerde Elliot. 'Dat wilde ik nu net bereiken. Brice heeft me erbij geholpen.'

Onwillekeurig moest Kate lachen. Hoe zo'n onbenul op het gebied van mode iets kon hebben met een stijlvolle man als Brice ging haar boven haar pet. Maar ze waren een gelukkig stel met genoeg gemeenschappelijke interesses om een plezierig leven te leiden, en ze hadden respect voor elkaar en voor de punten waarop ze verschilden. Ze kon zich nauwelijks voorstellen dat Brice Elliot in deze kleren de deur uit liet gaan, maar waarschijnlijk had hij lachend zijn schouders opgehaald en Elliot even geknuffeld. Toen rees het beeld voor haar op van Michael in zijn sportieve jasje. Dat Michael incorrect gekleed in de bowling was verschenen, was nog geen reden om hem te veroordelen, maar toch deed ze dat.

'Ik wil precies weten wat er is gebeurd, zin voor zin, woord voor woord. Dus echt alles.' Ze sloegen 18th Street in, en Kate keek Elliot met een vijandige blik aan.

'Als je denkt dat ik gisteravond nog eens wil beleven, dan heb je het verkeerd.' Ze stonden voor de deur van het fitnesscentrum. 'En je warming-up mag je alleen doen.'

Ze waren allebei lid van Crunch geworden zodat ze samen konden trainen en elkaar konden dwingen door te zetten. Meestal ging dat goed, maar Kate had geen zin om de vorige avond in detail door te nemen. Feit was dat ze zich schaamde, zowel voor het trucje dat ze had toepast als voor haar gedrag. Maar dat hoefde Elliot niet te weten. Bij de deur van de dameskleedkamer zei ze: 'Zoek het maar uit. Ik ga op zoek naar een kerel om mee te trainen.'

Nadat ze haar trainingsbroek en gemakkelijke topje had aangetrokken, draaide ze haar haar in een los knotje. Ze stopte haar spullen in een kluisje en ging de kleedkamer weer uit. Elliot stond nog waar hij was.

'Hé, toe,' zei hij alsof ze niet tien minuten was weggeweest. 'Je vertelt me nooit meer iets.'

'Verdorie,' reageerde ze geërgerd. Maar ze kon het hem niet weigeren, en daarom vertelde ze hem alles over die vreselijke avond; dat Barbie Bina in een showgirl uit Las Vegas had veranderd, dat Billy had gedacht dat hij een afspraakje met Kate had en niet blij was toen hij erachter kwam dat het met Bina was, en dat ze aan het eind ruzie hadden gekregen.

Tegen die tijd waren ze bij de matten, en Kate nam een grote blauwe bal van plastic voor haar warming-up. Ze boog zich achterover om haar buikspieren te rekken. Het stretchen voelde prettig, en ze haalde diep adem. Eigenlijk hield ze alleen van stretchen, en na de vorige avond en deze dag had ze zoiets echt nodig.

Brian Conroy ging vooruit en kon nu om het verlies van zijn moeder huilen, maar ze had een nieuw cliëntje, Lisa Allen, dat naar haar toe was gestuurd omdat ze 'zich in zichzelf terugtrok.' En ze had Tina Foster voor de tweede keer bij zich gehad omdat ze op een belachelijke uitdaging was ingegaan en van de muur rond het schoolplein was gesprongen. Kate slaakte een diepe zucht.

Zij en Elliot hielden elkaars handen vast en bogen zich van elkaar weg om hun rugspieren te rekken. Ze gingen al zeven maanden samen naar het fitnesscentrum en hadden een vaste routine opgebouwd. Ze trokken aan elkaar – eerst de armen, daarna de benen – met de bal tussen hen in. 'Weet je,' zei Elliot, 'Bev heeft me over gisteravond verteld, en zij had het weer van Bina.'

'Heeft Bev je gebeld?'

'Ja, we zijn al goede maatjes. Ik wil peetvader van haar kind worden.'

'O nee,' reageerde Kate. Het ergerde haar dat Elliot werd opgenomen door haar vriendinnen uit Brooklyn, en het stak haar dat Bev zich overal mee bemoeide. 'Kijk, ik dacht al dat Billy Bina niks zou vinden. Hij neemt het me kwalijk dat ik hem heb gemanipuleerd, en schrik niet, maar hij wil nooit meer met Bina uit, ook al kleedt Barbie haar, doet Brice haar kapsel en maak jij plannetjes. Ik mag hem niet, hij is niet aardig.'

'Jij hoeft hem niet te mogen,' zei Elliot. 'En ik hoef hem ook niet aardig te vinden. Zelfs Bina hoeft dat niet. Ze hoeft alleen maar twee komma vier maanden met hem te gaan. Dat is een week of tien, zeventig dagen zo'n beetje.'

'Maar hij moet Bina wel leuk vinden,' wees Kate hem terecht. 'En dat is niet het geval. Punt, uit.'

'Dat weten we nog niet,' zei Elliot moeizaam met uitgestrekte nek terwijl hij zich achteroverboog.

'Hoezo niet?' vroeg Kate die langzaam overeind was gekomen.

'Nou, zoals jij het vertelt, lijkt het of hij eerder ruzie met jóu had,' antwoordde Elliot.

'Ja, nou en?'

'Jij bent het probleem, niet Bina.' Hij keek haar ernstig aan.

'Elliot, vertrouw me nu maar, het klikt niet tussen hen.'

'Kate, van wat jij me hebt verteld en van wat Bev zei dat Bina heeft gezegd, denk ik dat gisteravond de openingszet was. Feit is dat je hem om de tuin hebt geleid. Daar is hij boos om, hij mag je niet, maar het kan zijn dat hij Bina aardig gaat vinden als hij de kans krijgt – in ieder geval lang genoeg om drieënzeventig dagen met haar te gaan.'

'O, Elliot, doe niet zo mal,' snauwde Kate. Ze liet zijn handen los en meteen viel hij met een plof met zijn billen op de mat. 'Bedoel je dat het mijn schuld is dat het een fiasco werd?' Langzaam stond Elliot op en wreef over zijn achterste. 'Ja, dat bedoel ik. Dat, en het feit dat je hem je excuses verschuldigd bent.' Verwonderd staarde ze hem aan. 'Je bent niet goed bij je hoofd,' reageerde ze. 'Ik ga echt mijn excuses niet aanbieden aan die verwaande, arrogante...' Ze draaide zich om en liep weg. 'Je vindt hem leuk, hè?' zei Elliot.

Abrupt bleef ze staan, draaide zich terug en staarde hem aan. 'Nietes!' zei ze. Elliot haalde zijn schouders op. 'Ik vroeg het alleen maar,' zei hij. 'Ik heb je alleen nooit zo over Michael zien doen.' Hij sloeg zijn handdoek over zijn schouders en slenterde naar de loopbanden.

'Laat Michael erbuiten,' snauwde Kate. Ze haalde diep adem. Elliot kende haar beter dan wie ook en wist precies hoe hij haar op stang moest jagen. Maar ze zou er niet in trappen. Terwijl ze keek hoe hij het programma voor de loopband instelde, zijn rug naar haar toe, analyseerde ze de gebeurtenissen en haar gevoelens van de vorige avond. Misschien was ze inderdaad de katalysator en het struikelblok geweest. Als zij niet in de weg had gestaan, was Billy misschien wel in Bina geïnteresseerd. Hij leek afspraakjes te hebben gehad met iedere vrouw ten oosten van Court Street. Maar ook als ze het er niet goed vanaf had gebracht, was dat met de beste bedoelingen geweest. Ze ging op de loopband naast die van Elliot staan en voerde haar eigen gegevens in.

Terwijl ze ging lopen, zei ze: 'Als jij en Bina erin geloven, zal ik kijken wat ik kan doen. Maar ik kan er niet voor zorgen dat hij afspraakjes met haar maakt.' En zeker niet dat hij twee komma vier maanden met haar blijft omgaan, dacht ze erbij. Ik denk niet dat hij hapt. Ineens bleef ze staan, en werd bijna van de band gerold.

'Heb je iets bedacht, of ben je gewoon een kluns?' vroeg Elliot toen ze weer gelijk op met hem liep.

'Misschien,' zei Kate. 'Maar ik bied hem niet graag mijn excuses aan. Moet dat?'

'Kate,' zei Elliot geduldig. 'Je hebt weinig keus. Het doet er niet toe of je in ons "belachelijke" plan gelooft. Bina gelooft erin, en jij bent haar beste vriendin en jij hebt Billy kwaad gemaakt. Je moet je excuses aanbieden.'

Verdorie, dacht Kate, het is wel erg dat Elliot altijd gelijk heeft.

26

Dinsdagochtend stond Kate in de slaapkamer voor de grote spiegel en hield een modieuze, maar toch gedistingeerde blouse op. Die beviel haar niet en ze gooide hem op de stapel andere afgekeurde kledingstukken die al op bed lagen. 'Wat moet ik aan?' vroeg ze haar spiegelbeeld. Ze draaide zich om en dacht na. Wat maakte het ook uit? Billy betekende niets voor haar, ook al was hij nog zo aantrekkelijk. Ze zocht in de kast naar het groene topje met de rolkraag dat haar zo goed stond. Toen ze het van de hanger plukte, bedacht ze zich. Ze dacht veel vaker aan Billy Nolan dan goed voor haar was. En hij kende haar al, ze hoefde niet opnieuw indruk op hem te maken, als dat al mogelijk was.

Ze haalde diep adem en keek zichzelf in de spiegel recht aan. 'Hallo,' zei ze, alsof ze het tegen iemand anders had. 'Billy, ik wil je mijn excuses voor laatst aanbieden...'

Ze knarsetandde. Dit was moeilijker dan ze had gedacht. Ze dacht aan de kinderen die ze had gevraagd een rollenspel te spelen; kinderen die tegen vaders moesten praten die het gezin in de steek hadden gelaten; kinderen die er genoeg van hadden steeds op hun kop te krijgen; kinderen die moesten leren vragen om wat ze wilden. Nu was het haar beurt, en dat viel niet mee.

De telefoon ging, en ze was blij met de afleiding totdat ze zag wie het was. Om de een of andere reden had ze helemaal geen zin om met Michael te praten, en het was vreemd dat hij haar op een werkdag belde. Tegen haar zin nam ze op.

'Hoi,' zei hij opgewekt. 'Heb ik je wakker gemaakt?' Kate stelde hem gerust dat dat niet het geval was. 'Misschien kunnen we vanavond iets doen.'

Kate begreep er niets van. Ze zagen elkaar nooit op dinsdag, altijd op woensdag. 'Is er iets?' vroeg ze.

'Ja, ik mis je,' zei hij.

'Ik jou ook,' reageerde ze automatisch. Tot haar verrassing merkte ze dat dat helemaal niet zo was. Maar waarom niet? Zou ze Michael wel missen als ze niet zo met Billy bezig was? Die gedachte verontrustte haar. Nee, natuurlijk niet, dat was belachelijk. 'Het spijt me, maar... ik moet vanavond een paar boodschappen doen.'

'O. Oké. Maakt niet uit. Tot morgen dan maar.'

'Ja,' zei Kate. 'Tot morgen.' Ze hing op, zuchtte, en ging verder met waar ze mee bezig was.

Later die dag, na school, kwam Kate bij de Barber Bar aan, keurig gekapt alsof ze een groot bedrijf wilde overnemen. Ze was rechtstreeks met de ondergrondse hiernaartoe gegaan. Het was stilletjes en de bar zag er gesloten uit, maar toch klopte ze op de deur. Er klonk een vrouwenstem.

'We gaan pas open om...' De deur zwaaide open en een lange, magere vrouw van achter in de dertig stond voor haar. Ze droeg een oude spijkerbroek en een afgeknipt topje. Met haar schort wreef ze een glas op terwijl ze Kate achterdochtig opnam. 'Zeg, als je verdwaald bent, ik ben leesblind, dus ik kan je de weg niet vertellen. En alleen klanten mogen hier naar het toilet.' Ze wilde de deur weer dichtgooien, maar Kate hield hem tegen. De vrouw keek nog eens goed. 'Die rooie,' zei ze, alsof ze alles van haar wist.

'Pardon?' vroeg Kate. Was haar reputatie haar vooruit gesneld? 'Ik ben eigenlijk op zoek naar iemand die hier werkt... Billy Nolan.' Ze bloosde en dacht aan al die vrouwen die hier voor de deur moesten hebben gestaan om hetzelfde te zeggen.

'Tuurlijk,' zei de vrouw vermoeid. 'Maar hij is hier pas tegen zessen.'

Kate keek op haar horloge. Ze zou twee uur moeten wachten. Geërgerd slaakte ze een zucht. 'Nou, in ieder geval bedankt,' zei ze en liep weg. Ze moest in deze rotbuurt maar naar iets zoeken waar ze koffie kon drinken.

Maar voordat ze drie stappen had kunnen zetten, riep de vrouw haar na: 'Hé! Jij bent degene die hem heeft verteld hoe ze hem noemen!'

Kate draaide zich om en knikte. 'Dumping Billy,' zei ze. 'Zo noemen ze hem toch?'

'Ja, maar dat wist hij nog niet.' Ze lachte. 'Vond hij niet zo leuk.' Ze nam Kate nog eens goed op.

'Nou, ik kom straks wel terug,' zei Kate. In ieder geval had ze toch nog indruk op die arrogante kwast weten te maken. Dat zou haar helpen op haar missie.

'Als je hem nu meteen wilt spreken, hij woont hierboven.' Ze wees op de bel aan de andere kant van de deur.

'O, ik kom een andere keer wel terug om –'

Maar voordat Kate uitgesproken was, had de vrouw al op de bel gedrukt en in de intercom geschreeuwd: 'Hé, Billy! Bezoek voor je! Je mag raden. Het is een vrouw!'

'Bedankt, Mary,' kwam Billy's stem door de intercom. 'Ik doe wel open.'

Kate lachte Mary flauwtjes toe. 'Bedankt,' zei ze, al wist ze niet zeker of ze het wel meende.

'Graag gedaan, Rooie,' reageerde het barmeisje.

'Ik heet Kate,' zei Kate.

Er verscheen een brede glimlach op Mary's gezicht. 'O, Kate...' zei ze veelbetekenend voordat ze weer naar binnen ging.

De deur ging open. Kate voelde even aan haar haar en ging naar binnen. Ze liep de trap op naar de overloop op de eerste verdieping. Daar stond een deur open. Ze keek in de kamer. Die zag er helemaal niet uit zoals ze had verwacht. Het was geen typisch vrijgezellenhuis met pizzadozen en meubels die eruitzagen of ze van de vuilnis waren gehaald. Er was een glanzende houten vloer, een versleten maar leuk Perzisch kleed, een oude bruinleren bank, en enorme boekenkasten die twee muren besloegen.

Voor een openstaand raam, naast een van de boekenkasten, was een bankje gebouwd. Ze zag een boom en een stukje lucht, maar de wapperende witte gordijnen benamen het meeste zicht. Het zag er erg leuk uit en veel huiselijker dan Kate van Billy Nolan had verwacht.

Billy zat achter een mahoniehouten bureau, met zijn rug naar haar toe. Hij staarde gebiologeerd naar het scherm van een laptop. Kate liep naar binnen en keek om zich heen. Haar verbazing groeide. Bijna de helft van de boeken op de planken waren Frans, en ze zag nu ook twee gravures van Daumier. Deze kamer is door een vrouw ingericht, dacht ze. Ze zei: 'Hoi.'

Billy bleef naar het beeldscherm kijken. 'Wacht even, wacht even. Ik haal mijn e-mail op,' was alles wat hij als begroeting zei.

'Dit hoeft niet lang te duren,' begon Kate. Met een ruk draaide Billy zich om. Er viel een ongemakkelijke stilte.

'Ik w-wist niet dat jij het was,' stotterde hij. 'Ik dacht dat het het n-nieuwe barmeisje was dat kwam solliciteren.'

'Voor dat baantje ben ik niet opgeleid,' zei Kate, en meteen had ze haar tong wel kunnen afbijten. Het klonk uit de hoogte, en dat was niet haar bedoeling geweest.

Billy stond op. 'Dus je bent hier alleen naartoe gekomen om werk af te slaan, of zit er meer achter dit onverwachte genoegen?' vroeg hij.

Ze stonden tegenover elkaar, de bank tussen hen in. De sfeer was gespannen. Kate vroeg zich af of ze beter meteen met haar excuses op de proppen kon komen en daarna haar voorstel doen, of dat ze beter eerst iets verzoenends kon zeggen. Alles wat ze inwendig had geoefend, leek nu misplaatst. 'Ik wilde...' begon ze.

'Ja?' Billy trok zijn wenkbrauwen op. Het was vervelend dat hij zo aantrekkelijk was, zelfs met zijn haar door de war, zijn hemd over zijn broek en de bovenste knoopjes open. Ze wendde haar blik af.

'Ik wilde mijn excuses maken omdat...' Dat klonk helemaal verkeerd. 'Ik wil mijn excuses aanbieden omdat ik je laatst niet de waarheid heb verteld.'

Billy lachte. 'Dat klinkt niet echt of je spijt hebt.'

'Ik begrijp dat je na wat er is gebeurd een hekel aan me hebt, maar daar gaat het nu niet om,' legde ze uit. Ze zette haar tas op het bureau.

'Nee?' vroeg Billy.

'Nee. Waar het om gaat, is dat Bina je leuk vindt,' zei Kate. Dit ging niet goed. Of ze was te direct, of ze was te indirect. Het ergerde haar dat ze het niet beter aan hem kon uitleggen. 'En ik denk dat jij haar ook graag zou mogen.'

'Ja?' smaalde Billy. 'En hoe weet jij wat mijn eventuele gevoelens zijn?'

'Kijk, het zijn mijn zaken natuurlijk niet, maar –'

'Precies,' zei hij en plofte op de Chesterfieldbank neer. 'Wat zijn je zaken dan wel?'

'Ik ben psycholoog,' zei ze.

Hij schudde zijn hoofd. 'Dat had ik kunnen weten,' mopperde hij. 'Alleen een psychiater is nog erger dan een psycholoog.'

'Wat weet jij daarvan?' vroeg ze. 'Heb je een psychiater én een psycholoog als vriendin gehad?'

'Nee, ik heb bij allebei gelopen. Lang geleden. En allebei waren het intellectuelen zonder inzicht.'

Ze vroeg zich af waarom een ezel als hij in therapie was geweest, maar ze vroeg er natuurlijk niet naar. Ze liep naar het zitje voor het raam.

'Ik vind dat Dumping Billy-gedoe niet echt fijn,' zei hij.

'Dat spijt me. Ik had het niet moeten zeggen, maar ik heb die naam niet bedacht. Kennelijk noemen ze je zo.'

'Ja, daar lijkt het wel op,' reageerde hij wrang. 'Alsof mijn persoonlijke leven hun zaak is.'

Dit was het moment om een goed woordje voor Bina te doen.

'Nou, daarom kwam ik eigenlijk langs. Ik heb er natuurlijk niets mee te maken, maar ik dacht dat Bina en jij... nou ja, je weet wel...

goed bij elkaar zouden passen. En dat zou... Nou ja, wat ik wou zeggen is eigenlijk wat ik al heb gezegd... Snap je?' Wat had ze dan gezegd, vroeg ze zich af. Nog nooit was ze zo slecht uit haar woorden kunnen komen.

'Nou, nee,' zei Billy met een glimlach omdat ze zich zo duidelijk niet op haar gemak voelde.

'O, ik wist wel dat je het me moeilijk zou maken!' Kate stond op en liep geërgerd naar de deur. Met kinderen kon ze veel makkelijker overweg. Of met Elliot. Of met Bina, zelfs met Michael. Waarom ging het met Billy dan zo moeizaam?

'Waarom zou ik met Bina uitgaan? Ik maak zelf wel uit met wie ik uit wil. En zij ziet eruit alsof ze op zoek naar een echtgenoot is,' zei Billy. 'Niet mijn type.'

Kate vond zijn spottende toon zelf niet zo erg, maar hij mocht haar vriendin niet beledigen! 'Dat slaat nergens op! Jij bent hier de loser!' schreeuwde ze bijna.

'Ik?' vroeg Billy. Hij stond op en kwam tegenover haar staan. 'Zeg, die bar is van mij, ik heb dit allemaal eigenhandig opgebouwd. En volgend jaar open ik een restaurant.'

'Jawel, maar kun je een relatie in stand houden?' vroeg ze vinnig.

'Met wie ik maar wil?'

'Niet met iedereen. Niet met mij,' reageerde ze fel. 'Je bent gewoon een provinciaal die nog nooit uit Brooklyn is weggeweest. Je bent alleen maar knap om te zien, maar vanbinnen stel je niks voor. Daarom verkeer je continu in conflict met jezelf. Daarom weet je zelf niet dat je een loser bent.' Ademloos en met verhit gezicht zweeg ze. Dit ging niet goed. Ze keek naar Billy die verbazend kalm was gebleven.

'Zeg je dat als psychologe of als bitch?' vroeg hij, zo kil dat het pijn deed.

Kate deed haar mond open om iets te zeggen, maar herinnerde zich toen waarom ze hier was. Ze liep naar het bureau, pakte haar tas en mompelde toen net hard genoeg dat hij het kon horen: 'Je zou het toch niet kunnen.'

'Wat kan ik niet?' vroeg hij bars.

Met fonkelende ogen richtte ze zich tot hem. Ze keken elkaar net zo vinnig aan als laatst op de bowlingbaan. 'Niets,' zei ze. 'Helemaal niets.'

'Zeg op,' siste hij haar toe terwijl hij zich over de leuning van de bank naar haar toe boog.

Kate glimlachte bijna omdat ze wist dat ze had gewonnen. Hij was niet moeilijker te bespelen dan Tina Foster. 'Nou, toen ik hier kwam wist ik al dat je niet langer dan een week of twee met Bina zou kunnen gaan,' merkte ze zelfverzekerd op. 'Blijkbaar heb je last van dwangmatige neigingen.'

'Van wat?' vroeg hij verontwaardigd.

'Dwangmatige neigingen,' herhaalde ze ongeduldig.

'Wat bedoel je daarmee? Zeker jargon uit de DSM-Four?'

Het verbaasde haar dat hij bekend was met het *Diagnostic and Statistical Manual of Mental Disorders*. Het DSM was de bijbel voor geestelijke afwijkingen en werd regelmatig voor werkers in de geestelijke gezondheidszorg herzien. Maar ze liet haar verrassing niet blijken. 'Het is niet iets uit DSM-*Four*. Het is veel ouder, freudiaans.'

'Ik dacht dat Freud had afgedaan. Oedipuscomplexen, penisnijd... Dat is toch verouderd? Per slot van rekening was het een man die niet wist wat vrouwen wilden.'

Weer stond ze ervan versteld dat hij dingen wist waarvan ze niet had gedacht dat hij er ooit van had gehoord. 'Volgens mij wordt het nog gebruikt,' zei ze. 'Vooral in gevallen zoals het jouwe. Het is neurotisch gedrag waarbij iemand de traumatische gebeurtenissen uit het verleden steeds weer herhaalt. Na verloop van tijd kan hij niet meer ophouden met zijn onaangepast gedrag.'

'Nee?' vroeg Billy. Zoals ze had gehoopt werd hij rebels. 'En waarom is mijn gedrag onaangepast?'

'Je probeert je te binden en wijst de ander daarna af. Je zorgt ervoor dat je een partner kiest die niet bij je past zodat het patroon zich kan blijven herhalen.'

'Hoe weet je dat allemaal?' vroeg hij.

'Nou, daarvoor ben ik opgeleid,' antwoordde ze. 'En ik ken een paar vrouwen met wie je dat patroon hebt herhaald. Ik dacht dat je met Bina wel een band kon opbouwen omdat zij niet zo'n typische troela uit Brooklyn is. Op het ogenblik is ze nogal verdrietig. Maar ach, het mocht niet zo zijn, en het maakt Bina en mij ook eigenlijk niet uit. Het is alleen jammer dat ik je een excuus gaf om niet aan jezelf te werken.'

'Van jou krijg ik alleen maar hoofdpijn,' snauwde hij.

'Nu ja, het gaat hier niet over mij, we hebben het over jou. En jij kunt niet omgaan met een aardig meisje met wie je een band zou kunnen krijgen.'

'Zo is het niet,' zei hij.

'En zo kom je dus aan je bijnaam,' reageerde ze.

'Ik kan best met Bina omgaan. Ze is aardig en je kunt lol met haar hebben. Dit in tegenstelling tot sommige stijve psychologen die met ingewikkelde termen schermen. En ik heb geen last van dwangmatige... eh, dinges.'

'Nee?' vroeg ze.

'Nee,' hield hij vol.

'Mooi,' zei ze. 'Bewijs het dan maar. Ga een paar maanden met haar om zonder haar te dumpen, dan bewijs je meteen dat ik er helemaal naast zat. En als je een relatie met haar opbouwt, vergeten ze misschien je bijnaam. Maar het lukt je toch niet.'

'Oké,' zei hij. 'Maar alleen omdat ik het zelf wil. En omdat ze aardig is. Niet mijn type, maar wel aardig. En ik ga met haar zo lang ík dat wil. Ik heb er geen psycholoog bij nodig en ik wil na afloop ook niet worden geanalyseerd.'

'Ik zou er niet over peinzen.' Met een lachje liep Kate naar de deur. Ze pakte de deurknop, maar voordat ze die omdraaide, keek ze nog even achterom naar Billy.

'Ik wil je Bina's telefoonnummer wel geven,' bood ze aan.

'Dank je, dat heb ik al. Ik ken de gegevens al uit mijn hoofd: Bina Horowitz van Ocean Parkway.' Hij keek haar triomfantelijk aan. En om de een of andere onbegrijpelijke reden maakte haar dat nijdig.

Nu ja, het deed er niet toe wat zij van dit belachelijke plan vond. Ze had bereikt wat ze wilde. Dus trok ze de deur open, liep de gang op en sloeg de deur hard achter zich dicht.

27

Woensdagavond was Kate bijna een kwartier te vroeg bij LaMarca omdat ze zo bang was te laat te komen. Het restaurant, een pretentieloze bistro in Chelsea, was niet het soort snobistisch geval waar je aan de bar moest wachten totdat het gezelschap voltallig was. Kate kreeg een tafeltje bij het raam en kon nog even haar lipstick bijwerken en haar haar vastzetten. Daarna wachtte ze alleen maar, en ze deed haar best nergens aan te denken. Naast de lipstick in haar make-uptasje zat het mooie blauwe doosje waarin de nieuwe sleutels aan een sleutelring van Tiffany zaten. De ring was eigenlijk meer een soort U met aan de uiteinden echt zilveren knopjes die konden worden losgeschroefd wanneer er sleutels bij of af moesten. Er zat ook een zilveren penning aan met het registratienummer van Tiffany erop; als je de sleutels verloor en de goede vinder ze op de post deed, stuurde Tiffany ze je retour. Kate dacht dat ze misschien overenthousiast was geweest, en dat ze met dit cadeautje voor een verminderde hartstocht voor Michael moest betalen.

Ze probeerde steeds maar te analyseren waarom haar houding tegenover Michael was bekoeld. Het vrijen was bevredigend en hun hechte relatie stoelde op gedeelde interesses, hoewel ze nooit zoveel passie voor Michael had kunnen opbrengen als indertijd voor Steven. Dat had ze echter een goed teken gevonden. Na Steven had ze zich voorgenomen nooit meer echt helemaal bezeten van een man te zijn. Elliot was vooringenomen, maar Michael was een volwassen man – misschien wel de eerste man in haar leven die dat echt was – en hij had respect voor haar en mocht haar graag. In tegenstelling tot veel anderen was Michael niet geïntimideerd door haar werk, haar uiterlijk en haar onafhankelijkheid. Hij was niet het soort man dat terugschrok voor te veel intimiteit. Waarom had ze dan nu haar bedenkingen? Was ze bang voor de volgende stap in de relatie? Ze dacht van niet. Maar zoals Anna Freud had gezegd, zoiets ging onbewust.

'Wilt u iets drinken terwijl u wacht?' vroeg de ober. Ze schrok ervan.

'Een glaasje Chardonnay, graag,' zei ze, en meteen voelde ze zich schuldig, en daaraan ergerde ze zich.

Terwijl ze haar eerste slokje wijn nam, kwam Michael binnen met een ongebruikelijk brede lach op zijn gezicht. Ze was zich ervan bewust dat hij er goed uitzag. Niet zo opvallend knap als die idioot uit Brooklyn, maar toch knap. Zijn haar was vol en er zaten al een paar grijze haren tussen het bruin. Zijn stalen bril paste goed bij hem, en ze vroeg zich wel eens af of hij dat wist. Zijn schouders waren misschien net niet breed genoeg, maar dat werd goedgemaakt door zijn lengte. Hij boog zich over haar heen en tilde haar gezicht bij de kin op zodat hij haar op de mond kon kussen. Ze glimlachte toen hij tegenover haar kwam zitten.

'Goede keus,' zei hij terwijl hij om zich heen keek. De ene keer koos zij waar ze zouden gaan eten, de andere keer was hij aan de beurt. Michael raadpleegde een digitale restaurantgids, en Kate vertrouwde op Elliot, haar persoonlijk raadgever.

'Je bent goedgehumeurd,' zei ze.

'Heel goed zelfs,' reageerde hij. 'Ik heb het aanbod van Austin binnen.' Hij straalde. 'Bijna te mooi om waar te zijn.'

'Een officieel aanbod?' vroeg Kate. Haar maag kromp samen.

'Bijna. Charles Hopkins belde me van de Sagerman Foundation, en hij vertelde natuurlijk strikt vertrouwelijk dat ze mij hadden uitgekozen, en dat ik binnenkort van ze zou horen.'

'Goh. Dus je krijgt een aanstelling als hoogleraar?' Kate was onder de indruk en blij voor hem, maar ze had ook gemengde gevoelens. Het leek wel of haar beha ineens veel te strak zat. Austin, Texas, moest geweldig zijn, een goede universiteit in een prachtig

gebied. Voor iemand zo jong als Michael was het vrijwel ongehoord om zo'n leerstoel te krijgen. Maar Kate wilde niet aan de ge-
volgen denken. Als Michael naar Austin ging, zou hij dan vragen
of ze met hem mee kwam? En als hij dat vroeg, wat moest ze dan
doen? Ze was erg op haar baan en haar vrienden en vriendinnen
gesteld...

Daar was de ober weer. 'Wilt u iets drinken, meneer?' vroeg hij.
Michael knikte. 'Een fles champagne, graag.'

Dat verbaasde Kate, maar ze lachte alleen. Michael was duidelijk opgewonden.

Toen de champagne was ingeschonken, hief Kate het glas. 'Op
de slimste man die ik ken. Hij heeft het verdiend,' zei ze, en ze
dacht dat hij bloosde. Dit leek het juiste moment om het blauwe
doosje van Tiffany uit haar tas te halen. 'Ik weet niet of je daar in
Austin wel iets aan hebt,' zei ze en ze legde het doosje tussen hen
in op tafel. 'Als ik het had geweten, had ik iets gekocht wat toe-
passelijker is.'

Toen bloosde Michael hevig, misschien van blijdschap, of misschien omdat hij zich geneerde. Mannen wisten vaak niet hoe op
een cadeautje te reageren. Kate dacht dat hij wel teleurgesteld zou
zijn, maar hij maakte het doosje open, haalde de sleutelring eruit
en grijnsde. 'Leuk,' zei hij. 'Heel leuk.'

Ze bestelden het eten en Michael nam een paar slokjes champagne. Hij praatte vooral over de Sagerman Foundation en de
University of Texas. Het verbaasde haar dat ze hier zo slecht op
was voorbereid, terwijl ze dit toch al maanden had kunnen verwachten. Hoe kwam dat?

Ze had gewacht op het moment waarop hij haar zou vragen wat
hij het beste kon doen, of haar ten minste zijn plannen vertellen en
vragen of ze er iets voor voelde om mee te gaan. Maar zo ging het
niet. Hij praatte maar door en ze kon niet goed uitmaken of hij
wilde vragen of ze met hem mee wilde, of dat hij gewoon aannam
dat ze dat zou doen.

Na het eten liepen ze naar haar appartement. Het regende, en

Michael zwaaide met de aktetas in zijn ene hand en hield met zijn andere hand de hare vast. Bij de deur gekomen haalde hij de sleutels uit zijn jaszak. 'Laat mij maar,' zei hij en deed de deur voor haar open. Terwijl ze de trap op liep, zocht Kate in haar tas naar de sleutels. Om de een of andere reden wilde ze zelf haar eigen deur openmaken, en het lukte haar dat te doen.

Toen ze binnen waren, gooide Michael zijn aktetas op de bank en deed zijn stropdas af. Kate dacht dat het misschien van dat beetje champagne kwam. Zij daarentegen was broodnuchter. Nog steeds woog ze de voor- en nadelen van de situatie tegen elkaar af. Toen Michael haar hand pakte en haar meetrok naar de slaapkamer, kwam ze braaf achter hem aan.

Hij knoopte zijn overhemd los terwijl hij op de rand van het bed zat. Daarna deed hij zijn schoenen en sokken uit en stopte de sokken zorgvuldig in zijn schoenen. Met ontbloot bovenlijf stond hij op om de riem van zijn broek los te maken. Hij keek haar aan en lachte. 'Moet ik jou soms helpen met uitkleden?' vroeg hij.

Kate lachte terug en hoopte dat hij niet zou merken dat ze zich slecht op haar gemak voelde. Niet omdat Michael zou weggaan, al was zijn goede humeur niet op zijn plaats, en Michael was bepaald niet ongevoelig.

Maar zoals de meeste mannen was hij zich niet van haar stemming bewust toen hij met haar begon te vrijen. Ze voelde zijn handen op haar middel, toen lager terwijl hij haar slipje uittrok. Daarna omvatte hij haar borsten. Hij kuste haar, diep en langdurig, maar het deed Kate niets. Toen hij haar intiem aanraakte, wist ze dat ze onmogelijk een orgasme zou bereiken. Om niets te laten merken ging ze op hem zitten en zorgde ervoor dat hij er in ieder geval genot aan beleefde. Maar later, toen het voorbij was en Michael met een zucht zijn hoofd op het kussen liet rusten, zei hij: 'Austin zal je prima bevallen.'

Kate wist niet zeker of ze het goed had gehoord. 'Wat?' vroeg ze.

'Austin zal je prima bevallen,' herhaalde hij. 'Het is er geweldig.' Daarna draaide hij zich om en aan zijn ademhaling hoorde ze even later dat hij sliep.

Stilletjes lag ze naast hem, maar vanbinnen was er een storm opgestoken. Was dat een aanzoek? Blijkbaar nam Michael niet alleen aan dat ze met hem mee ging, maar dat hij het niets eens hoefde te vragen. Hij had het veel over de Sagerman Foundation gehad, hij had verteld wat de aanstelling voor hem betekende, maar nooit had hij gevraagd wat zij ervan vond. Ze dacht omdat hij toch wel wist dat het voor haar niets betekende. Ze was iemand die zou gaan waar hij wilde dat ze ging. Was hij zo arrogant? Kende hij haar zo slecht? Het was haast niet te geloven... Plotseling schaamde ze zich diep, al wist ze niet goed waarvoor. Hoe kon ze met een man naar bed gaan als ze elkaar nauwelijks kenden?

Kate keek langs hem heen naar het nachtkastje en het beeldje van de Heilige Maagd, en ze vroeg zich af wat haar mankeerde.

28

Al een paar dagen had Kate niets meer van Bina gehoord. En toen die dan eindelijk belde, babbelde ze maar door zodat Kate niet de kans kreeg iets te zeggen. Kennelijk had ze het druk met Billy. Kate vond dat wel prima, want ze had tijd voor zichzelf nodig omdat ze nog niet goed wist wat ze van het gebeurde met Michael moest denken.

Maar na een paar minuten stoorde Bina's onnozele gekwetter haar toch. Bina ging maar door over Billy, hoe grappig hij kon doen, hoe leuk ze het hadden gehad toen ze uit eten waren gegaan, hoe ontwikkeld hij leek te zijn en ook nog dat hij een echte heer was. Bina begreep dat dat laatste Bina's manier was om te zeggen dat hij haar niet besprong wanneer hij 's avonds afscheid nam. 'Nou begrijp ik waarom hij iedere vrouw kan krijgen,' zei Bina. 'Het lijkt of hij echt naar je luistert. Sommige mannen praten aan een stuk door, of ze krijgen een glazige blik als jij aan het woord bent, dat weet je toch?' Kate dacht aan Michael en moest tegen haar zin toegeven dat ze daar ervaring mee had. 'Nou, hij niet.'

'Leuk voor je,' merkte Kate zuinig op. 'Dus het loopt op rolletjes.' Niet dat ze in Elliots belachelijke plan was gaan geloven, maar de aandacht die Bina van Billy kreeg moest erg prettig voor haar zijn na het drama met Jack.

'O, we hebben het best leuk,' zei Bina. 'Je kunt met hem lachen. Toen we naar een club gingen die hij kende...'

Het kostte Kate moeite te luisteren. Bovendien had ze zo haar eigen problemen. Ze gaf het niet graag toe, maar ze dacht dat Elliots oordeel over Michael misschien toch wel raak was geweest. Hoewel Michael lief en attent kon zijn, was hij ook erg vol van

215

zichzelf, en de laatste tijd vond ze hem nogal... saai. De afgelopen week had hij haar dagelijks op de hoogte gehouden van wat ze was gaan noemen: de Sagerman Situatie. Sinds het etentje praatte hij bijna nergens anders over.

'...nou, en toen zei hij: "Ja, ik ben me daar gek," en ik zei: "Ja, dat ben je ook," en...'

Kate was maar een halve dag op Andrew Country Day geweest omdat het schooljaar ten einde liep, en de volgende dag was ook maar een korte. Ze had Michael uitgenodigd te komen, maar hij moest naar een lezing. Plotseling drong het tot haar door dat deze avond perfect was om afstand van haar eigen relatie te nemen en zich in die van Bina te verdiepen. Als psycholoog was ze benieuwd hoe Billy het ervan afbracht. Tot nu toe leek alles goed te gaan, maar deze avond wilde ze dat met eigen ogen zien, als Bina tenminste tijd en zin had.

'Zeg,' brak ze Bina's monoloog af. 'Zullen we over de brug wandelen?'

Als tieners al vonden Kate en Bina het leuk om Brooklyn Bridge lopend over te steken. Nu Kate aan de andere kant van de brug was gaan wonen, spraken ze soms midden op de brug af en wandelden dan naar de ene of de andere kant.

'Meen je dat?' vroeg Bina. 'Goh, dat hebben we in tijden niet meer gedaan.'

'Nou, laten we dat dan doen,' zei Kate. 'Ik trakteer je op een etentje in Brooklyn Heights, bij Isobel.' Op dat restaurant waren ze allebei dol, Kate wist dat Bina niet zou weigeren.

'Goeie ouwe Kate,' zei Bina. 'Maar we doen samsam.'

'Goeie ouwe Bina.' Kate lachte, en ze spraken halverwege de brug af.

Het wandelen deed Kate goed. Het was of de watten uit haar hoofd werden geblazen. Ze dacht aan de kinderen en hoe die de zomer zouden doorkomen, en ze dacht aan Michael en zijn 'aanzoek'. Maar het meeste dacht ze over zichzelf na. Ze moest zich voorbereiden op een gesprek met Michael. Ze vond dat ze eigenlijk gelukkig moest zijn. Had ze hier niet op gewacht? Maar toch beviel haar iets niet aan de manier waarop Michael ermee omging. Niet dat hij koel was, het was meer dat hij zo egocentrisch was – maar waren alle mannen dat niet? Als ze eerlijk was, moest ze ook toegeven dat het haar niet erg beviel dat hij ervan uitging dat ze zomaar haar baan en haar appartement zou opzeggen om met hem mee te gaan. Maar dat kon ze ook weer alleen zichzelf kwalijk nemen. Waarom zou hij niet aannemen (als hij al wat aannam) dat ze met hem mee naar Texas zou gaan? Helaas waren er overal probleemgezinnen, overal bestond behoefte aan jeugdpsychologen. Ze kon een eigen praktijk beginnen. Ze zou de eerste in de familie zijn die niet alleen was afgestudeerd, maar die ook met een afgestudeerde man trouwde. De Horowitzen zouden trots op haar zijn... En als er iets tussen haar en Michael ontbrak, welke relatie was nou wel perfect? Relaties groeiden in de loop der jaren omdat beide partners bereid waren naar elkaar te luisteren en elkaar te begrijpen. Luisteren zou Michael zeker.

Terwijl de gedachten door haar hoofd spookten liep ze sneller door dan ze van plan was geweest. Toen ze halverwege de brug was, was er nog geen spoor van Bina te bekennen. Ze bleef staan en keek in noordelijke richting over de East River uit. Het water was bijna blauw, en de Williamsburg en Triboro bruggen leken Manhattan in de lucht te houden. Toen ze naar rechts keek, zag Brooklyn er in vergelijking erg plat en saai uit. Met een wonderlijk gevoel draaide ze zich terug naar Manhattan. Daar had ze haar eigen huis, ook al was het nog zo klein, daar woonde ze. Kon ze hier weg? Waarom zou ze? Ze was zo diep in gepeins verzonken dat ze pas merkte dat Bina er was toen die haar hand op Kates schouder legde.

'Een dollar voor je gedachten,' zei Bina.

'Een dollar? Ik dacht dat het een kwartje was.'

'Dat is de inflatie. Bovendien zijn jouw gedachten interessanter dan die van anderen.'

Bina pakte Kate bij de hand en trok haar met zich mee, weg van Manhattan.

'Hoe gaat het?' vroeg Kate. 'Heb je al een aanzoek gekregen?' Bina lachte. De wind speelde met haar haar en het zonlicht deed de blonde lokjes oplichten. Ze zag eruit als iemand uit een reclamespotje voor shampoo.

'Hij is echt niet goed wijs,' zei ze. 'We gingen naar een club waar ze hem kennen. Nou ja, ze kennen hem overal. Dus iedereen begroette hem. We hoefden niet eens buiten te wachten, we mochten meteen naar binnen.' Ze vertelde tot in detail hoe het allemaal was gegaan, Kate vond het nogal langdradig. '... en toen speelden ze *Flavor of the Week*... Ken je dat liedje?' vroeg ze Kate.

'Ja, dat ken ik,' zei Kate.

'Nou, kennelijk is dat zo'n beetje zíjn liedje. En iedereen riep: "Billy! Billy!" Eerst deed hij net of hij het niet merkte, als je snapt wat ik bedoel,' vertelde Bina.

'Ja, ik snap het,' zei Kate. Ze kreeg er een vreemd gevoel van, net als op de middelbare school wanneer Bina haar dingen vertelde waarvan ze in de war raakte.

'In ieder geval, ze hielden maar niet op. Dus toen klom hij op de bar en ging heel hard zingen. Het was echt helemaal te gek.' Bij de herinnering lachte Bina hardop.

'Vast,' reageerde Kate stijfjes.

'Hij is heel anders dan Jack,' ging Bina verder. 'Kun je je voorstellen dat Jack...' Haar gezicht kreeg een vreemde uitdrukking, alsof het ineens tot haar doordrong wat ze had gezegd.

Kate kende haar vriendin goed genoeg om te weten dat ze met zichzelf in de knoop zat. Bina werd toch niet verliefd op Billy? 'Gelukkig niet,' zei ze snel. 'Toch?' Bina knikte, maar niet erg blij.

Max was een paar keer langsgekomen om Kate op de hoogte te houden van hoe het met Jack was. Ze wist niet goed of hij dat deed om te helpen, of omdat hij er zelf door in de war was, of misschien gewoon om te roddelen. In ieder geval leek hij het schandalig te vinden dat Jack een soort kroegtijger was geworden en helemaal weg was van de mooie en gewillige vrouwen in Hongkong. Ze vroeg zich af of Bina daar ook van op de hoogte was, maar ze vermoedde dat haar vriendin niets meer van Jack had gehoord. Hij was nu al een paar weken weg.

Ze hadden het einde van de brug bereikt. 'Wil je nog een stukje wandelen voordat we gaan eten?' vroeg Kate.

'Leuk,' zei Bina, en ze gingen naar rechts, staken Cadman Plaza over, en liepen langs Isobel Cranberry Street in. Dit was het aardigste gedeelte van Brooklyn, bijna onveranderd sinds het einde van de negentiende eeuw. Er stonden bakstenen huizen met voortuintjes en bomen. 'Hoe is het met de mafkezen?' vroeg ze.

Kate trok haar wenkbrauwen op. Ze dacht dat Bina het over Elliot en Brice had, maar toen begreep ze dat het over haar werk ging. 'De kinderen op school zijn geen mafkezen,' zei ze. 'Maar hun ouders soms wel.'

'Sorry,' zei Bina. 'Ik wilde niemand kwetselen.'

Kate glimlachte. Toen Bina en zij een jaar of tien waren, hadden ze een soort geheimtaaltje verzonnen, en dat had Bina nu gebruikt. Kate besloot van onderwerp te veranderen. 'Wat heb jij voor Bev gekocht, of liever gezegd: voor de baby?' vroeg ze.

'Jemig!' riep Bina uit, en ineens zag ze er heel geanimeerd uit. 'Ik ben met mijn moeder naar de Macy op Flatbush gegaan. We hebben een schattig pakje gekocht. Piepkleine sokjes, en een bijpassend truitje en mutsje. Je zou de steekjes moeten zien, zo piepklein. Weet je, iedereen is tegenwoordig aan het breien. Denk je dat Bev me zou geloven als ik zei dat ik het zelf had gebreid?' Kate schudde van nee. 'Ik liet het aan Billy zien en je had zijn gezicht moeten zien! Volgens mij gelooft hij niet dat iemand zo klein kan zijn.'

'Waarom laat je Billy in 's hemelsnaam babykleertjes zien?' vroeg Kate. Ze was verbaasd dat het er zo geïrriteerd uitkwam.

Ze hadden de promenade bereikt en Kate keek vol waardering om zich heen. Bina lette niet op, ze kletste maar door over de baby, en toen stelde ze voor om bij Isobel te gaan eten.

Eigenlijk vond Kate dat Brooklyn Heights niet echt bij Brooklyn hoorde. Het was verre familie van Manhattan, en het uitzicht op het eiland was adembenemend. Een tijdje stonden ze stilletjes te kijken, toen verbrak Bina het zwijgen. 'Ik praat aldoor maar over mezelf,' zei ze. 'Vertel eens, waar zijn Michael en jij gisteren geweest?' vroeg ze luchtig.

'Naar de film,' antwoordde Kate, en toen besefte ze dat het net zo enthousiast klonk alsof ze had gezegd dat ze naar een begrafenis waren gegaan.

'Die nieuwe met George Clooney?' vroeg Bina met stralende ogen. Voor Bina was George Clooney een soort godheid.

'Nee,' zei Kate. Hoe moest ze uitleggen dat ze naar het Film Forum waren geweest? 'Het was een documentaire.'

'O,' reageerde Bina. 'Waarover?'

'Over Afghaanse vrouwen en hun strijd tegen het analfabetisme,' antwoordde Kate toonloos.

Bina begreep er niets van. Kate nam aan dat Bina voor het laatst op school naar een documentaire had gekeken.

'Dat klinkt eh... serieus,' stamelde Bina, kennelijk niet goed wetend hoe ze moest reageren. Even keek ze zwijgend over de baai uit naar het Empire State Building, waarvan de rode, witte en blauwe lichtjes net aanfloepten. 'Dus het wordt eh... serieus tussen jullie?'

Het leek net of Kate mevrouw Horowitz hoorde. 'Weet ik niet,' zei ze.

'Billy heeft geen serieuze vezel in zijn hele lijf.... En wat voor lijf!'

'Bina!' riep Kate uit. Ze keek haar vriendin aan, die sinds Jacks vertrek niet alleen uiterlijk leek te zijn veranderd. 'Je hebt toch niet... Ik bedoel, dat zou je toch niet doen?' De gedachte aan Bina die met Billy sliep was erg verontrustend. Ze wist niet of ze zich ongerust over Bina maakte, of dat ze gewoon jaloers was.

'Natuurlijk niet, ik hou nog steeds van Jack,' zei Bina. Kate haalde opgelucht adem. 'Maar ik heb ogen. En hij heeft handen.' Bina trok speels haar wenkbrauwen op.

Kate wist niet zeker of ze dit wel zo luchthartig moest opvatten als Bina het ervan maakte. Ze wist van Billy's verpletterende maar oppervlakkige charme, en Bina had weinig ervaring met mannen. 'Bina, denk erom dat het niet de bedoeling is dat je voor hem valt. Hij is een middel om je doel te bereiken – tenminste, volgens jou en Elliot.'

'Weet ik. Echt, daar ben ik me van bewust. En ik weet zeker dat het allemaal gaat lukken, dat voel ik gewoon.' Even zweeg Bina. 'En er is nog iets... Bij Billy... Nou, bij Billy voel ik me mooier dan anders.' Blozend keek ze weg. 'Ik bedoel, ik weet best dat iedereen naar hem kijkt en niet naar mij. Maar toch voel ik me dan ook bijzonder.' Ze glimlachte, alsof ze zich iets herinnerde. 'Hij zegt altijd dat ik er leuk uitzie, en het valt hem bijvoorbeeld op als ik een haarspeld draag.' Weer zweeg ze. Toen ging ze zacht verder, alsof het een heel teer en breekbaar onderwerp was: 'Je weet hoeveel ik van Jack hou.' Kate knikte. 'Nou, ik heb Max laatst gesproken. Weet je, die is echt aardig. Ik snap niet dat hij geen vriendin heeft. Maar in ieder geval, hij vertelde dat Jack hem mailtjes stuurt.'

Het lukte Kate haar gezicht in de plooi te houden. Als Bina wist wat er in die mailtjes stond, zou dat haar hart breken.

'In ieder geval, ik weet zeker dat hij me mist. En wanneer hij terugkomt, vraagt hij me vast ten huwelijk.'

Samen liepen ze door Henry Street. Kate durfde niets te zeggen. Ze wilde Bina wat Jack betrof geen valse hoop geven. Hoewel ze niet goed wist waarom, wilde ze ook niet dat Bina hoop ten opzichte van Billy zou koesteren. Ze kwamen bij Henry's End Restaurant, waar het op dit vroege tijdstip al erg druk was. Nou ja, dacht Kate, aan deze kant van de rivier eten de mensen nu eenmaal vroeger. 'Heb je al honger?' vroeg ze. 'We kunnen ook hier gaan eten in plaats van bij Isobel.'

'Waarom niet?' zei Bina. 'Maar ik wil geen Bambi. En jij neemt geen Stampertje, hoor!' Henry's End stond bekend om het wild dat daar werd geserveerd. Kate besloot biefstuk te nemen.

'Afgesproken,' zei Kate.

221

Haar vriendin haakte gezellig bij haar in. 'Ik weet dat ik altijd op jou kan vertrouwen, Katie.' Ze bleven even staan. 'Zeg, misschien gaan Michael en jij ook trouwen en kunnen we een dubbele bruiloft hebben. Dat zouden mijn ouders prachtig vinden.'

Kate kreeg een visioen van een overdadige plechtigheid, waarbij ze ieder aan een arm van dr. Horowitz over het middenpad liepen. Daarna een leven gevuld met documentaires, gesprekken over de nieuwste ontdekkingen in de antropologie en Texaanse cocktailparty's.

'Kom op, Bina,' zei ze. 'Begin daar niet over in de buurt van een brug waar veel koud water onderdoor gaat.'

29

'Gaan jullie je echt verloven?' vroeg Elliot met een afkeurende blik. Kate en hij zaten in de Starbucks die precies halverwege hun appartementen lag. 'Je moet hem maar aardig gaan vinden,' zei Kate. 'Als ik echt met hem getrouwd ben en jij je als een vlerk gedraagt, kan ik niet meer met je omgaan.' 'De kerkklokken maken mijn oude vriendschappen kapot!' jammerde Elliot. Kate schudde haar hoofd. 'Niet dat je echt met me zou kappen,' ging hij verder. 'Met wie moet je anders de details van je emotionele seismograaf bespreken, of Barbara Pym?' Kate lachte. Het was waar dat ze ieder schokje met Elliot doornam, en als een geofysicus wist hij te voorspellen wanneer de grote aardbevingen zou plaatsvinden. En Barbara Pym, een Engelse auteur die door Elliot en haar veel werd gelezen, was een van haar geheime verslavingen. Kate vond haar boeken geruststellend omdat er bijna niets in gebeurde, er werden geen gevoelens gekwetst en er veranderde weinig. Het was al heel wat wanneer de dominee op huisbezoek kwam, en de meeste hoofdstukken eindigden ermee dat iemand warme melk dronk. En dat deed Kate denken aan wat Elliot aan het nuttigen was.

'Wist je dat die frappucino met kokos van jou meer calorieën bevat dan drie Big Macs?' vroeg ze.

'Over Max gesproken,' zei Elliot zonder op de calorieën in te gaan. 'Snuffelt hij nog rond? En snuffelt hij aan jou of aan Bina?'

Kate maakte een wegwuivend gebaar. Als goede moeder dacht Elliot altijd dat alle mannen verliefd op Kate waren, en als dat niet het geval was, vatte hij dat als een belediging op. 'Hij is druk bezig iedereen die maar wil luisteren alles over Jack te vertellen. Ik denk dat hij zich nog steeds schuldig voelt omdat hij hem aan Bina heeft voorgesteld. Nou ja, hij kan geen kwaad.' Kate vertrok haar gezicht toen Elliot met zijn rietje de laatste druppels vocht opslurpte.

'Gedver,' zei ze.

'Nou, ik beloof dat ik dit niet zal doen waar je vriendinnen bij zijn, tijdens de babyshower.'

'Bevs babyshower?' vroeg Kate ongelovig. 'Ben jíj daarvoor uitgenodigd?'

'Vind je dat gek?' vroeg Elliot. Toen voegde hij er spottend aan toe: 'Weet je, Bev en ik kunnen het geweldig goed met elkaar vinden.' Kate sloeg haar ogen ten hemel.

'Zeg, ik zag Brian Conroy vandaag in de kantine. Hij zat met twee andere boefjes te lachen,' ging Elliot verder. 'Volgens mij gooiden ze tonijnsalade op een tafel waar allemaal meisjes zaten, maar ik kon ze niet op heterdaad betrappen. Misschien heb je daar toch goed werk gedaan,' zei hij.

Ze keken elkaar aan, Elliot met een warme glimlach, en Kate vond het heerlijk die goedkeurende blik in zijn bruine ogen te zien. Toen, zoals ze altijd deden, schudden ze tegelijkertijd hun hoofd en blaatten: 'Nou nee!'

'Wat heb je eigenlijk tegen Michael?' vroeg Kate, het oorspronkelijke onderwerp weer aansnijdend. 'Hij is stabiel en aardig, precies het soort man dat je voor me wilde. En hij vindt mij ook aardig.' Toen ze naar het bedelarmbandje om haar pols keek, ging haar mobieltje. Ze verwachtte een belletje van Rita, met wie ze na het werk iets zou gaan drinken, en Rita werkte tot een uur of zes, zeven. Ze pakte haar mobieltje en zonder op de display te kijken wie het was, drukte ze op het groene knopje.

'Hoi,' zei ze, in de verwachting Rita's vertrouwde nasale stem te horen.

'Hé daar, moppie,' zei Steven.

Kates maag kromp samen, plotseling leek ze niet genoeg lucht te krijgen. 'O, Steven. Hoi.' Ze sperde haar ogen wijd open, maar niet zo wijd als die van Elliot.

224

'Steven? De Steven?' Hij vormde de woorden zonder geluid te maken.

Kate, die toch al van slag was, keek weg. Haar mond was droog. 'Is dit geen geschikt moment?' vroeg Steven.

Ze had willen zeggen: Nee, je hebt me al een halfjaar niet meer gebeld. Maar natuurlijk zei ze dat niet. Wat haar betrof was er geen geschikt moment om met Steven te babbelen, het deed nog te veel pijn. 'Ik zit met Elliot koffie te drinken,' zei ze. Ze had haar tong wel kunnen afbijten. Waarom had ze niet gezegd dat ze met haar nieuwe vriend was?

'Goeie ouwe Elliot,' zei Steve, en meteen kreeg Kate nog meer spijt. 'Ik mis hem.' Zachter zei hij erachteraan: 'Ik mis jou ook.'

Kate bloosde tot in haar hals. Ondertussen knielde Elliot voor haar neer en maakte een gebaar dat ze het gesprek moest afbreken. Ze draaide haar hoofd weg.

Kate hoefde er niet aan herinnerd te worden dat Steven gevaarlijk was. Ze had oprecht van hem gehouden, en hij had dat aangemoedigd. Ooit had Kate zich voorgenomen nooit meer om een man te geven dan hij om haar gaf. En Steven had heus om haar gegeven – tenminste, zo lang de beginfase vol hartstocht had geduurd. Na anderhalf jaar was hij minder vurig. Kate had het eerst niet zo in de gaten, maar toen ze erachter kwam dat hij niet meer uitsluitend op haar gericht was, was ze hem per ongeluk tegen het lijf gelopen terwijl hij buiten wandelde met een vrouw die zijn aandacht kennelijk meer verdiende. Diep vernederd had Kate hem daarop aangesproken, maar hij wilde niet bekennen, hij had haar gerustgesteld dat er tussen hem en Sabrina niets aan de hand was. Maar nadat Kate met hem had gebroken, duurde het maar zes weken of het was dik aan met Sabrina en Steven. Kate wilde dan ook dolgraag vragen: 'Hoe is het met Sabrina?' Maar ze had haar trots, dus bedwong ze haar nieuwsgierigheid.

'Misschien kunnen we ergens koffie gaan drinken,' zei Steven.

'Nou nee,' zei Kate. 'Ik drink nu koffie.'

'Je doet wel moeilijk,' zei Steven, en het klonk zo oprecht dat

Kate onwillekeurig huiverde. En meteen wist ze wat ze bij Michael miste – diepere gevoelens, of de mogelijkheid die kenbaar te maken. Maar Stevens gevoelens, of ze nu diep zaten of niet, waren niet erg betrouwbaar. Of hij was een geweldig acteur (dat dacht Elliot), of hij was bang voor zijn eigen gevoelens, hoopte op een band en schrok daar dan voor terug (dat was Kates theorie). Kate geloofde nog steeds dat Steven van haar had gehouden en dat dat hem had beangstigd.

'Moet ik het dan makkelijk maken?' vroeg Kate. Elliot sloeg zijn ogen ten hemel en legde zijn hand voor zijn mond om aan te geven dat ze het gesprek moest beëindigen – alsof ze dat zelf niet al wist. Ze haalde met haar hand naar hem uit.

'Kate, ik snap dat je boos op me bent. Maar echt, er is geen dag voorbijgegaan dat ik niet aan je heb gedacht, waarin ik je niet heb gemist, of waarin ik niet heb geprobeerd de moed op te brengen je te bellen.'

'Dat moet een rotjaar geweest zijn,' reageerde Kate.

'Zeg nou niet dat jij nooit aan mij hebt gedacht,' zei Steven, en meteen kwam alles weer boven: de ellendige nachten, de eenzame weekends, de ochtenden waarop ze wakker werd en hem miste.

'Ik heb het druk gehad,' zei ze. 'Ik ga me verloven...'

Elliot schoot recht overeind, stak zijn duim op en viel toen uitgeput terug in zijn stoel.

Stilte aan de andere kant. Kate werd door tegenstrijdige gevoelens verscheurd. Ze wilde dat Steven het opgaf en verdriet om haar had, al was het maar een klein beetje. Maar ze wilde ook dat hij het niet opgaf, en daar schaamde ze zich voor.

'Houdt dat in dat je niet iets met me wilt gaan drinken?' vroeg Steven. 'Ik zou je graag willen vertellen wat er met me is gebeurd. Ik bedoel, ik krijg nu therapie en... ik begrijp dingen die ik eerst niet begreep.'

Kate wist niet of ze wel wilde weten wat Steven over zichzelf te weten was gekomen. Ze wist wel dat een ontmoeting met hem niet verstandig zou zijn. Maar toch had het een onweerstaanbare aantrekkingskracht. 'Volgende week maandag?' stelde ze voor. 'Om een uur of vier?'

'Geweldig,' zei Steven. 'Onieal's?' Dat was een restaurant in Grand Street, met een bar. Daar waren ze vaak naartoe gegaan omdat het dicht bij zijn huis was.

'Nee,' zei ze. Ze wilde niet verleid worden tot drankjes en dan een hapje eten en wie weet wat nog meer. Geen sprake van. Ze dacht snel na over een meer neutrale plek. 'Starbucks?' Nadat hij daarmee had ingestemd verbrak ze de verbinding en stopte haar mobieltje diep weg in haar tas.

'Je gaat toch zeker niet?' zei Elliot. 'Je weet heel goed waarom je dat niet moet doen. Omdat ik geen woord meer over die ellendige rotzak wil horen. Vorig jaar leefde ik zowat met die Steven. Hoe vaak kan een man – zelfs als hij homo is – *I Will Survive* met je zingen?'

Kate wist niet of ze moest lachen of huilen. Ze hadden inderdaad dat liedje van Gloria Gaynor een paar keer gezongen, maar alleen op Elliots verzoek en omdat zij er altijd om moest lachen.

'We hebben drie cd's versleten... Trouwens, misschien heb jij een neiging tot zelfvernietiging, maar ik kan echt niet nog zo'n periode met Steven doormaken. Misschien weet jij niet meer hoe erg je dat heeft aangegrepen, maar ik wel. En ik kan er niet meer tegen, en jij ook niet.'

'Er komt niet nog een periode met Steven,' snauwde Kate. 'Maar hij is in therapie en moet bepaalde aspecten van zijn leven afsluiten.'

'Waarschijnlijk wil hij gewoon een lekkere meid,' zei Elliot. 'En dat vind ik prima. Zolang jij dat maar niet bent.'

'Elliot!'

'Niet te geloven dat hij je na een jaar zomaar op een middag belt op je mobieltje, en dat jij meteen met hem afspreekt. Heb je dan helemaal geen trots?' vroeg Elliot. Zonder op een reactie te wachten ging hij verder: 'Je maakt de vrouwelijke kunne te schande. Jij bent er de oorzaak van dat vrouwen boeken als *De regels* lezen, of van die andere stomme zelfhulpboekjes.' Hij maakte een gebaar van walging en stootte daarbij Kates bekertje om. 'Shit,' zei hij, en Kate wist niet goed of hij het over het omgevallen bekertje had of de fout die zij had begaan.

Want een fout was het, toch?

30

Het was druk in het nieuwe appartement van Bunny en Arnie. Iedereen stond of zat in volkomen stilte in het donker. En dat was heel bijzonder toen Kate bedacht dat iedereen hier een enorme kletsmajoor was. Bunny was er, Barbie, mevrouw Horowitz, Bina, twee nichtjes van Bev, Bevs moeder en twee tantes, een paar vriendinnen van Bevs werk, Bevs astrologe en natuurlijk Elliot en Brice, en allemaal waren ze muisstil. Maar niet lang.

'Verrassing!' brulde iedereen toen de deur openging. De lichten gingen aan en vanaf het plafond vielen roze en lichtblauwe ballonnen naar beneden – grote ballonnen, maar niet zo groot als Bevs enorme buik. Overal flitsten camera's die voor eeuwig vastlegden hoe Bev eerst stokstijf van schrik bleef staan en toen gillend op en neer sprong. De gasten gilden en sprongen mee. Na al dit gedoe keek Kate toe terwijl Bev bevend en ontdaan steun zocht bij haar moeder.

Bev ging op een stoel zitten en keek haar lachende vrienden en familieleden aan. Zodra ze een woord kon uitbrengen sloeg ze haar handen voor haar gezicht en gilde: 'O, jongens toch! Mijn vliezen braken bijna! Dit hadden jullie niet moeten doen.' Ze was gevraagd om even bij Bunny te komen om ergens naar te kijken.

Kate was het helemaal met haar eens. Surpriseparty's hadden volgens haar iets sadistisch, maar Barbie zei: 'Ja, dat moesten we wél,' en plofte naast haar op de afschuwelijke blauwe driezitsbank neer.

Eigenlijk was Bunny's nieuwe appartement helemaal blauw, en het meeste wat erin stond was afgrijselijk. Kates was vergeten dat niemand in Brooklyn ten zuiden van Prospect Park iets in antiek zag – iets was nieuw of het was rotzooi. Kate vond de koningsblauwe synthetische bekleding van de meubels in de woonkamer nieuwe rotzooi, maar alle anderen vonden het prachtig, en hadden luid kreten van waardering geslaakt toen Bunny hen had rondgeleid voordat Bev werd verwacht. Zelfs Elliot, die niet alleen kleurenblind was, maar ook geen smaak had, had zijn wenkbrauwen opgetrokken toen hij de spiegel van rookglas zag met gouden cherubijntjes, en ook bij de lampen uit de Museum Shop met replica's van beroemde beelden onder de lampenkap. Brice echter was helemaal extatisch. 'Net Picasso,' had hij zacht tegen Kate en Elliot gezegd. 'De blauwe periode.'

Het vaste tapijt in de woonkamer was pauwblauw, dat in de slaapkamer teerblauw en in de andere slaapkamer koningsblauw. De badkamer en de wc waren, onnodig te zeggen, ook in blauw uitgevoerd. De badkamertegeltjes hadden een decor van maagdenpalm en groene varens, en de handdoeken waren bijpassend ('Echt zo'n essentieel accent,' had Bunny uitgelegd). De wc was marineblauw met folie op de muren. 'Ik wilde iets mannelijks voor Arnie,' had Bunny gezegd. Maar Kate begreep niet wat er nou zo mannelijk was aan glimmend blauwe muren.

'Ik wist niet dat dat soort folie nog werd gemaakt,' had Brice verwonderd gezegd.

'We hebben het op internet gevonden,' had Bunny bekend.

Maar Kate keek niet alleen naar het appartement, ze keek ook naar haar vriendinnen. Ze leidden allemaal een leven dat kinderen inhield, ouderavonden, gezinsvakanties, reisjes naar Disney World en overladen kerstbomen (of takken voor Chanoeka), maar ook een gezellig gezinsleven. Ze vroeg zich af of zij ooit haar veilige nest in Manhattan zou verlaten, en, als ze dat deed, wat ze daarvoor in ruil zou krijgen. Op de een of andere manier was het vooruitzicht op een leven in Austin, zonder Manhattan en zonder haar vriendinnen uit Brooklyn om haar te steunen, niet erg aanlokkelijk. Toen ze nog met Steven ging, wist ze tenminste dat haar toekomst – als ze die al had – in New York lag.

Na de verrassing voor Bev vonden de gasten dat het tijd werd zich op de schalen met voedsel te storten. Op de eettafel en het buffet (allebei bedekt met hemelsblauwe tafelkleden waarop bijpassende servetjes lagen) stond een indrukwekkend feestmaal. Er waren bagels met vier soorten roomkaas, pastasalades, Thaise saté, pasteitjes en taartjes, in overweldigende hoeveelheden. Elliot pakte een bord en slaakte een tevreden zucht. 'Het is hier geweldig,' zei hij.

'Oeps, hij is nog dikker geworden,' zei Brice en wreef liefkozend over Elliots buikje.

Iedereen scheen het erg naar de zin te hebben, behalve Bina. Kate wilde niet weer een uitgebreide opsomming van Billy's goede kwaliteiten, daarom had ze Bina een beetje ontlopen. Maar dat leek niet nodig te zijn; Kate besefte ineens dat Bina juist háár ontweek. Ze zat met een volgeladen bord naast een van Bevs nichtjes, maar ze at niet en ze praatte niet. Alleen Bevs kleine neefje van vier, die op de grond zat en braaf opat wat zijn moeder of grootmoeder hem in de mond stopte, kon een glimlach om Bina's lippen opwekken.

'Goed, en dan nu aan het werk,' zei Barbie toen iedereen verzadigd was. 'De cadeautjes! Maak de cadeautjes open!'

Iedereen juichte behalve Bina. Kate hield haar in de gaten terwijl het ene na het andere cadeautje werd uitgepakt.

Alle cadeautjes waren uitgepakt, en Bevs moeder worstelde met het pakpapier, alsof het dorre blaadjes waren die in de herfst werden opgeveegd. Bev hield een truitje op en keek naar het bijpassende mutsje.

Kate raakte het piepkleine breiwerk aan en meteen welde er zo'n onverwacht en sterk gevoel in haar op dat ze moest gaan zitten. Tot nu toe had ze niet erg stilgestaan bij Bevs zwangerschap – gewoon een dikke buik, vreemde kleding en vage klachten. Maar met het minieme truitje in haar hand besefte Kate dat Bev – en Johnny natuurlijk – binnenkort een klein mensje kregen dat in dit truitje paste, voor wie ze hun hele verdere leven moesten zorgen en van wie ze altijd zouden houden. Kate voelde zich zo ver van iets dergelijks af staan dat de tranen van jaloezie en wanhoop in haar ogen sprongen. Ze moest haar gezicht afwenden zodat niemand zich van haar plotselinge gevoelens bewust kon worden.

Ik wil mijn eigen baby, dacht ze, en het drong tot haar door dat zoiets nog onbereikbaarder was geworden dan ooit. Omdat ze opeens heel zeker wist dat ze nooit Michaels kind zo'n truitje zou aantrekken. Het idee alleen al... nee, onmogelijk.

'Wil je niet wat *rugelach?*' vroeg mevrouw Horowitz. Kate keek op. Ze zag er vast net zo verdwaasd uit als ze zich voelde, want mevrouw Horowitz riep uit: 'Wat zie je bleek! Gaat het wel, lieverd?'

Het antwoord was natuurlijk nee, maar hoe kon ze zoiets uitleggen aan de lieve, bezorgde, eenvoudige Myra Horowitz?

Nu alle cadeautjes waren uitgepakt, stortten de dames zich weer op het eten. Al gauw balanceerde iedereen weer met volle kartonnen bordjes en plastic bekertjes met jus, margarita's of New Yorkse champagne. Het kluppie stond en zat met Brice en Elliot in een hoekje bij de gemakkelijke stoel waar Bev in was gaan zitten.

'Wordt het nou een jongen of een meisje?' vroeg Barbie voordat ze een hap van haar bagel nam.

Bev keek naar haar moeder en haalde toen haar schouders op. 'Johnny en ik willen dat het een verrassing blijft,' zei ze, maar Kate zag dat die twee een blik van verstandhouding uitwisselden.

'Ik vind dat je hem William moet noemen,' zei Elliot.

'Naar prins William?' vroeg Bev.

'Nee, naar Billy Nolan. Denk je eens in, jij bent de volgende,' zei Brice zelfverzekerd tegen Bina.

'Ja, Bina, zo is dat,' zei Bunny.

'Jack komt wel weer terug,' zei Bevs moeder troostend. 'Weet je nog hoe moeilijk het was Johnny tot een aanzoek te bewegen? Ik ben blij dat je het hier hebt gezocht, Bina, en niet in Manhattan, zoals Katie.'

'Ja,' reageerde Barbie. 'Daar is het nog moeilijker ze zover te krijgen.'

'Dat is niet waar,' protesteerde Kate. 'Ik geloof niet dat de locatie –'

'Kate doet het prima,' kwam Elliot voor haar op.

'Ja,' vond ook Brice. 'Die dokter heeft haar een aanzoek gedaan.'

Kate trok wit weg.

'Ga weg!' riep Barbie uit.

'Stiekemerd! Daar heb je ons niets van verteld!' kraaide Bunny.

'Wat is zijn sterrenbeeld?' vroeg Bev.

Kate werd een tijdje gezoend en op de rug geslagen, net zolang tot ze er een woord tussen kon krijgen. 'Ik heb geen aanzoek gekregen,' zei ze terwijl ze Brice vuil aankeek. Hij haalde verontschuldigend zijn schouders op. Kate probeerde de situatie met Michael te beschrijven, zodat iedereen wist waar ze aan toe was. 'We bespreken de mogelijkheden.'

'Mogelijkheden, sjmogelijkheden,' zei mevrouw Horowitz. 'Wat is het voor dokter? Geen chirurg,' waarschuwde ze Kate. 'Chirurgen zijn kille mensen, Katie.'

'Hij is geen arts,' zei Kate, en ze hoorde de teleurgestelde zuchten om zich heen.

'Het geeft niet dat hij geen échte dokter is,' zei mevrouw Horowitz zacht. 'Als je maar van hem houdt.' Kate lachte flauwtjes en pakte een taartje.

Daarna keek ze Elliot en Brice aan of ze hen kon vermoorden. 'Ze weten niet waarover ze het hebben. Trouwens, we hadden het over Bina.'

'Liever niet,' zei Bina zacht.

'Och, het komt allemaal goed,' zei Bunny en ze sloeg haar arm om Elliot heen. Kate dacht dat het kluppie Elliot en Brice als een soort eremeisjes had opgenomen.

'Zij heeft Dumping Billy,' zei Barbie.

'Hij heeft je nog niet gedumpt, hè?' vroeg Bev.

233

'Nog niet. Maar ik kijk er reikhalzend naar uit,' zei Bina, duidelijk niet op haar gemak.

'Het duurt anders al aardig lang,' merkte Barbie op.

'Volgens Elliots theorie moet dat ook,' reageerde Bunny.

'Nee, helemaal niet. Het slaat allemaal nergens op en ik word er gek van,' zei Kate geërgerd. Alles leek verkeerd uit te pakken; zij met Michael, Bina met Billy, Jack met zijn oriëntaalse schonen, Steven die haar zomaar belde. Het leek wel een klucht. Ze keek naar Bina en opeens kreeg ze medelijden met zichzelf, zodat ze haar tranen moest wegknipperen en gauw een stuk taart in haar mond stoppen, als troost.

'Nou ja, het moet minstens twee maanden duren, anders werkt het niet. Maar ik voel me er ongemakkelijk bij,' moest Bina toegeven.

Bev duwde zich uit de stoel op. 'Lieverd, je weet nog helemaal niet wat ongemakkelijk is. Je mag nu niet opgeven,' zei ze zakelijk.

'Hou vol,' raadde Barbie Bina aan. 'Het kan niet lang meer duren. Je bent Billy's type niet.'

'Nee? Hij vroeg of ik het weekend met hem mee wilde naar de Hamptons,' zei Bina niet erg enthousiast.

Het kluppie joelde geestdriftig, ze maakten grapjes en porden elkaar in de ribben.

'Wat is er zo grappig?' vroeg Bina.

'Wat jij niet weet over mannen, daar kun je een bibliotheek over volschrijven,' zei Bev.

'Een grote bibliotheek, zoals in Manhattan,' voegde Bunny eraan toe.

'Wat weet ik dan niet?' vroeg Bina.

'Bina, schat, dit is bijna het einde. Mannen als Billy worden helemaal gek na een weekend alleen met een vrouw,' zei Barbie. 'Daarna dumpt hij je vast en zeker.'

'Maar waarom vraagt hij het dan?' Bina zag er erg overstuur uit. Weer vroeg Kate zich af of haar vriendin niet verliefd was geworden op die egocentrische lamzak. 'Ik heb het niet bedacht.'

'Daar gaat het nou juist om,' zei Bunny.

'Ze denken dat ze het leuk vinden, zo intiem...' begon Bev.

'Maar eigenlijk kunnen ze er niet tegen, zo een op een,' maakte Barbie de zin af.

'Echt Bina, als je met hem meegaat naar de Hamptons ben je praktisch gedumpt,' wist Bunny Bina te verzekeren.

'Ik weet niet, hoor. Het is toch een beetje onder valse voorwendselen,' zei Bina.

'Misschien, maar je kunt nu niet meer terug,' zei Bev terwijl ze naar de tafel waggelde.

Bina had met haar bord op schoot zitten spelen, en opeens kon ze dat niet meer goed vasthouden. Al het eten viel op haar jurk en op de vloer. Het kluppie keek er als verstard naar.

Kate wist al sinds ze hier was gekomen dat er iets met Bina was, en alsof om dat te bevestigen ruimde Bina niet op, maar pakte ze Kates hand en trok haar mee de gang op. 'Ik moet met je praten,' fluisterde ze.

'Wacht even,' zei Kate. Ze zette haar glas rode wijn neer op een tafeltje waar ze langsliepen, bang dat als ze knoeide, er een paarse vlek op het tapijt zou komen die er nooit meer uit ging. Bina trok haar de logeerkamer in en ging op het bed zitten.

'Kate, ik kan het nog steeds niet geloven,' zei ze met een snik in haar stem. 'Ik schaam me zo... Ik had nooit kunnen denken... Het is niet te geloven dat ik... O god, Jack.'

Kate had geen flauw idee waar Bina het over had, maar ze vond het rot dat haar vriendin zo van streek was. En op zo'n andere manier dan normaal, wanneer Bina hysterisch werd. 'Wat is er, Bina?' vroeg ze zacht.

'Als mijn moeder het wist... O Katie, ik heb Jack bedrogen.'

'Bina, uitgaan met een ander wil nog niet zeggen –'

'Nee, echt. Ik heb met hem gevrijd. Helemaal. En het was... Het was geweldig.'

Terwijl Bina in tranen uitbarstte, leek het of het lawaai van het feestje niet meer bestond. Hier was Kate bang voor geweest, een seksueel avontuur van Bina. Kate werd kwaad, maar ze wist niet precies op wie of waarom. Elliot had dit nooit mogen voorstellen, ze had er een stokje voor moeten steken, Bina had niet voor Billy's lege charme mogen vallen. Maar ze was vooral kwaad op Billy die als een echte Don Juan misbruik had gemaakt van het feit dat Bina zo onervaren was.

Wat had ze gedaan? Zij, Elliot en het kluppie hadden zich met Bina's leven bemoeid, en het resultaat was een meisje dat gebukt ging onder schuldgevoelens, een meisje dat in tranen was en in de war. Met zijn allen hadden ze Bina's trouw en devotie aan Jack de grond in geboord. Misschien was het niet in de haak om op één man te vertrouwen, om te geloven dat er maar één iemand bij jou paste. Maar Bina had zelf de kans moeten krijgen om te kiezen. Wat kon je verwachten als je haar aan een man als Billy koppelde? Stel dat ze dacht dat ze van hem hield? Stel dat ze na wat ze met Jack had meegemaakt, weer werd gedumpt? Dan zou er echt niets meer van haar zelfvertrouwen overblijven. Kate wilde niet eens denken aan waar Bina dan toe in staat zou zijn.

Ze legde haar handen op Bina's schouders en keek haar recht aan. 'Luister, Bina, wat je gedaan hebt, is in orde. Jack heeft ook vriendinnetjes, dus als jij een vergissing hebt begaan, dan –'

'Maar het voelde niet als een vergissing,' zei Bina onder een nieuwe stortvloed van tranen. 'Ik had het gevoel dat hij me op handen draagt. Hij zegt dat hij fout zat dat hij niet meteen met me afsprak toen hij me leerde kennen.'

Kate wist nog goed wat ze Billy naar zijn hoofd had geslingerd voordat hij ook maar bereid was om met Bina om te gaan. Ze was woedend op iedereen – op Jack, op Elliot, op het kluppie... zelfs op zichzelf. Maar onder die woede lag nog een andere emotie. 'Bina, je moet niet alles geloven wat mannen tegen je zeggen,' begon ze voorzichtig.

'Katie, ik heb nooit aan mijn liefde voor Jack getwijfeld. Ik bedoel, ik hou van hem. Maar nu ik een beetje meer ervaring heb... Ik kan het niet uitleggen. Hij toont zoveel begrip. En we hebben altijd iets om over te praten.' Ze zweeg abrupt.

236

'Bina, luister nou, je bent niet ontrouw geweest. Je moet alleen dit avontuurtje niet verwarren met echte liefde.'

Ernstig keek Bina Kate aan. 'Je hebt gelijk,' zei ze en ze knikte. 'Het zal niet weer gebeuren. Want ik hou echt van Jack.'

'Goed zo,' reageerde Kate. 'Zet het nou maar uit je hoofd, je hoeft niets te doen wat je niet wilt.'

Bina knikte weer en veegde haar tranen af. 'Maar hij was echt heel erg goed in bed.' Ze bloosde, en Kate bloosde ook omdat ze ineens wist wat die andere emotie was.

Ze was jaloers.

Kate ging nog voor Brice en Elliot weg. Ze was te neerslachtig om de subway te nemen, daarom zocht ze naar een taxi. Dat was in Brooklyn niet gemakkelijk – nog een reden om in Manhattan te blijven, dacht ze zuur. Maar uiteindelijk wist ze een taxi aan te houden die blij was dat hij geen vrachtje kreeg dat dieper Brooklyn in wilde.

Kate zat achter in de taxi en was blij om even alleen te zijn. Hoewel ze gek op Brice en Elliot was, had ze nu geen zin in hun geklets. Ze moest nadenken, en ook al had ze tot nu toe de waarheid niet onder ogen willen zien, toch moest dat ooit gebeuren. Wat wilde ze nou precies? Die vraag was natuurlijk makkelijk te beantwoorden: een heerlijk leventje met bevredigend werk, een liefhebbende, betrouwbare en hartstochtelijke man, gezonde kinderen en leuke vrienden. Haha, dacht ze. Ze zag echt geen tekenen dat dit alles haar in de nabije toekomst in de schoot zou vallen. Als het ene binnen je bereik lag, was het andere dat weer niet. En Kate had zich altijd voorgehouden dat ze geen compromis zou sluiten.

Terwijl ze over Brooklyn Bridge reden, keek ze naar de skyline. Zoals altijd ontroerde die haar diep. Maar ze moest toegeven dat ze nog dieper geroerd was door wat Bina haar had toevertrouwd. Hoe kon zijzelf met Michael gaan als ze zich tot een nietsnut als Billy Nolan aangetrokken voelde? Dat hij Bina op deze manier behandelde, sterkte haar in de overtuiging dat hij harteloos was, en ze schaamde zich dat ze naar hem verlangde. Van één ding was ze zeker: ze zou Steven niet met Billy vergelijken. Wat deed het ertoe wie van hen het ergst was?

Ze keek uit het raampje van de taxi en wilde dat ze voor eeuwig op de brug kon blijven, tussen haar twee werelden in.

31

Kate zat aan een tafeltje bij het raam in de Chelsea Kitchen met haar vork te spelen. Ze pakte die op, legde hem neer, tikte ertegen en liet de tanden langs haar glas water glijden, over haar bord en zelfs over het opgevouwen servetje. Ze voelde zich in het restaurant niet op haar gemak, maar ze had besloten dat ze dit in een openbare gelegenheid moest doen. Dat doen mannen ook, dacht ze, en ze moest aan Steven denken. Waarschijnlijk deden ze dat omdat ze bang waren voor toestanden. Kate wist dat ze daar bij Michael niet bang voor hoefde zijn, maar ze kon zich ook niet voorstellen dat ze dit gesprek bij hem thuis hadden en dat ze daarna opstond om weg te gaan, of, erger nog, dat het zich bij haar thuis afspeelde en ze hem moest vragen te vertrekken. Sinds het feestje voor Bev de vorige dag wist Kate absoluut zeker dat Michael niets voor haar was. Daarom had ze Michael gevraagd haar hier te ontmoeten, zodat ze niet eerst samen over straat hoefden gaan en het over koetjes en kalfjes hebben.

Naast haar stoel stond een Big Brown Bag van Bloomingdale. Toen ze zichzelf dwong de vork neer te leggen, voelde ze met dezelfde hand of de tas er nog wel was – alsof iemand opgevouwen onderbroeken en sokken, een scheerapparaat, gebruikte toiletartikelen en de oude das die Michael bij haar thuis was vergeten ooit zou willen stelen. Ze veegde haar handen aan het servetje af, verbaasd dat die zo bezweet waren. De waarheid was dat ze weinig ervaring had met het beëindigen van een relatie.

Toen de ober kwam, bestelde ze een wodka met ijs. Meestal dronk ze geen sterke drank, en als ze dat al deed, dan een cosmopolitan, een drankje dat al uit de mode was, maar dat zij nog lekker vond. Maar deze dag had ze behoefte aan iets sterks. Haar vader noemde dat: zichzelf moed indrinken, en voor de eerste keer begreep ze wat dat wilde zeggen. Ze had moed nodig.

Nadat de ober haar glas op tafel had gezet, dronk ze het in twee teugen leeg, bijna zonder adem te halen. Pas toen drong het tot haar door dat ze niet wilde dat Michael haar zo zag, en ook niet dat hij aan haar adem kon ruiken dat ze alcohol had gebruikt. Waarom eigenlijk? Dit was altijd al een heikel punt tussen hen geweest. Hoewel Michael haar nooit ergens toe had gedwongen, besefte Kate dat ze vaak op eieren had gelopen. Ze vroeg zich af of ze bij hem wel ooit zichzelf had kunnen zijn. Ze wist niet zeker of het zijn persoonlijkheid was waardoor ze zich inhield. Misschien was het dat niet zozeer. Misschien had ze zich minderwaardig gevoeld omdat hij zijn academische lauweren had verdiend en in de welgestelde buitenwijken was opgegroeid. Of misschien leden ze allebei aan een klassieke angst voor intimiteit. Wat het ook was, Kate wist dat er iets niet goed zat, iets waar ze haar vinger niet op kon leggen.

Ze gebaarde naar de ober en gaf hem het glas, het bewijsstuk. 'Wilt u er nog een?' vroeg hij. Ongetwijfeld dacht hij met een stevige drinker van doen te hebben, maar ze schudde haar hoofd. Daarna pakte ze een stukje brood met knoflookboter uit het mandje op tafel. Beter naar knoflook stinken dan naar wodka. Mensen maakten vaak de fout te denken dat je dat niet kon ruiken, maar Kate wist wel beter. Misschien had haar vader daarmee te maken.

Ze knabbelde van het brood en keek uit het raam. Laat op de middag was het niet erg druk op West 18th Street. Ze vroeg zich af waar de man met de rode plukken tussen zijn zwarte haar naartoe ging, en of de vrouw in haar nep Chanelpakje echt in onroerend goed deed. Kate zuchtte. Zij zou waarschijnlijk nooit in staat zijn haar eigen appartement te kopen, laat staan een huis. Hier in Manhattan was dat voor een stel al moeilijk genoeg. Voor een alleenstaande was het onmogelijk.

Ze had geen echt thuis, geen plannen voor de zomer, en straks ook geen man meer in haar leven.

Kate nam een slokje water en keek naar het verkeer. Het was opgehouden met regenen, maar het asfalt glom nog, net als de vrachtwagens en taxi's, en de gebouwen aan de overkant. Ze was dol op Manhattan, en het uitzicht op de glanzende straat bracht haar tot rust. Kon ze dit alles achterlaten voor Austin, of waar dan ook?

Aan de andere kant, misschien was ze wel gek. Behalve de Arnies, Johnny's, Eddies en de anderen uit Brooklyn leken er geen geschikte mannen te zijn. Rita en al haar andere vriendinnen uit Manhattan beklaagden zich dat de mannen hier ontrouw waren, neurotisch of bang zich te binden. Ze dacht aan Steven, en het verdriet toen hij haar liet stikken. Dit gesprek met Michael vond niet plaats omdat ze binnenkort Steven weer zou zien. Steven maakte geen deel meer uit van haar leven, hoewel ze het wel opwindend vond om aan hem te denken, net als vroeger. Het zou fijn zijn hem te zien en met hem te praten zonder er iets bij te voelen. Ze hoopte dat dat haar zou lukken. Ze keek naar de vork in haar hand en zag dat die trilde. Kon ze Michael wel kwetsen? Kon ze ertegen om weer alleen te zijn, weer op zoek te gaan en misschien weer afgewezen te worden?

De ober kwam met een karafje water terug. Haar glas was halfleeg, of halfvol. Terwijl ze bijschonk, dacht ze dat het er maar van afhing hoe je het bekeek. Als ze Barbie, Bev of zelfs mevrouw Horowitz zou vertellen wat ze van plan was te doen, zouden die haar voor gek verklaren. Haar glas was halfvol. Toch, hoewel ze wist dat Steven gevaarlijk was en niet voor haar bestemd, besefte ze door zijn stem te horen weer hoeveel ze voor hem had gevoeld. Dat gevoel, en het daarbij vergeleken slappe aftreksel van haar gevoelens voor Michael had iets beangstigends. Ze dacht niet dat ze het aankon om door het leven te gaan met iemand voor wie ze geen sterkere gevoelens kon opbrengen.

Kate was niet alleen van slag door Stevens telefoontje, maar ook door de overweldigende jaloezie toen Bina haar had verteld hoe het er tussen haar en Billy voorstond. Kate wist dat ze niet bij Michael kon blijven. Michael was een veilige, betrouwbare partner, en ja, hij zou zijn taak als vader ernstig opnemen. Maar niet met haar kinderen.

Ook al verpeste ze haar laatste kans op een huwelijk, ze kon niet met Michael verder. Ze legde de vork waar die hoorde. Een jonge vrouw, duidelijk een au pair, liep langs met een meisje van een jaar of vier. Allebei hadden ze een gele regenjas aan. Kate glimlachte en dacht aan de kinderen op Andrew Country Day. Alles daar was haar ineens dierbaar, haar kantoortje, Elliot verderop in de gang, de bereikbaarheid, en de kinderen die ze behandelde. Pas nu ze op het punt stond dat alles te verliezen, wist ze hoe na aan het hart het haar allemaal lag. Zelfs dr. McKay leek ineens aardig, met zijn belachelijke maniertjes. Dacht Michael echt dat het niets voor haar betekende? Wat kende hij haar slecht...

Toen Michael binnenkwam, staarde ze nog uit het raam. Ze schrok toen hij zijn hand op haar schouder legde. 'Ik werd opgehouden door de regen,' zei hij terwijl hij zijn paraplu uitschudde. Daarna ging hij tegenover haar zitten.

Kate keek hem eens aan. Hij had nog steeds een wilskrachtige kin, een rechte neus en warmbruine ogen. Maar het was alsof de betovering was verbroken. Ze vond hem totaal niet meer aantrekkelijk. Terwijl hij zijn aktetas op de stoel naast hem zette, vroeg ze zich af of dit was wat er met Steven was gebeurd; of hij op een dag naar haar had gekeken en niets anders voelde dan... een soort milde afkeer. Ze kreeg er kippenvel van. Ze werd misselijk door de combinatie van de wodka en wat ze op het punt stond te doen.

'Wil je iets drinken?' vroeg Michael.

Ze wist een flauw glimlachje op te brengen. 'Nee, dank je,' zei ze zo normaal mogelijk.

De zorgzame ober kwam zonder dat ze hem hadden geroepen, en Kate hoopte dat hij niet zou vragen of ze nog een wodka met ijs wilde.

'Thee graag,' zei Michael. 'Earl Grey, als jullie dat hebben.'

'Voor mij niets,' zei Kate.

Zodra de ober weer weg was, keek Michael uit het raam, net als Kate had gedaan. 'Nou, van dit soort weer zullen we in Austin geen last hebben.'

'Hoezo?' vroeg Kate. 'Regent het daar nooit?' Maar ze ging er niet op door. Waarom onaardig zijn? Ze wist niet hoe ze moest beginnen, daarom begon ze maar aan wat ze innerlijk had voorbereid. 'Michael, ik ga niet mee naar Austin. Ten eerste omdat ik dat niet wil; ik ben liever hier. Ten tweede, omdat je het me niet hebt gevraagd. Je nam gewoon aan dat ik mee zou gaan. Er is niet over gepraat. Je deed net of je me een gunst bewees. Je dacht dat ik dolblij zou zijn met zo'n buitenkansje.'

Michael knipperde met zijn ogen en zette het kopje terug op het schoteltje. Kate zag dat er thee over de rand klotste die in het tafelkleed trok, maar Michael scheen het niet op te vallen. 'Kate! Maar Kate, ik dacht –'

'Ik weet niet wat je dacht,' zei Kate. 'In ieder geval dacht je iets anders dan ik. En dat wist je niet eens.'

Michael bleef doodstil zitten, en de tafel, die toch echt niet breed was, leek enorme proporties aan te nemen. Kate kon Michael bijna zien verdwijnen, zijn gezicht blauwachtig door het licht dat door het witte tafelkleed werd weerkaatst. 'Kate, het was niet mijn bedoeling arrogant over te komen. Ik dacht gewoon, nou ja, dat jij hetzelfde wilde als ik.'

'Misschien, maar we hebben het nooit gehad over wat we wilden. Hoe kon ik dat dan weten?'

Michael keek haar aan alsof hij haar voor het eerst zag. Lag het aan haar, had ze te erg haar best gedaan aardig gevonden te worden? Had ze haar gevoelens te veel voor zichzelf gehouden? Op de een of andere manier leek het er niet toe te doen. Zelfs als Michael zei dat hij niet naar Austin zou gaan en liever hier bij haar bleef, maakte het Kate niet meer uit. Ben ik zo wispelturig, dacht ze. Daar wist ze het antwoord niet op, maar ze wist dat een leven alleen, zonder kinderen, beter was dan een leven met Michael, want dat was geen echt leven. Hij was gewoonweg niet de Ware voor haar.

'Kate, dit komt echt als een donderslag bij heldere hemel. Ik bedoel, ik heb plannen gemaakt omdat ik aannam –'

'Je moet nooit iets als vanzelfsprekend aannemen, Michael,' zei Kate. 'Nooit. Mijn leven is voor mij net zo belangrijk als het jouwe voor jou. Ik geloof niet dat je daar rekening mee hebt gehouden.'

'Natuurlijk wel,' reageerde hij. 'Maar in Austin kun je nieuwe vrienden maken, je kunt er een prakrijk beginnen. Je kunt zo vaak je wilt naar New York gaan. Trouwens, je hebt hier toch geen familie wonen?'

'O jawel,' zei ze. Ze dacht aan Elliot en Brice, aan Bina en de Horowitzen. Zelfs het kluppie betekende veel voor haar. 'Misschien zijn het geen bloedverwanten, maar toch heb ik hier familie.' Even zweeg ze. 'Ik weet niet wiens schuld het is, Michael. Laten we het niet over de schuldvraag hebben, laten we elkaar niets voor de voeten werpen. Het is niet dat dit al maandenlang speelt en dat ik het jou niet heb verteld. Het is meer dat je voor mij de beslissing hebt genomen dat ik naar Austin zou gaan, en toen heb ik mijn beslissing genomen. Het spijt me echt heel erg.' Ze strekte haar hand uit om de zijne aan te raken, maar hij trok die met een ruk terug waardoor er nog meer thee over de rand van het kopje gutste. Als een bruine vlek spreidde de thee zich uit over het tafelkleed tussen hen in. Even moest Kate aan het bowlingcentrum denken, en het gemorste bier. 'Het spijt me,' zei ze nog eens. 'Omdat er verder niets meer te zeggen valt.' Ze stond op en stak hem de boodschappentas toe. 'Hier zitten je spullen in,' zei ze. 'Als ik iets vergeten ben, moet je me dat maar laten weten.'

Vreemd genoeg voelde ze zich niet verdrietig, en ook niet bevrijd. Ze voelde helemaal niets. Michael staarde haar nog aan, de uitdrukking op zijn gezicht een mengeling van ongeloof en woede.

'Het beste in Austin,' zei ze en ze liep het restaurant uit.

Kate liep door de druilregen, die weer was begonnen, en die uitstekend bij haar stemming paste. Ze dacht dat ze zich haar hele leven ellendig zou blijven voelen, maar ze kon zich niet voorstellen dat Michael lang zou blijven treuren. Zo zat hij niet in elkaar. Daarom had ze het ook uitgemaakt: hij was niet gevoelig.

Na ongeveer een halfuur stond ze voor het fitnesscentrum. Ze kwam net op tijd binnen om Elliot een einde te zien maken aan zijn cardio op de StairMaster. Toen hij haar zag, kreeg hij een bezorgde uitdrukking.

'Wat is er? Je moet toch echt je kleren uit doen vóórdat je onder de douche gaat.' Hij liep met haar naar een van de leren bankjes en hielp haar uit haar doorweekte regenjas. 'Je bent doornat,' zei hij en meteen ging hij met handdoeken in de weer. Pas toen Kates haar in een tulband zat en ze ook een handdoek in haar nek had, was Elliot bereid tot een gesprek.

'Ik heb het uitgemaakt met Michael,' zei Kate.

'Mooi zo.' Elliot knikte en sloeg zijn arm om haar heen. 'Dat was een kwestie van tijd. En het spaart de kosten uit van een ticket naar Austin, en dat geld kun je gebruiken om met ons in ons zomerhuisje te zitten.'

Kate had verwacht dat hij verrast en meelevend zou zijn. Ze schudde haar hoofd. 'Ik geloof niet dat het op dit moment goed voor me is om als enige vrouw in een huis vol homo's in Cherry Grove te zitten.'

'Ach kom! Je zou veel meer lol hebben dan met jouw vrienden. Wanneer heeft Michael je aan het lachen gemaakt zoals Brice dat kan? Wanneer heeft Steven je eigenlijk ooit laten lachen?' Ineens zweeg Elliot, en hij keek haar zo doordringend aan dat ze wist dat ze een probleem had. Hij boog zich naar haar over totdat zijn neus maar een centimeter van de hare was. 'Je bent toch niet echt van plan om met die Steven te praten, hè?'

Maar dat was ze natuurlijk wel.

245

32

Kate verwachtte niets van de ontmoeting met Steven de volgende middag, maar uit trots besteedde ze veel aandacht aan haar uiterlijk. Ze was ijdel genoeg om er op haar best te willen uitzien, daarom deed ze extra mascara op en maakte ze een Franse vlecht van haar haar. Steven vond altijd dat dat haar goed stond.

Nadat ze haar appartement uit was gegaan en de deur achter zich had dichtgetrokken, bleef ze ineens staan. Ze staarde voor zich uit en dacht aan de laatste keer dat ze Steven had gezien, toen ze afscheid namen voor zijn deur.

'Iets vergeten?' vroeg Max, die opeens achter haar stond.

Geschrokken draaide ze zich om. 'O, nee, in gedachten verzonken... Hoe is het met jou?'

'Goed, en met jou?' Hij leunde tegen de muur.

Dit was niet het moment om uit te leggen waar ze mee bezig was, en Max was niet de persoon om nu in vertrouwen te nemen. 'Ik heb een afspraak, ik ben al te laat,' zei ze terwijl ze zich langs hem heen probeerde te dringen. Niet dat Max vervelend was, hij was best aardig, maar ze had nu geen tijd voor kletspraatjes.

Maar hij liet haar niet gaan. Hij pakte haar arm vast, en weer schrok ze daarvan. 'Ik heb weer iets van Jack gehoord,' zei hij terwijl hij met zijn voeten schuifelde. 'Of beter gezegd, ik heb mailtjes van hem gekregen. Met foto's.'

Kate zuchtte. Ze had nu echt geen zin in slecht nieuws.

Alsof hij gedachten kon lezen, keek hij weg. 'Ik weet nog steeds niet of ik die aan Bina moet laten zien.'

'Natuurlijk niet,' zei Kate. 'Ze is nu met Billy, ik wil niet dat ze weer overstuur raakt door Jack.'

'Billy? Welke Billy?' vroeg Max met een diepe frons.

'Och, dat is een lang verhaal, daar heb je nu geen tijd voor –'

'Jawel. Ik luister. Ik heb tijd zat.' Het klonk of hij meer dan geïnteresseerd was, zelfs enigszins bezorgd.

Wat was hij toch een roddeltante... 'Nou, maar ik niet,' zei Kate.

'Ik ben al laat.' Ze liep naar de trap en keek toen achterom. Max was op de grond gaan zitten. Sinds wanneer leefde hij zo mee met haar vriendinnen? Goed, Jack was zijn neef, misschien voelde hij zich verantwoordelijk, maar dit ging wel erg ver.

'Weet je,' zei hij. 'Ik maak me zorgen over Bina. Ik moet Jack echt spreken.'

'Nee,' riep ze terwijl ze de trap af rende. 'Bemoei je er niet mee...'

Steven zag er geweldig uit. Nou ja, dacht Kate, Steven had er in haar ogen altijd geweldig uitgezien. Toen hij opstond, zag ze weer hoe lang hij was. Hij glimlachte, en daardoor kreeg hij van die aantrekkelijk rimpeltjes rond zijn mond.

'Hoi,' zei hij. 'Wat zal ik voor je bestellen?'

Kate was blij dat ze alleen maar iets zouden gaan drinken. Hoewel hij in de East Village woonde, was Kates keus gevallen op de Starbucks bij haar in de buurt. Dat was veilig; Steven zou niet van haar verwachten dat ze met hem ging eten, en Elliot kwam hier nooit. Steven had een enorme caffè latte voor zich staan, al half opgedronken. Hij moest er al een poosje zijn. 'Ice tea,' zei ze als antwoord op zijn vraag. Ze ging tegenover hem aan het kleine hoektafeltje zitten. Hij knikte en liep naar de toonbank. Dat gaf Kate de kans om haar haar glad te strijken en naar hem te kijken.

Hij was nog steeds lang en slank – natuurlijk was hij nog steeds een meter vijfennegentig, maar misschien was hij niet meer zo slank als toen. Maar zijn haar was nog net zo mooi, een glanzend zwarte waterval. Kate herinnerde zich nog levendig dat ze dat haar had gestreeld. Hij draaide zich om en kwam terug met de ice tea en een kartonnen bordje met biscotti. Met anijs, waar ze zo dol op was. Het ontroerde en verraste haar dat hij dat nog wist, maar toen hij er eentje pakte, dacht ze dat hij ze misschien voor zichzelf had genomen.

Op deze tijd van de dag kwamen niet veel mensen koffie drinken; de drukte na de lunchpauze was al voorbij, en de bedrijvigheid voor het avondeten moest nog komen. Er waren verder geen klanten, behalve de onvermijdelijke gestoorde die in een soort dagboek zat te krabbelen, en een bejaarde heer die bij het raam de *New York Times* zat te lezen bij het afnemende licht van de namiddag.

Ze nam een slokje thee. Een tijdje zaten ze zwijgend tegenover elkaar. Kate had zich voorgenomen niet veel te zeggen. Ze was er zich van bewust dat zijn blik op haar rustte en keek uitdrukkingsloos terug.

'Je ziet er goed uit,' zei hij.

Kate glimlachte en hoopte dat die glimlach was wat kunsthistorici 'raadselachtig' noemen. 'Ik ben blij dat je me wilde zien,' ging hij verder. Toen Kate niets zei, voegde hij eraan toe: 'Nou, genoeg over jou gepraat. Hoe zie ik eruit?'

'Volgens mij ben je gegroeid,' zei Kate plagerig. 'Hebben mannen groeisprongen?'

'Ja, maar alleen op emotioneel gebied. En die zijn zeldzaam.' Hij lachte niet meer, hij had die hongerige blik in zijn ogen die ze zich zo goed herinnerde van wanneer ze vrijden of wanneer hij het over zijn plannen had. Zo zag hij eruit als hij iets wilde. Maar ze volhardde in haar zwijgen en wachtte rustig af tot hij zou zeggen wat hij van haar wilde.

'Kate, denk je nog wel eens aan vroeger... Aan ons?'

Ze was dankbaar dat Elliot er niet bij was. Die zou zijn hand voor zijn hoofd hebben geslagen en gemekkerd over de maanden dat ze ieder detail uit haar leven met Steven had herbeleefd. 'Ik heb het druk gehad,' zei ze.

Steven knikte. 'Dat verdiende ik,' zei hij. 'Maar ik heb veel aan jou gedacht. Eigenlijk moet ik aldoor aan je denken.'

'Dat is niet zo best,' zei ze, met dezelfde intonatie die Elliot zou hebben gebruikt.

Het scheen Steven niet op te vallen. 'Ik wilde je vertellen dat ik een stommeling ben geweest. Eigenlijk zou ik moeten zeggen: een ploert, maar dat klinkt zo ouderwets. En je begrijpt heus wel wat ik bedoel.'

Kate knikte en nam nog een slokje thee. 'Leugenachtige fielt is misschien meer op zijn plaats,' zei ze. Ze draaide haar hoofd naar het raam zodat hij de eventuele emotie niet van haar gezicht kon aflezen. Tot haar schrik dacht ze dat ze vanuit haar ooghoek Max voorbij zag lopen. Was hij met een vrouw? Ze kon het niet goed zien, ze gingen net de hoek om, maar ze hoopte dat hij hier niet binnen zou komen. Max had Steven vaak gezien, en zou het zeker eens zijn met de beschrijving die Steven van zichzelf gaf.

'Ik weet niet goed wat ik moet zeggen,' zei Steven. 'Behalve dat ik Piaget heb gelezen, en ik denk dat er in mijn geval sprake is van achtergebleven ontwikkeling. Toen wij met elkaar gingen, was ik emotioneel een jaar of acht.' Kate trok haar wenkbrauw op. Ze had een verontschuldiging verwacht, maar niet een die de spijker zo op zijn kop sloeg.

'Kate, ik heb nergens in mijn leven zoveel spijt van als van het feit dat ik je heb laten gaan.'

Kate probeerde die woorden van zich af te laten glijden. Weken, nee, maanden had ze gehoopt dat hij dit zou zeggen. Ze hield zich voor dat ze rustig moest blijven.

Steven keek om zich heen. 'Goh, wat is het hier naargeestig,' zei hij. 'Alsjeblieft Kate, ga met me mee iets drinken en eten. Geef me de kans het allemaal uit te leggen.'

Kate was van plan te weigeren. Ze wilde echt haar hoofd schudden. Ze had zijn excuses binnen, de zaak was gesloten. Ze hoefde alleen maar afstandelijk en kil te zijn. Gewoon haar hoofd schudden... 'Ik heb een veeleisende baan,' zei ze.

'Wordt het niet rustiger?'

'Misschien na de rapporten, over een maand.'

'Mag ik je dan bellen om een afspraak te maken?'
Toen ze merkte dat ze knikte, was ze net zo verbaasd als Steven leek te zijn.

33

Na een snelle douche was Kate in bed gekropen, uitgeput na het afspraakje met Steven. De telefoon ging. Ze keek op de display om te zien wie het was, en toen ze zag dat het Bina was slaakte ze een zucht van opluchting.

'Niet te geloven!' gilde Bina bijna. 'Het werkt! Het werkt bijna te goed! En hij heeft het nog steeds niet uitgemaakt!'

Kate was volslagen in de war. 'Waar heb je het over?' vroeg ze.

'Hij heeft me gebeld! Hij gaat me ten huwelijk vragen!'

Kate voelde zich jaloers en volkomen verrast. 'Gaat Billy je ten huwelijk vragen?' vroeg ze, een en al ongeloof.

'Niet Billy! Jack! Jack heeft me vanuit Hongkong gebeld.' Bina schreeuwde het door de hoorn. 'Hij zegt dat hij overmorgen naar huis komt, voor mij. Kate, snap je het nou nog niet? Elliots plannetje werkt echt. Jack komt bij me terug.'

Moe als ze was had Kate grote moeite dit nieuws te verwerken. Door haar hoofd spookten Jacks mailtjes, Elliots grafieken, Bina's roddeltjes over haar afspraakjes en wat Bina tijdens de babyshower had verteld. Het was een zootje, ze werd er duizelig van. 'Jack heeft gebeld en je een aanzoek gedaan?' vroeg ze.

'Nou, dat niet helemaal,' zei Bina, iets minder uitgelaten nu ze de waarheid moest bekennen.

'Nou, vertel dan eens rustig wat er wel is gebeurd,' zei Kate. Ze had er spijt van dat ze jaren geleden met roken was gestopt. Dit werd zo'n eindeloos lang verhaal waarbij alleen een sigaret je kon helpen. 'In de juiste volgorde, van begin tot einde.'

Ze hoorde Bina diep ademhalen. 'Nou, het begon ermee dat de telefoon ging.'

Het drong tot Kate door dat het toch maar goed was dat ze gestopt was met roken. Hier had je minstens een heel pakje voor nodig. 'Ja, en toen?'

'Toen nam ik op. Nou nee, eigenlijk nam mijn moeder op. Toen gaf ze de hoorn aan mij en zei: "Voor jou."'

'Wist ze dat het Jack was?'

'Toen nog niet. Pas toen ik begon te gillen. Nou ja, misschien wist ze het ook wel. Wil je dat ik het haar vraag?'

'Nee.' Kate legde nog een kussen onder haar hoofd. Jammer dat ze geen biertje had. 'Vertel maar gewoon wat hij zei en wat jij zei.'

'Oké. Hij zei: "Ben jij dat, Bina?" Dus toen zei ik: "Met wie spreek ik?" Maar ik wist dat hij het was, want ik herkende zijn stem meteen. Weet je, het leek net of hij vanuit Coney Island belde of zo, niet helemaal vanaf de andere kant van de wereld.'

Kate zuchtte. 'Wat zei hij?'

'Hij zei: "Bina, ik moet met je praten." En ik zei: "Ik luister." En hij zei: "Ik heb een grove fout gemaakt, Bina." Dus toen zei ik: "Nou, wat heb ik daarmee te maken?" Dus toen zei hij: "Je spreekt met Jack." En ik zei... Dit zal je wel mooi vinden, Katie! Ik zei: "Welke Jack?" Goed, hè?'

'Geweldig,' reageerde Kate.

'Dus toen zei hij: "Jack Weintraub." En ik zei: "O, die! Ik dacht even dat het Jack Marco Polo was." En toen zei hij: "Wat?" En toen ik weer: "Je weet wel, die gozer die een hele nieuwe wereld in het Oosten heeft ontdekt."'

Even dacht Kate erover dit recht te zetten, maar dit was niet het moment voor geschiedenis- of aardrijkskundelessen.

'Dus toen zei hij: "Bina, even ernstig. Ga je met iemand anders?" En toen zei ik: "Wat heeft dat met jou te maken?" En hij zegt: "Nou, ik weet dat je iemand anders hebt." En toen zei ik: "Je mag denken wat je wilt, maar alleen ik weet hoe het zit." En toen hij weer: "Bina, ik moet echt met je praten." Dus zei ik: "Ja, hoor." En hij zei: "Ik snap best dat je boos op me bent en zo." Maar ik viel hem in de rede en zei: "Nee hoor, want ik weet nauwelijks meer wie je bent." Zeg Katie, denk je dat hij helemaal in Japan heeft gehoord van mij en Billy?'

'Bina, hij zit in Hongkong.'

'Is dat dan niet in Japan?'

Kate schudde alleen maar haar hoofd. 'En toen?' vroeg ze. 'Nou komt het, hoor! Hij zei: "Ik moet met je praten." En ik zei: "Dat doe je toch?" En hij zei: "Ik moet je persoonlijk spreken." Dus ik zei: "Dat wordt dan lastig, hè?" En hij weer: "Donderdag op het vliegveld, Bina. Ik kom naar JFK, speciaal voor jou. Zeg alsjeblieft niet nee."'

Kate wachtte. Aan de andere kant van de lijn heerste diepe stilte. 'En wat zei jij toen?' vroeg ze aarzelend.

'Ik zei ja!' jodelde Bina door de telefoon. 'En toen zei hij: "Ik wil je iets vragen en ik wil je iets geven." Wat zeg je daarvan? Denk je dat het al te laat is om Elliot en Brice nog te bellen? Of kan ik beter tot morgenochtend wachten? Ik bedoel, als Elliot niet die statistieken had gehad, dan zou ik nooit...' Even zweeg ze. 'O jemig, Katie! O helpie! Ik moet zorgen dat Billy me dumpt, anders werkt het toch niet?'

'Kom op, Bina, dat is gewoon onzin. Jack heeft je gebeld omdat hij van je houdt en omdat hij je mist.'

'Nee hoor! Het komt door Elliot. Als ik niet met Billy was uitgegaan...'

Kate gooide de deken van zich af en stond op. 'Doe niet zo raar,' zei ze. 'Je hoeft helemaal niks te doen, je moet er alleen voor zorgen dat je op tijd op het vliegveld bent.'

'Ik ga Elliot bellen,' zei Bina. 'Ik moet weten hoe lang ik met Billy moet gaan, en jij en Elliot moeten bedenken hoe het uitraakt.'

'Hé, Bina, kom op nou,' zei Kate. 'Je zegt gewoon dat het voorbij is.'

'Neehee,' zei Bina terwijl Kate met de telefoon in de hand naar de keuken liep. Ze hoopte dat er nog bier in de ijskast stond. 'Híj moet het uitmaken, weet je nog?' Kate deed de deur van de ijskast open. Ze werd verlicht door het schijnsel dat midden in de nacht op eenzame, alleenstaande vrouwen valt wanneer ze een vreselijke teleurstelling achter de rug hebben.

'Ik moet iets verzinnen waardoor hij me dumpt, Katie,' ging Bina verder. 'Nog voor donderdag, anders...'

Achter de pot mayonaise zag Kate de bruine hals van een flesje Samuel Adams. Ze deed stilzwijgend een schietgebedje voor de god van de alcohol en pakte het flesje uit de ijskast. 'Bina, je hoeft me niet per se te geloven,' zei ze terwijl ze het bier inschonk. Ze dronk nooit uit de fles, dat deed haar te veel aan haar vader denken. 'Jack heeft je net gevraagd. Ik weet niet of je nog wel met hem wilt trouwen, maar als je dat wel wilt, moet je hem dat zeggen wanneer je hem ziet.'

'Ik ga Elliot bellen,' zei Bina. 'Ik ga Elliot bellen en daarna bel ik Barbie en daarna –'

'Prima,' reageerde Kate. 'Bel ze allemaal maar, maar laat mij met rust.' Na de babyshower had ze geen zin in nog een confrontatie met het kluppie. Ze hing op en dronk haar glas achter elkaar leeg. Daarna zette ze het glas op de aanrecht en kroop alleen in bed.

34

De zonsopgang was prachtig geweest. Dat wist Kate omdat ze het grootste gedeelte van de nacht wakker had gelegen. Haar slaapkamer lag op het oosten, en ze had het modderbruin dat voor nacht doorging eerst in beige zien veranderen, toen roze en daarna zalmkleurig. Tot een uur of acht zou het licht blijven, maar in Kates hart was het donker. Hoewel dit Kates lievelingsseizoen was, werd ze bedrukt wakker, in een grijze mist die geen zonsopgang kon verdrijven. De afgelopen dagen had ze gewerkt en gegeten – hoewel met weinig eetlust – en lopend van en naar haar werk gegaan, maar zonder zich daar echt bewust van te zijn. Ook al had ze er geen spijt van dat ze het met Michael had uitgemaakt, en ze niet veel van Steven verwachtte, voelde ze zich toch eenzaam, zonder hoop. Zoals zoveel vrouwen in Manhattan moest ze het zonder partner doen omdat of zij niet goed genoeg was, of de mannen. Ze had genoeg van haar vriendinnen uit Brooklyn, en het geval met Bina en Billy Nolan was als een zweertje in je mond waar je met je tong steeds aan moet voelen. Het had iets pijnlijks, iets ergerlijks, en toch moest ze er steeds bij stilstaan. Het ergste was misschien nog dat ze het niet met Rita of haar andere vriendinnen uit Manhattan kon bespreken omdat die het niet zouden begrijpen, en ze kon het er ook niet met Elliot over hebben omdat hij alles in gang had gezet. Om de waarheid te zeggen, ze wilde niet dat hij zo secuur als een tandarts de pijnlijke plek zou aanboren.

Ze viel in een lichte slaap. Het was kwart over zes toen de telefoon ging. Ze had geen idee wie dat kon zijn. Ze nam op en hoorde Bina's smekende stem. 'Alsjeblieft, Kate, help me! Ik kon het niet, en nu moet ik naar het vliegveld. Gister ben ik met Billy uit geweest en ik deed heel erg uit de hoogte, maar daar moest hij alleen maar om lachen. Ik heb met een ander geflirt, en dat leek hij niet eens erg te vinden –'

'Wacht, Bina, niet zo snel.'

'Kate, ik heb alles gedaan wat ze zeiden. Je moet me echt helpen. Billy heeft me nog niet gedumpt, en Jacks vliegtuig landt strakjes, en...'

Bina barstte in tranen uit. En ook al had Kate Bina al bijna haar hele leven horen huilen, deze keer klonk het anders. Kate maakte sussende geluidjes en ondertussen probeerde ze erachter te komen wat er zo anders was. Ineens wist ze het. Voor de eerste keer klonk het volwassen. Weg was dat hysterische dat Bina zo irritant en toch zo lief maakte. Deze keer klonk er schuldgevoel in door, vermengd met schaamte en angst.

'Ik heb een vergissing begaan, Kate. Maar dat wil ik Jack niet vertellen, en als Billy me niet dumpt, doet Jack geen aanzoek en dan heb ik mijn leven kapot gemaakt.'

'Het komt allemaal goed,' stelde Kate haar gerust. 'Ik huur een auto en dan haal ik je zo op. Ik breng je wel naar het vliegveld. Zorg jij nou maar dat je er goed uitziet, dan zorg ik voor de rest. Het komt allemaal goed, beloofd.'

'Op je ere-ere-erewoord?' vroeg Bina. Kate glimlachte. Goeie ouwe Bina, dacht ze, en ze ging door haar vriendin gerust te stellen.

Gekleed, opgemaakt, gekapt en geparfumeerd zat Bina naast Kate in de auto. Kate had diep nagedacht. Ze had een auto besteld en daarna Bina in Brooklyn opgepikt. Ze zaten nu achterin. Hoewel Bina onder de indruk was van de luxe-auto, was ze nog steeds doodzenuwachtig.

'Wat nu?' vroeg ze.

'Dat weet alleen ik, en zo moet het ook blijven,' zei Kate, en ze boog zich naar de chauffeur toe. 'Neem de BQE,' zei ze tegen hem omdat hij de toeristische route naar JFK leek te nemen – als die al bestond.

'Weet u welke terminal u moet hebben?' vroeg de chauffeur. 'Internationaal,' zei Kate. 'Volg de borden maar.' Ze leunde achterover tegen het zachte leer en keek Bina recht aan. 'Luister goed,' zei ze.

'Dat doe ik,' reageerde Bina.

'Goed. Je hoeft Jack niets te vertellen. Je hebt niets op te biechten.' Even zweeg Kate. De gedachte aan Bina en Billy samen, de gedachte aan hem, aan haar... Ze verdrong die gedachte en de jaloezie die ermee gepaard ging. 'Het was maar één keertje.'

'Nou, nee. Vorige week hadden we een afspraak en werden we door de regen overvallen, en toen nam hij me mee naar zijn appartement om droog te worden, en toen...'

Kate kon het zich maar al te levendig voorstellen. Het beeld van Billy die haar haar met een handdoek droogde, en ook andere lichaamsdelen, was verontrustend en opwindend. Het verbaasde haar niet dat Bina zich rot voelde. 'Het geeft niet. Jack en jij zijn uit elkaar. Hij is vrij om te doen wat hij wil, en jij ook. Je weet toch wat ze in het leger zeggen? "Stel geen vragen, en vertel niets."' Bina knikte. 'Nou, gedraag je daarnaar. En als Jack je iets vraagt, zeg je maar dat je van hem houdt. Vraag hem of hij van jou houdt.'

'Maar ik heb geslapen met –'

'Geen gemaar.'

'Maar als ik hem niet over dat vrijen vertel... Oké, ik vertel Jack niks.'

'Beloofd?'

'Beloofd. Maar ik moet zorgen dat Billy me dumpt, anders werkt het niet.'

'Daar zorg ík voor,' zei Kate. 'Nou, werk eerst je make-up even bij.' Gehoorzaam zocht Bina in haar enorme tas en haalde daar haar make-uptasje uit. Kate hielp haar zich mooi te maken en keek toen zelf in de spiegel. Ze zag een beetje bleek, en ze had blauwachtige kringen onder haar ogen van slaapgebrek, maar dat kwam later wel weer in orde.

'Oké,' zei ze toen de auto voorreed bij het vliegveld. 'Je ziet er geweldig uit, je zou je geweldig moeten voelen, en Jack komt helemaal alleen voor jou hier. Omdat hij van je houdt.'

Bina aarzelde. 'Maar ik weet niet zeker of –'

'Ik weet het wel zeker,' zei Kate. 'Ga nu naar de aankomsthal, waar de passagiers langs de douane komen. Over een halfuur of zo staat hij voor je neus.'

'Blijf je niet ook wachten?' vroeg Bina met wijd opengesperde ogen.

'Nee, ik heb andere dingen te doen,' zei Kate. Ze omhelsde Bina. 'Hou je mobieltje en je make-up droog. Bel me zodra er iets gebeurt.'

Bina stapte uit en liep door de glazen deur die vanzelf openschoof, toen draaide ze zich nog even om om te zwaaien en haar duim op te steken. Zodra ze uit het zicht was verdwenen, opgegaan in de massa, boog Kate zich naar de chauffeur toe. 'Terug naar Brooklyn,' zei ze.

35

Kate belde bij Billy Nolan aan. Het duurde een tijdje voordat er een reactie kwam. Kate legde haar handen om de intercom en mompelde iets met een hogere stem dan normaal. Dit was vast niet de eerste keer dat een vrouw op een ongelegen moment langskwam. Wat haar meer zorgen baarde, was dat hij vrouwelijk bezoek zou kunnen hebben. Maar zoals ze al hoopte werd de deur geopend en kon ze de gang in. Ik doe dit voor Bina, hield ze zichzelf voor, maar ze wist dat het gelogen was.

Na wat Bina tijdens de babyshower had opgebiecht, verlangde Kate hevig naar Billy Nolan. Ze had geprobeerd dat te ontkennen, maar ze was erg jaloers, volledig geïntrigeerd door Bina's relatie met hem. Om helemaal eerlijk te zijn, ze had zich onweerstaanbaar tot hem aangetrokken gevoeld vanaf het moment dat ze hem op het terras had leren kennen. Ze had zich daartegen verzet omdat ze wist dat hij net als Steven iemand was die zich niet kon binden. Ze had gedacht dat als ze Bina op deze manier hielp, ze misschien zelf in staat was om Billy Nolan voorgoed te vergeten – zijn lach, zijn charme, zijn gracieuze manier van bewegen. Ze wilde geen tijd meer steken in een relatie die toch geen toekomst had, maar als ze ervoor kon zorgen dat het snel uit was met Bina zodat die meer zelfvertrouwen kreeg, tja, dan...

Kate bleef op de overloop staan om in de spiegel te kijken. Ze was niet erg enthousiast over wat ze zag. Ze was bleek, met nog steeds die donkere kringen onder haar ogen. Nou ja, het moest maar. Ze haalde haar borstel uit haar tas en deed haar haar goed. De lipstick was nog in orde, en ze lachte breed om te controleren of er niets op haar tanden zat. Toen ze de trap op liep, merkte ze dat ze haar lippen bevochtigde. Ze herinnerde zich wat Elliot daarover had gezegd en schaamde zich. Nu ja, dacht ze, voordat deze dag voorbij is zijn er wel meer dingen waarvoor ik me kan schamen. Ze kwam bij Billy's deur, haalde diep adem en klopte aan.

Billy deed open, zijn haar door de war en met een katoenen badjas aan. Blijkbaar kwam hij net onder de douche vandaan. 'Wat...' Het leek of ze een dreun kreeg, alleen al door hem te zien. Ze rook zijn shampoo, die was lekkerder dan aftershave.

Ze wrong zich langs hem naar binnen. Ze liep de kamer door, zette haar tas neer en ging met over elkaar geslagen benen op het bed zitten.

'Ga zitten, doe alsof je thuis bent,' zei Billy sarcastisch. Hij deed de deur dicht. 'Waar heb ik dit onverwachte genoegen aan te...' Hij gaf het op om deftig te doen. 'Koffie?' vroeg hij en terwijl hij op zijn hoofd krabde liep hij naar de keuken.

'Nee dank je,' zei Kate, en deze keer weerhield ze zich er echt van haar lippen te likken. 'Ik kom niet voor koffie.'

Billy bleef bij de gootsteen staan, zijn hand uitgestrekt naar de kraan. Ze had sinds die vreselijke avond in het bowlingcentrum geen gelegenheid gehad om naar zijn handen te kijken. Ze was altijd in mannenhanden geïnteresseerd geweest. Ze beschouwde zichzelf als een kenner. Van korte dikke vingers met haartjes had ze een afkeer, maar ook van te slanke, haast vrouwelijke handen. Die van Billy waren fascinerend. Perfect, krachtig maar toch ook gevoelig, geraffineerd en sensueel. Ze bloosde. Langzaam kwam hij naar haar toe, trok een stoel bij en ging tegenover haar zitten. 'Waar kom je dan voor?' vroeg hij. 'Weer een consult?'

Goed, dat verdiende ze. Waarschijnlijk nog wel erger. Als ze voor hem door het stof moest, dan deed ze dat. Maar was hij zich bewust van haar belachelijke verlangen? Ze was blij dat dat niet tastbaar was, want ze verlangde hevig naar hem. 'Ik had het bij het verkeerde eind,' gaf ze toe. Even zweeg ze. Dit had ze in de auto vanaf het vliegtuig geoefend, maar ineens wist ze het niet meer. 'Het gaat niet met Bina, hè?' flapte ze eruit.

Billy keek haar aan. 'Heb ik iets gemist? Zitten we nog op de middelbare school?' vroeg hij.

Shit! Op dit moment liep Jack waarschijnlijk op Bina toe. 'Vertel me nu maar de waarheid,' zei ze. 'Bina betekent niets voor je.'

'Bina is een leuke meid,' reageerde hij.

'Dat weet ik ook wel, maar dat vroeg ik je niet.' Ze keek naar haar blote tenen, en ineens moest ze denken aan een prerafaëlitisch schilderij, *King Cophetua and the Beggar Maid*. Ze had dat altijd een erotisch geladen kunstwerk gevonden. 'Oké,' zei ze. 'Ik ben gekomen om toe te geven dat ik een fout heb gemaakt. Bina hecht zich aan je, en dat is niet eerlijk. Ze zal gekwetst worden, en dat is dan net zo goed mijn schuld als de jouwe.'

Voor de eerste keer sinds ze binnen was keek Billy wakker uit zijn ogen. Hij keek van haar naar de grond en toen weer terug. 'Het is nooit mijn bedoeling geweest haar te kwetsen. Ik ga om met vrouwen die hun mannetje staan.'

'Nou, Bina is niet zo'n vrouw.'

'Weet ik. Daarom heb ik nooit met haar geslapen. Niet dat dat jou ook maar iets aangaat.'

Kate keek weg van zijn knappe gezicht. Dus hij was niet alleen een vrouwenverslinder en een flirt, maar ook een leugenaar.

'Ik heb geen tijd voor leugens,' zei ze.

'Hé!' Hij stond op. 'Ik lieg niet. Ik ga nooit met meer dan één vrouw tegelijk om, en ik maak het altijd uit voordat ik het met iemand anders aanleg. Ik doe geen loze beloften. Ik ben eigenaar van een bar, vergeet dat niet. Ze weten dat ik, eh... dat ik het niet serieus meen. En als dat dwangmatig handelen is, nou ja, dat is dan mijn probleem. Ondertussen zorg ik ervoor dat ze zich goed voelen.'

'Het is tijd om met Bina te breken,' zei Kate zelfverzekerd. Helaas voelde ze zich alles behalve zelfverzekerd. Ze was eerder bang, banger dat ze ooit was geweest. Stel dat hij niet geïnteresseerd was, of erger, dat hij haar zou uitlachen en de deur uit zetten? Dat zou ze niet kunnen verdragen. Maar ze mocht haar angst niet tonen. Ze keek hem aan, zijn haar door de war na de douche, en toch zo leuk. 'Het is tijd,' zei ze weer.

Ongelovig keek hij haar aan. 'Ben je soms haar secretaresse of haar moeder? Hoe weet je eigenlijk wat ik voor haar voel?'

Kate stond op, boog zich naar hem toe en keek hem recht in de ogen. Ze voelde zijn lichaamswarmte, ze had het gevoel dat ze smolt. Er waren geen woorden voor nodig om te weten of iemand eerlijke bedoelingen had. Kate deed meer dan haar excuses aanbieden. Ze legde zich bloot, ze liet hem in haar ziel kijken. Zwijgend keek ze hem aan en liet hem weten wat haar bedoeling was. Alle seksuele begeerte, al het verlangen dat ze had onderdrukt was duidelijk zichtbaar, hij hoefde het maar te zien. Even trok Billy zich terug, toen boog hij zich naar haar toe.

'Kate, ben je...' De uitdrukking op zijn gezicht veranderde van verwarring naar ongeloof naar... naar verrukking.

Kate stond op, trok haar trui van haar schouders en gooide die op een stoel. Daarna ging ze weer op bed zitten en maakte het bovenste knoopje van haar blouse los. 'Ik vind dat je Bina moet bellen,' zei ze. 'Ze is nu niet thuis, maar je kunt een bericht inspreken.'

'Dat lijkt me nogal onaardig,' opperde Billy.

'Haar oude vriendje is even terug. Ze vindt het vast niet erg als je het nu uitmaakt.'

'M-m-maar telefonisch?' stotterde hij.

Kate keek hem aan. Ze stond versteld dat hij zoveel eergevoel had, en dat zij zich zo schuldig voelde omdat ze hem manipuleerde. Maar daar mocht ze nu niet bij stilstaan. 'Ik weet zeker dat dit het beste is. Ze zal geen moment om je treuren.'

Als gehypnotiseerd deed Billy wat ze had gezegd. Hij pakte de telefoon, en Kate was zo kies om de kamer uit te gaan terwijl hij het bericht insprak dat Bina als cruciaal beschouwde. In de badkamer belde ze naar school om zich ziek te melden – de derde keer dat ze niet op haar werk kwam opdagen. Daarna bestudeerde ze zichzelf in de spiegel. Waar ben je mee bezig, vroeg ze zich af. Ze was er niet zo zeker van dat ze zich aan deze man aanbood om ervoor te zorgen dat een plannetje slaagde waarin ze nooit had geloofd. Ze wilde met Billy vrijen, maar ze was nu al bang dat ze meer zou willen. En ze kende zijn reputatie met vrouwen. Kon ze het zich veroorloven om tijd in een relatie te steken die nergens toe zou leiden? Ze keek weg van haar eigen blauwe ogen. Ze wist dat ze geen keus had. Ze verlangde heviger naar Billy dan ze ooit naar iets had verlangd. Maar het betekent niets, hield ze zichzelf voor. De toekomst bestaat niet, alleen het heden telt. Ik zal niet dezelfde fouten maken die ik met Steven en Michael heb gemaakt. Dit is geen relatie, dacht ze. Dit is wat andere mensen een 'lolletje' noemen.

Een 'lolletje' was niet bepaald het woord dat Kate zou gebruiken voor vrijen met Billy.

'Ik heb naar je verlangd vanaf het moment dat ik je op het terras zag,' zei hij.

Kates maag kromp samen. Dit had ze zo graag willen horen, maar ze durfde het niet te geloven. Voor haar gold dat inderdaad, hoewel ze dat niet aan zichzelf had durven toegeven, en zeker niet aan Billy. Dat zou te waanzinnig voor woorden zijn. Ze glimlachte daarom raadselachtig en probeerde alles uit haar hoofd te zetten. Dat was niet zo moeilijk, want niemand had ooit zo met haar gevrijd als Billy. Zijn bekwaamheid en kracht verbaasden haar niet, maar ze stond versteld van zijn tederheid. Hij nam haar gezicht in beide handen en kuste haar. Hij streelde haar haar. 'Zo mooi,' fluisterde hij. 'Ik hou van je haar.' Hij verborg er zijn gezicht in, net naast haar oor. 'Ik hou van de geur en de zachtheid. Ik wilde het aldoor al graag aanraken, maar ik dacht niet dat ik ooit de kans daartoe zou krijgen.'

Kate draaide zich naar hem om, en hij drukte zijn lippen op de hare. Ze wist niet wat ze fijner vond, dat hij die mond gebruikte om met haar te praten of om haar te kussen. Zijn handen vertelden haar ook veel. Hij liet ze van haar borsten naar haar dijen dwalen, en toen weer naar haar mond. Iedere keer ging hij verder, werd het intiemer, en leerde hij haar en haar reacties beter kennen. Kate vond de eerste paar keer dat ze met iemand vrijde altijd een beetje ongemakkelijk en onbevredigend. Maar met Billy was alles anders. Hij was zich bewust van haar kleinste reactie, het even inhouden van haar adem, de kleinste beweging van haar heupen. Ze dacht dat ze hem zonder een woord te spreken alles kon vragen. Maar ze hoefde niets te vragen. Hij nam er de tijd voor, hij was ervaren, maar ze was zich ook bewust van een uitwisseling van gevoelens, en daar verloor ze zich in. Terwijl ze aan het vrijen waren, bleef hij haar kussen, op allerlei verschillende manieren, die allemaal pasten bij hun bewegingen. Hij hield alleen op met haar te kussen wanneer hij haar wilde aankijken, of toen hij haar tepels kuste, en nog lager.

Met zijn handen en zijn mond bracht hij haar naar het randje van de afgrond, totdat ze over haar hele lichaam beefde. Ze kon bijna geen adem meer krijgen, maar het was een heerlijk gevoel, totaal niet beangstigend. En toen ze hem aanraakte en ze zijn adem in zijn keel hoorde stokken, vond ze dat bijna bevredigender dan hem op haar te voelen bewegen. Ze had geen flauw benul hoe laat het was toen hij nog een laatste keer bij haar binnenkwam, en ze daarna allebei in slaap vielen, uitgeput en bevredigd, hield hij zijn armen om haar middel geslagen, drukte hij haar zelfs in zijn slaap tegen zich aan.

36

Kate deed haar ogen open. Het was zo'n moment van niet goed weten waar je bent. Waar was ze eigenlijk? Ze keek niet naar haar eigen plafond of naar dat van Michael. Ze draaide haar hoofd om en zag Billy, die nog sliep. Meteen herinnerde ze zich weer wat er was gebeurd. Blozend glimlachte ze, maar tegen haar gewoonte in vond ze dat deze keer niet erg.

In haar slaap was haar haar alle kanten op gaan staan, en een rode lok krulde zich om Billy's bovenarm. Alleen al het kijken naar die arm op het laken, badend in de zonnestralen die door het raam aan het hoofdeinde vielen, maakte dat ze zich heel... gelukkig voelde. En dat was ze niet gewend.

Ze rekte zich behaaglijk uit. Zo'n diep geluksgevoel kon je niet vasthouden, en dat probeerde ze dan ook niet. Ze genoot alleen maar van de zon, van de schone witte lakens, en koesterde het moment. Ze dacht niet eens aan het vrijen, ook al was het geweldig geweest. Ze keek alleen naar Billy, ze voelde zijn warmte die haar het gevoel gaf dat ze veilig was. Het was een moment van puur geluk.

Langzaam, om hem niet wakker te maken, tilde ze haar hoofd een beetje op om naar zijn gezicht te kunnen kijken. Zelfs in rust straalde dat een wonderlijke schoonheid en levendigheid uit. Na hun gesprek van de vorige avond dacht ze niet meer dat Billy Nolan alleen maar knap was. Op zijn manier was Steven ook knap geweest. Maar Billy leek een dieper gevoelsleven te hebben, hij beschikte over begrip en mededogen, iets waar Steven te narcistisch voor was geweest.

Alsof Billy voelde dat hij werd geobserveerd, deed hij zijn ogen open. 'Hoi,' zei hij, zijn stem warm en zelfverzekerd. Weer bloosde Kate, en deze keer schaamde ze zich daarvoor. Ze liet zich terugvallen in de kussens. Billy richtte zichzelf op, en op zijn elleboog leunend boog hij zich over haar heen om haar te kussen. Zijn kussen waren gevoelvol, onderzoekend en teder. Dat deed haar aan het vrijen van de afgelopen nacht denken, toen hij haar bijna voortdurend had gekust – behalve wanneer hij met zijn mond een ander lichaamsdeel liefkoosde. Hij hief zijn hoofd weer op.

'Goedemorgen,' zei Kate en trok het laken op.

'Nu ben je mijn gevangene. Je moet voor eeuwig in mijn bed blijven.'

Dat leek haar heerlijk, maar ze glimlachte alleen maar.

'Hoe laat is het?' vroeg Billy terwijl hij zich geeuwend terug liet vallen.

Kate had geen flauw benul. Ze wist niet eens welke dag het was, en dat was ook al zo prettig. In zijn bed had ze geen tijdsbesef. Als ze mocht kiezen waar ze de eeuwigheid mocht doorbrengen, dan was het wel hier. Toch dwong ze zichzelf om op de klok op het nachtkastje te kijken. 'Jezus!' bracht ze ademloos uit. 'Het is vrijdag, en al bijna negen uur! Ik moet de school bellen.' Geschokt staarde ze naar het plafond. Ze kon zich niet overhaast aankleden en naar school gaan, daar was het al te laat voor. Ze was nog nooit twee dagen achter elkaar niet op haar werk verschenen, ook niet die keer dat ze die buikgriep had die zich razendsnel door de school had verspreid; ze was toen maar één dagje thuisgebleven. De kinderen konden altijd op haar rekenen. Maar nu was het schooljaar bijna afgelopen, het was maar een korte dag. Ze moest rapporten schrijven voor de administratie en de ouders van de kinderen. Ze zou op school moeten zijn en haar aantekeningen raadplegen, maar voor deze ene keer kwam ze in de verleiding eerst aan zichzelf te denken. Aan de andere kant, ze zou dr. McKay op de hoogte moeten stellen dat ze niet kwam, en dat zou hem niet bevallen. Ze wist dat er overlegd werd of haar contract wel of niet verlengd moest worden, dit was niet het moment om een steekje te laten vallen. Maar hier weggaan kon ze ook niet. Vragend keek Billy haar aan.

'Mijn werk,' zei ze. 'Ik moet bellen.'

Hij gaf haar de telefoon. 'Ga je gang,' zei hij. 'Zolang je geen andere man belt, mag je mijn belminuten verbruiken.'

'Het is geen man, het is het hoofd,' zei Kate.

'Nou, ik ben blij dat je je hoofd niet bent verloren,' reageerde hij. Hij kuste haar terwijl ze het nummer van Andrew Country Day intoetste. 'Daar had ik even mijn twijfels over.' Ze trok een gezicht en duwde hem weg. Hij ging weer liggen en speelde met een lok van haar haar.

Toen Vera opnam, dr. McKay's secretaresse, was Kate opgelucht. Ze vroeg naar dr. McKay, maar hoopte stilletjes dat hij niet gestoord mocht worden en dat ze de boodschap kon achterlaten.

Helaas verbond Vera haar meteen door. Kate hoorde de vertrouwde neusklanken van dr. McKay. 'Met McKay,' zei hij. 'Ja?'

'U spreekt met Kate Jameson. Het spijt me, maar ik kan vandaag niet aanwezig zijn.' Stilte aan de andere kant. Het was verbazingwekkend hoe krachtig stilte kon zijn. Ze wilde die verbreken, haar excuses maken, maar ze dwong zichzelf dat niet te doen.

'Ben je nog ziek?' vroeg dr. McKay uiteindelijk.

'Nee,' zei ze. 'Het is iets privé.' Ze keek naar Billy, en zag dat hij er weer klaar voor was. 'Iets onverwachts.' Billy fronste. Kate had wel naar hem willen lachen, maar ze was tegen beter weten in bang dat dr. McKay dat zou merken. Dapper bleef ze zwijgen terwijl ze naar Billy keek die lokken haar naar zijn mond bracht om daar kusjes op te drukken.

'Dat spijt me,' zei dr. McKay, en Kate dacht dat het hem speet dat te moeten zeggen.

'Het is maar een korte dag, ik haal het wel weer in. De meeste verslagen over de kinderen zijn al klaar.'

Ze hadden het er nog even over, en toen kon Kate ophangen. Opgelucht slaakte ze een zucht, en Billy grijnsde breed. 'Spijbel je?' vroeg hij. Ze knikte. 'Dan kunnen we nu gaan spelen,' zei hij.

'Maar als je niet wilt, bel ik de leerplichtambtenaar om je aan te geven.'

Kate giechelde. 'Ik ben niet leerplichtig,' zei ze.

'Dat zullen we nog wel eens zien,' reageerde Billy.

Als ze erover ging nadenken, werd ze nog gek. Per slot van rekening was dit de man die met bijna alle vrouwen van Brooklyn had geslapen, zelfs met haar beste vriendin. Dat was een vreemd idee, dus daarom volgde ze het voorbeeld van haar cliëntjes: ze zette die gedachte in een hokje en deed dat op slot. Billy kon toch onmogelijk net doen of hij over deze gevoelens beschikte? Of wel? Hij had veel ervaring, dat had ze tijdens het vrijen wel gemerkt. Iedere aanraking was heerlijk geweest, bijna perfect. Als het nog beter werd, zou het beangstigend zijn. Het had nu al iets griezeligs. Hij scheen eerder dan zij te weten waar hij zijn handen naartoe moest brengen, hoeveel druk hij moest uitoefenen, waar hij haar moest kussen, wanneer hij speels moest zijn en wanneer ernstig. Als ze dat met Michael vergeleek – en ze probeerde dat zonder veel succes te doen – was Michael een boterham en Billy een overdadig feestmaal.

Ze vrijden nog een keer. Daarna maakte Billy het ontbijt. Hij kon goed koken, en Kate had honger. Ze keek rond in de zonnige woonkamer. 'Leuk huis,' zei ze nadat ze het laatste spek had verorberd.

Billy lachte. 'Dat klinkt of dat je verbaast,' zei hij.

Kate bloosde. 'Woon je hier al lang?' vroeg ze.

'Mijn vader kwam hier wonen toen hij ziek werd. Emfyseem. Hij woonde niet graag alleen in ons oude huis nadat mijn moeder was gestorven. Hij kon niet meer bij de brandweer werken, dus toen ging hij fulltime in de bar staan, en ik hielp hem dit tot appartement te verbouwen.'

'Dus je kunt koken én doe-het-zelven?' vroeg Kate terwijl ze de borden naar de aanrecht bracht.

'Ja,' zei hij. Hij keek weg. 'Het was leuk om de boel met mijn vader te verbouwen, maar het was nog maar net klaar of hij stierf.'

'Aan dat emfyseem?' vroeg Kate.

Billy knikte en vertrok zijn gezicht. 'Nou ja, aan de complicaties. Een rotmanier om dood te gaan. Rot om te zien.'

'Het spijt me,' zei Kate.

Billy haalde zijn schouders op en schraapte een bord af. 'Als brandweerman moet je niet ook roken,' zei hij.

'Mijn vader was agent, en hij dronk. Dat zou je ook niet moeten doen,' zei Kate.

Billy knikte, liet de gootsteen vollopen met warm water en zette daar de borden in. Hij keek om zich heen. 'In ieder geval, dit appartement beviel me wel, en toen ik de bar overnam, was het handig om hier te wonen. Het herinnert me aan mijn vader.' Hij deed afwasmiddel in het water, daarna veegde hij zijn handen af aan de handdoek. 'Raar,' zei hij. 'We hebben het ontbijt net achter de kiezen en ik heb nu alweer honger.' Hij trok zijn wenkbrauwen op en keek haar veelbetekenend aan, sloeg toen zijn armen om haar heen en verborg zijn gezicht in haar hals. Kate smolt weg in zijn armen, en ze gingen terug naar bed.

Na dit *encore*, toen Billy was gaan douchen, piepte Kates mobieltje. Ze zag dat het Bina was en nam het gesprek aan.

'Katie? Katie?'

'Ja, natuurlijk ben ik het,' zei Kate.

'Jemig, Katie! Hij heeft me gevraagd. Precies zoals Elliot had gezegd. Niet te geloven, maar Jack heeft me echt gevraagd.'

Kate schrok hevig toen ze zich herinnerde – voor de eerste keer sinds ze hier was – dat ze eigenlijk was gekomen om Bina's uitgestelde verloving mogelijk te maken. Was ze dan zo'n egocentrische, egoïstische vriendin?

'Geweldig! Dat is nog eens echt geweldig!'

'En er is nog iets,' ging Bina verder, 'waardoor ik wist dat Elliot gelijk had. Je gelooft het vast niet!'

'Laat maar horen,' reageerde Kate droog. Ze wist wat er zou komen. Maar net op dat moment gaf haar mobieltje het signaal dat er nog een gesprek binnenkwam. Ze keek op de display wie het was. Ze herkende het nummer niet, dus liet ze het gesprek door-schakelen naar de voicemail.

'Nou, ik kreeg een bericht dat Billy het uitmaakte – net op tijd! Meteen nadat ik de berichten op de voicemail had afgeluisterd, deed Jack me een aanzoek.'

'Gefeliciteerd! Of proficiat, of mazzel tov,' zei Kate. 'Je ouders zijn vast in alle staten. Ik ook, ik vind het echt fijn voor je.'

'Ik ook. En het leukste was nog wel dat hij zijn excuses maakte omdat hij, nou ja, je weet wel. Hij zei dat hij in paniek raakte. Hij werd bang en kon de woorden niet over zijn lippen krijgen.' Even zweeg ze. 'Denk je dat dat echt zo is?'

'Gedeeltelijk wel,' antwoordde Kate, met in haar achterhoofd zijn voorstel om van hun vrijgezellenbestaan te genieten. Kenne-lijk was Bina dat ook nog niet vergeten.

'Hij zei dat hij tijd nodig had om een beetje... Nou ja, je weet wel. We zijn al zo lang samen, en hij heeft me nog nooit bedrogen. Hij wilde er echt helemaal zeker van zijn. Dat neem ik hem niet kwalijk. Jij?'

'Nee.'

'Nou ja, maar...' Even zweeg Bina, toen zei ze zacht: 'Maar ik kan niet vergeten wat er daarna gebeurde. Je weet wel, met... Nou ja, je kunt je niet voorstellen hoe geweldig het was met –'

'Ik denk dat ik me dat wel kan voorstellen.' Kate wierp een blik in de richting van de badkamer. 'Ik moet ophangen, ik spreek je vanavond wel.'

Kate kwam net zelf onder de douche vandaan toen haar mobieltje weer ging. Ze keek op de display en wist meteen dat ze een pro-bleem had. Even dacht ze erover om niet op te nemen, maar ze wist dat Elliot het nooit opgaf.

'Waar ben je?' vroeg hij zonder voorafgaande inleiding. 'Je bent niet op je werk en bent ook niet thuis. Je bent niet thuis, dus je bent niet ziek. Tenzij je bij de dokter bent. Ben je bij de dokter?'

'Nee,' zei Kate. 'En ik wil het er nu niet over hebben.' Ze voelde zich niet op haar gemak. Ze wist dat Billy haar kon horen, ook al wist ze niet precies waar hij was.

'Nou, waar ben je dan?'

'Dat vertel ik je nog wel,' zei Kate zacht.

'Wat?'

'Dat vertel ik je nog wel.'

'O jezus, je ligt met Steven in bed.'

'Nee, dat nou niet precies,' zei Kate.

'Wat moet dat nou weer betekenen?' vroeg Elliot. 'O, ik weet het al. Dit is echt te erg. Je bent bij Steven.'

'Nee.'

Elliot zweeg terwijl hij diep nadacht. 'Maar je ligt wel bij iemand in bed.'

'Je bent een echte Einstein.'

'Goh, ik ben echt opgelucht, weet je dat?' zei Elliot. 'Eerst wilde ik de ziekenhuizen afbellen, maar toen dacht ik aan Steven, en vervolgens dacht ik dat ik beter de psychiatrische klinieken kon afbellen. Maar in plaats van dat je bent doorgedraaid, heb je het geluk gevonden.'

'Dat weet ik nog niet zo net,' reageerde Kate.

'Nou meisje, zodra je thuis bent, wil ik elk detail horen.'

37

'Het gaat hier omhoog. Klaar?' Kate knikte.

Het was warm, het asfalt waarover ze gleden straalde de hitte al terug. Kate had een paar keer eerder op inline skates gestaan, maar ze had zich nooit zelfverzekerd gevoeld. Maar op deze prachtige middag leek alles gemakkelijk te gaan. Samen gingen ze door Prospect Park, hun handen op de rug verstrengeld. Billy was verrassend goed als leraar, hij hielp haar tot ze zelfverzekerde slagen maakte. Maar het leukste was dat ze dit met Billy deed. Hij steunde haar nauwelijks, maar die steun gaf haar wel vertrouwen. Hij waarschuwde haar bij ieder heuveltje en elke bocht voordat die ook maar te zien waren, en wanneer ze afdaalden hield hij haar steviger vast. Het was opwekkend, Kate dacht dat het skaten met hem bijna net zo opwindend was als met hem vrijen.

'Jij bent er echt goed in,' zei ze toen ze een beschaduwd pad op reden.

'Zes jaar in het hockeyteam en maar één tand waar een hoekje vanaf is,' vertelde Billy.

Met een lach keek ze naar hem op. Ze had zich al afgevraagd hoe hij aan die tand kwam. Dat was een foutje dat zijn verdere volmaaktheid dragelijk maakte. Ze herinnerde zich de film waarin Brad Pitt een bokser had gespeeld. Ze hadden hem zo opgemaakt dat zijn neus gebroken leek. Kate had ergens gelezen dat veel vrouwen hem in díe film het leukst vonden.

'Ik vind die tand wel leuk,' zei ze alleen maar. Hij gaf haar een por, ze dacht als reactie op dat complimentje. Maar Billy zei: 'Hou je aandacht erbij,' en stuurde Kate langs een wankelende skater en door een groepje kinderen dat de weg overstak. Toen ze uit de schaduw kwamen, stak de zon, maar door de snelheid waarmee ze reden streek een koel windje over hun wangen. Eenmaal op een recht stuk gekomen konden ze echt vaart maken.

'Ik kan zien dat je ervaren bent,' merkte ze op, maar hield haar blik voorwaarts gericht, precies zoals hij had gezegd.

'Nou,' zei Billy, 'jij doet het ook niet voor het eerst.'

'Ik kon er niets van,' zei ze. 'Jij hebt het me geleerd.'

Door hem was alles anders. Het was al een week geleden dat Jack was teruggekomen en Kate bij Billy op bezoek was gegaan, en ieder vrij moment waren ze samen geweest. Het eerste weekend hadden ze helemaal niets gedaan, ze hadden heerlijk geluierd. Maandag na het werk had hij voor haar gekookt. Ze was bij hem blijven slapen, maar de avond daarna – een stille avond in de bar – was hij bij haar thuis gekomen en hadden ze pizza gegeten, en een salade die zij had gemaakt. En sindsdien waren ze altijd samen. Op school had ze Elliot wel gezien, maar ze had hem ontlopen, net als Rita en het kluppie uit Brooklyn. Dit was hun tweede weekend samen.

Het verbaasde Kate dat Billy en zij zoveel gemeen hadden. Het was niet alleen het Frans. Hij had zijn moeder ook op jonge leeftijd verloren, maar daar praatte hij niet over. Als tiener was hij door zijn vader opgevoed. Allebei waren ze enig kind, en nu ook wees.

Kate moest toegeven dat ze wat Billy betrof bevooroordeeld was geweest. Hij was geen dombo, en hij was niet alleen maar knap. Als ze al zijn eerdere veroveringen uit haar hoofd zette, was hij het prettigste gezelschap dat ze in lange tijd had gehad. Het schooljaar was bijna afgelopen, en nu ze meer tijd had om boodschappen te doen en te koken, merkte ze dat ze het heerlijk vond als Billy bij haar kwam eten.

Wanneer het Billy's beurt was om de bar te sluiten, ging ze vroeg naar zijn appartement en werkte of las daar totdat hij klaar was. Af en toe kwam hij even boven voor een kusje, en meestal nam hij dan iets lekkers of een drankje voor haar mee. En wanneer hij vroeg met werken mocht ophouden, kwam hij naar Manhattan, of zoals hij het noemde: naar de 'stad'. Kate herinnerde zich dat zij Manhattan vroeger ook zo had genoemd, en ze glimlachte elke keer dat hij het zei.

'Nog een heuveltje,' zei Billy. 'Kom op, doe je best.'

Kate deed haar best. Ze was niet alleen onder de indruk van zijn prestaties op skategebied. Er was bijna niets aan Billy Nolan waarvan ze niet onder de indruk was. Hij was heel anders dan ze had gedacht, hij was niet gladjes, oppervlakkig of arrogant. Niet als je hem beter kende. En hij leek oprecht om haar te geven. Of deed hij maar alsof? Ze vond het vreselijk om aan hem te twijfelen. Hij leek zo gevoelig, hij dacht niet alleen aan zichzelf zoals Steven had gedaan, maar ook aan anderen.

Het enige wolkje boven haar geluk was de gedachte aan al die vrouwen die hij had veroverd. Wanneer ze niet bij hem was, vroeg ze zich af of al zijn vriendinnen zich zo hadden gevoeld, en, belangrijker nog, of hij hetzelfde voor hen had gevoeld als hij voor haar leek te voelen. Zoiets kon ze hem niet vragen, op zo'n vraag kreeg je toch nooit een eerlijk antwoord.

Ze waren de heuvel over, en tijdens de steile afdaling moest Kate gillen, gedeeltelijk van de lol en gedeeltelijk uit angst. Ongeveer zoals ze zich over deze relatie voelde. Beneden liet Billy een van haar handen los en liet zich uitglijden tot een bankje naast een ijskarretje. Achter hen bevond zich een hockeyveldje, en daarachter een uitgang uit het park. Kate was dankbaar dat ze even kon gaan zitten. 'Ik ben uitgeput,' biechtte ze op.

'Ik ook,' zei Billy, maar dat betwijfelde ze. Hij scheen geen ons vet op zijn lijf te hebben, ze wist dat hij zonder kleren aan slank en krachtig was. Bij de gedachte aan zijn lijf kwam er even begeerte in haar op.

'Dorst?' vroeg hij. Ze knikte. 'Kom.' Ze deden hun Rollerblades uit, trokken hun schoenen aan en stopten hun spullen in zijn rugzak.

Net toen ze het park uit liepen ging haar mobieltje. Ze zag dat het Elliot was. Al een week beantwoordde ze zijn oproepen niet, en op school ontliep ze hem zoveel mogelijk. Ze hadden het even gehad over Bina's verloving, over het feestje dat ze voor haar wilden organiseren, over Elliots en Brices plannen voor de zomer – over van alles, behalve wie haar nieuwe vriend was. Ze had niet tegen hem willen liegen, maar ze wist ook hoe sterk hij deze verhouding zou afkeuren.

'Neem je nog op? Of is het een ander vriendje?' vroeg Billy. De telefoon zweeg.

'Het is een hij, het is een vriend, maar hij is homo,' zei Kate. 'Telt dat?'

Ze gingen naar Jo's Sweet Shop voor een ijsje. Jo's was een instituut, het ouderwetse soort tent waar ouders na het schaatsen voor hun kinderen warme chocolademelk kochten, en ijsjes wanneer het warm was. Kate was altijd jaloers geweest op kinderen die naar Jo's mochten. Het partijtje hockey op het veldje was afgelopen en de spelertjes en hun ouders dromden met hun skates en ander toebehoren naar binnen om ijsjes en drankjes te kopen, en om af te koelen. De grotere kinderen drongen zoals gebruikelijk voor, sommige ouders drongen ook voor. Het was een complete chaos. Billy en Kate zagen een jongetje van een jaar of acht dat in het gedrang ten val kwam. Hij begon te huilen.

'Jemig!' riep Kate. Ze drong zich door de massa heen en knielde bij het joch neer. 'Jongen toch, hebben ze je pijn gedaan?'

'Hij trapte op me!' bracht het kind snikkend uit. Hij wees, en toen Kate opkeek zag ze een forse tiener die zijn hockeykleren nog aanhad. Vanwaar ze zat, leek de jongen enorm. Maar Billy pakte hem bij de kraag van zijn hockeyhemd beet en trok hem weg.

'Zie je wel? Hij is weg,' troostte Kate het jongetje.

Iedereen bestelde door elkaar. 'Twee *cookies 'n cream* met spikkels!'

'Een cola!'

'Drie grote chocolade-ijsjes en een ice tea!'

De bestellingen werden bijna overstemd door het opgewonden

schreeuwen van de kinderen en het geklaag van mensen die opzij werden geduwd, en die eigenlijk aan de beurt waren. De puber achter de toonbank kon het nauwelijks allemaal aan. Kate bracht het jochie naar zijn vader, en ondertussen probeerde de jongen achter de toonbank orde te scheppen. Maar er kwamen steeds meer mensen binnen, en de mensen die er al waren, werden steeds luidruchtiger. 'In de rij!' schreeuwde de jongen wanhopig. Niemand sloeg acht op hem.

Billy kwam weer bij Kate staan, en hij bracht haar naar de ingang. 'Dit is waanzin,' zei hij. Lenig sprong hij over de toonbank en richtte zich tot de menigte.

'Mensen!' riep hij zo hard dat het in het park te horen moest zijn. 'Rustig, allemaal! Kinderen met hockeysticks links, kinderen met skates rechts.'

Er viel even een stilte, toen veel geduw en getrek terwijl de massa zich hergroepeerde.

'Rustig! En dat meen ik!'

Alsof Billy Mozes was en de mensen de Rode Zee gingen ze uit elkaar. Kate glimlachte toen ze de twee rijen zag. Billy zei tegen de arme puber in het schort: 'Doe jij de zogenaamde volwassenen, dan neem ik de zogenaamde Mighty Ducks voor mijn rekening.'

De jongen knikte en nam de bestellingen van de rechterrij aan. Billy keek naar de kinderen en wees naar het jochie dat daarnet had gehuild. 'Hij eerst omdat er een overtreding tegen hem is begaan.'

Zijn vader bracht het kind naar de toonbank. Kate voelde zich trots toen Billy het jongetje vroeg: 'Op welke positie speel je?'

'Keeper,' antwoordde hij, daarna keek hij als om bevestiging te vragen naar zijn vader op.

'Dan is het je geluksdag!' riep Billy uit. 'Keepers krijgen vandaag gratis een extra bolletje.'

De jongen achter de toonbank keek hem vuil aan, maar Billy sloeg daar geen acht op, trok zijn portemonnee en legde die neer achter de hoorntjes. 'Welke smaak?' Het jochie liet zijn keus op vanille met spikkels vallen, en straalde blij toen hij een extra bolletje kreeg. Billy richtte zich tot de volgende.

'Zeg het maar,' zei hij.

'Chocola met slagroom,' zei het kind.

'Oké. Die krijg je van mij.' Billy pakte de spuitbus met slagroom en deed een flinke klodder op de chocola.

Degenen die vooraan stonden, lachten. Kate keek met een mengeling van verbazing en ontzag naar Billy. Toen hij de volgende bestelling opnam, vroeg hij het kind lachend: 'Op welke positie speel je?'

'Verdediger,' zei de jongen trots.

'Zo?' Billy deed of hij onder de indruk was. 'Dan krijg je gratis spikkels.'

'Wauw!' riep het jongetje. 'Mam, ik krijg gratis spikkels!'

Billy boog zich naar Kate en kuste haar snel achter haar oor.

'En wat krijg ik?' vroeg ze ondeugend.

Billy was alweer bezig met het volgende hoorntje, maar hij keek even op.

'Hangt van je positie af,' zei hij met een lach.

Hij was bijzonder, dacht Kate, omdat hij wist hoe de dingen in elkaar zaten. Hij was geen macho, maar hij had voldoende zelfvertrouwen om iets te durven. Toen de eigenaar van de tent te voorschijn kwam, nam hij het van Billy over. Hij bedankte hem en stond erop Billy en Kate een gratis ijsje te geven.

Toen ze eindelijk weer buiten stonden, keek ze naar hem op en zei: 'Dat was nog eens iets, meneer Nolan. Jij bent iemand die het heft in handen durft te nemen.'

'Wat dacht je dan van een barman die met vrijgezellenfeesten te maken heeft gehad?' vroeg hij.

'Nou, je kon het goed aan.'

Billy keek naar zijn ijsje dat door de hitte was gaan smelten en over zijn hand droop. 'Ja, maar dit ijsje kan ik dus niet aan.'

'Ik zal je laten zien hoe dat moet,' zei Kate. Ze trok hem mee naar een vuilnisbak. Ze duwde twee bolletjes van zijn ijsje in de vuilnisbak, en deed hetzelfde met haar ijsje. Daarna pakte ze een zakdoekje uit haar zak, veegde zijn hand schoon en haalde daarna met haar vinger een kloddertje slagroom van zijn wang.

'Hé!' protesteerde Billy. 'Dat was van mij!'

Kate lachte en stak haar vinger vol slagroom in haar mond. Billy trok haar vinger er weer uit en likte het laatste restje room af. Daarna duwde hij haar tegen de muur van het tentje en terwijl hij haar hand nog vasthield, zette hij haar met zijn lichaam klem. Kate dacht aan de heldinnen uit Victoriaanse romans en hoe die altijd in zwijm vielen. Zelf had ze ook wel in zwijm kunnen vallen.

'Hoe zou je deze positie noemen?' vroeg hij haar zacht.

Op dat moment zwaaide Jo's deur open en troepte een stel kinderen naar buiten. Toen ze Billy zagen, begonnen ze te joelen.

'Opschepper,' zei Kate, en ze lachte.

In de subway werd Kate door de mensenmassa die uit het park kwam tegen een paal gedrukt. Billy redde haar door haar naar een rustig hoekje te sleuren, bij een raam. Hij beschermde haar met zijn lichaam, maar door de woelige menigte werd hij tegen haar aan geperst. Tot haar schrik voelde ze zijn handen onder haar broekband verdwijnen. Hij fluisterde in haar oor: 'Hoe zou je deze positie noemen?'

'Benard,' zei ze.

In Kates appartement gekomen, kleedde Billy haar heel langzaam uit. Ze was verbaasd en geroerd dat hij zo teder was. Hij trok haar sandalen uit alsof ze een kind was. Maar tegen de tijd dat hij de knoopjes van haar bloesje losmaakte, behandelde hij haar als een volwassene. Even later lag ze onder hem. Hij kuste haar hals, toen haar borsten. Ze kreunde bijna van genot. Ineens hield hij op, pakte haar handen en legde die naast haar hoofd op het kussen. Hij keek haar recht aan. 'En deze positie?' vroeg hij.

'Perfect,' fluisterde ze.

38

Ondanks Elliots neus voor nieuwtjes en ook al zag Kate hem elke dag op school, toch lukte het haar om hem niet achterdochtig te maken. Hij vroeg waarom ze er zo gelukkig uitzag. Misschien dacht hij dat het kwam omdat ze het met Michael had uitgemaakt. Hoewel Elliot en zij wel eens ruzie hadden en dan een dag of wat geen woord met elkaar wisselden, hadden ze nooit tegen elkaar gelogen, en Kate wilde daar nu niet mee beginnen. Iets verzwijgen was beter dan liegen. Maar als Elliot hier lucht van kreeg, kon hij een echte bloedhond zijn, en Kate was bang dat het niet lang zou duren voor hij erachter kwam hoe de vork in de steel zat. Vroeg of laat zou hij weten waarom ze zo'n zonnig humeur had, en dan had je de poppen aan het dansen.

Kate stond in de zon naar de kinderen te kijken. Andrew Country Day was een van de weinige scholen hier die nog een ouderwetse speelplaats hadden. Oude bomen, waaronder een enorme wilg, omzoomden een prachtig verzorgd gazon, en dit alles gaf deze enclave de schoonheid en waardigheid van een universiteit in New England.

Ze had het gevoel dat haar eerste jaar hier een succes was geweest, maar ze wist niet of dr. McKay en de raad van bestuur het met haar eens waren. Toen Michael aannam dat ze weg zou gaan van Andrew Country Day, had ze pas goed beseft wat haar baan voor haar betekende. Het werk gaf haar veel voldoening, ze vond het hier leuk. De school was zo mooi gelegen, en haar werk met de kinderen betekende zoveel voor haar dat ze hier moeilijk weg kon gaan. Een inwendig stemmetje fluisterde dat ze niet zoveel persoonlijk geluk kon hebben als daar niet iets naars tegenover stond, bijvoorbeeld het verlies van haar baan. Natuurlijk wist ze heel goed dat dat bijgelovige onzin was, iets uit haar jeugd wat haar waarschijnlijk altijd zou achtervolgen wanneer het goed met haar ging.

Kate streek een lok uit haar gezicht en zette die vast met een speldje. Een stelletje meisjes zat op het gras in de zon, loom en kleurrijk als de vrouwen in een schilderij van Monet. 'Hallo, dr. Jameson!' riep Brian Conroy terwijl hij over het gazon rende. Kate vertrok haar gezicht. Dr. McKay had iets met 'zijn' gazon, en erover rennen was strikt verboden. Maar Kate kon het niet over haar hart verkrijgen hem te berispen. Hij zag er zo blij uit.

Het briesje ging liggen, de zon brandde. Kate deed haar trui uit en deed die om haar schouders terwijl ze rondkeek.

De gedachte aan Billy deed haar glimlachen. Natuurlijk, als ze te veel aan hem dacht, ging ze twijfelen en zichzelf vragen stellen. Hield ze zichzelf voor de gek als ze dacht dat Billy de Ware voor haar was? Brooklyn, alcohol, Ierse mannen, probleemgezinnen – hoe kon ze ooit terug naar waar ze voor was weggelopen?

Om het geluksgevoel vast te houden zette ze de gedachte aan Billy en de toekomst uit haar hoofd, ze keek alleen nog maar naar de spelende kinderen. Ze glimlachte. Het was net als naar zeewater kijken dat in poeltjes bleef staan – de kinderen sloten bondgenootschappen, hun spelletjes veranderden, hier was het druk, daar was het rustig, een eb en vloed van verschillende stromingen.

Weer raakte de lok los. Toen ze die wegstreek, kwamen haar vingers tegen haar wang, net zoals die van Billy toen hij haar een paar uur geleden had geliefkoosd. Ze huiverde, ze had vlinders in haar buik. Met hem vrijen was zo bijzonder, zo hartstochtelijk en toch teder, dat alleen maar eraan denken al gevaarlijk leek. Kate was bang erachter te komen dat het maar een droom was, en dan zou ze moeten ontwaken en de kille werkelijkheid onder ogen zien.

Ze liep naar de wilg, maar ging niet op het bankje daaronder zitten. Iedereen wist dat dr. McKay niet graag zag dat de surveillerende leerkrachten gingen zitten. In plaats van te gaan zitten leunde ze ertegen terwijl ze met een twijgje speelde en haar gezicht naar de zon hief. Het was echt verbazend dat je leven ineens zo kon veranderen. Voor een keertje voelde ze zich een van die mensen die geluk hadden, zo iemand voor wie alles van een leien dakje ging, iemand die gewoon maar kon zijn, zonder daarvoor strijd te hoeven leveren. Het was alsof alles wat ze ooit had gewild, haar op het zwoele briesje zou komen aanwaaien.

Maar toen ze zich omdraaide, wist ze niet zeker of ze dr. McKay wel wilde zien die over het stenen paadje over het gazon op haar af kwam. Ze richtte zich op en het twijgje in haar hand brak af. Sinds ze zich had afgemeld, had ze hem niet meer gesproken. Ze bloosde nog bij de gedachte aan dat telefoontje.

'Dr. Jameson,' begon dr. McKay. 'Ik wil je al een tijdje spreken.'

Weer die vlinders in haar buik, maar deze waren niet zo plezierig. Kreeg ze een standje omdat ze stond te dromen, of omdat ze de meisjes niet wegjaagde die op het gras zaten, hoewel dat tegen de regels was? Of, erger nog, kwam hij haar vertellen dat haar contract niet werd verlengd? Was dat stemmetje in haar hoofd de stem van de waarheid?

Maar dr. McKay had wat een glimlach moest voorstellen om zijn lippen, en tot haar opluchting begon hij niet meteen over zijn dierbare grasmat. 'Ik ben blij je hier aan te treffen,' zei hij, en het klonk bijna hartelijk. 'Je contract moet verlengd worden, en de raad van bestuur en ik willen dat graag regelen.' Even zweeg hij. 'Wij zijn tot de conclusie gekomen dat je een belangrijk component van Andrew Country Day School bent.'

'Dank u,' reageerde Kate. 'Ik heb het hier erg naar mijn zin, en ik hoop dat mijn werk een goede invloed heeft.'

Dr. McKay knikte, nu weer met uitgestreken gezicht, alsof de hartelijkheid was opgebruikt. 'Mooi zo. Vera zal een contract opstellen.'

Toen hij wegliep, keek Kate hem na en het lukte haar hem een beetje aardig te vinden, ook al joeg hij de meisjes van het gazon.

De bel ging. De kinderen gingen in de rij staan, en Kate kon terug naar haar kantoortje. Maar op weg daar naartoe verscheen Elliot in de deuropening van zijn lokaal.

'Probeer je me te ontlopen?' vroeg hij.

Ze wendde haar blik af. 'Nee, natuurlijk niet.'

'Ik heb het uitgevogeld. Ik weet wie die geheimzinnige man is en waarom je het me niet durft te vertellen.'

'Stil,' zei ze verontrust en pakte zijn mouw beet. 'Kom even in mijn kantoortje.' Ze was bang. Elliot wist het, en hij zou het aan iedereen vertellen. Het nieuws zou zich als een lopend vuurtje door Brooklyn verspreiden.

Eenmaal in haar kantoortje deed Elliot de deur dicht. 'Ik heb het uitgevogeld,' herhaalde hij doodgemoedereerd. 'Het is Max. Je deelt het bed met Max en daar schaam je je voor. Maar er is niets mis met Max, ik vind hem zelf ook wel leuk. Het wordt misschien alleen een beetje moeilijk als je het wilt uitmaken, omdat hij je bovenbuurman is.'

Even kwam Kate in de verleiding te zeggen dat hij het bij het juiste eind had. Maar tegen zo'n dierbare vriend wilde ze niet liegen.

'Oké, wat is er dan?' vroeg Elliot. Ze schudde haar hoofd.

'Dr. McKay wil mijn contract verlengen,' zei ze.

'Daar heb ik het niet over.' Ineens zweeg Elliot en bekeek haar van top tot teen. 'Je hebt iets met hém, hè?' zei hij verwijtend.

Weer verraadde ze zichzelf. Ze bloosde diep en wendde haar blik af. 'Ja,' zei ze.

Elliot wist niet wat hij moest zeggen. Hij schudde zijn hoofd en pas na een tijdje zei hij: 'Stiekemerd. Ik had kunnen weten dat je iets in je schild voerde. Maar ik dacht, ik dacht... nou ja, ik dacht dat het die idioot van een Steven was. Maar nee, jij werkt je nog erger in de nesten. En ik maar denken dat er niets ergers dan Steven Kaplan bestond.'

Kate, die dacht dat ze op Elliots woede was voorbereid, schrok hier toch van. 'Je kent Billy niet eens,' zei ze. 'Voor jou is hij een soort magisch wezen, een statistische onwaarschijnlijkheid.'

'En wat is hij voor jou? Een lekkere wip? Want dát is het enige waar hij goed voor is.'

Kate werd witheet van woede. Het bloed trok uit haar hoofd weg zodat ze duizelig werd. 'Ik stel het op prijs dat je zo bezorgd bent,' zei ze uit de hoogte. 'Maar volgens mij weet je niet waarover je het hebt.'

'Precies! Nee, ik ben de afgelopen tien jaar niet getuige geweest van alle hobbels in jouw zogenaamde liefdesleven. Je weet niet tegen wie je het hebt, Kate.' Hij wees naar de tekeningen aan de muur, waaronder heel wat nieuwe, afscheidscadeautjes van kinderen die ze pas tegen de herfst weer zou zien. 'Wil je een potje van je leven maken?' vroeg Elliot zacht. 'Ik heb je het afgelopen jaar zien groeien. Michael is dan wel niet de Ware voor je, maar hij was stabiel, met goede vooruitzichten en waarschijnlijk zou hij later ook een goede vader zijn.' Langzaam liep hij op haar toe, maar ze zette een stap naar achteren. Als hij haar aanraakte, zou ze zijn hand wel eens kunnen wegslaan.

'Je bent gemeen en onaardig,' zei ze, en opeens drong het tot haar door dat ze wel een kind leek. Ze haalde diep adem. Ze had veel aan Elliot te danken: hij was een loyale vriend, hij had haar tijdens haar studie vaak geholpen, en hij had haar aan dit baantje geholpen waarop ze zo gesteld was. Maar dat gaf hem nog niet het recht om haar of Billy te veroordelen. 'Je begrijpt het niet,' zei ze.

'O jawel, ik begrijp het heel goed. Ik herken masochistisch gedrag heus wel. En jij lijdt daaraan.'

'Hou je kop,' siste ze hem toe.

Elliot haalde zijn schouders op en wendde zich af. Maar terwijl hij wegliep, draaide hij zich nog een keer om. 'Van de regen in de drup. Dát komt er in het verslag over jou te staan, juffertje.'

39

Kate keek naar de pan die op Billy's fornuis stond te pruttelen. Het zag er niet bepaald appetijtelijk uit, maar het rook heerlijk, ook al had ze geen honger. Ze was van slag door de woordenwisseling met Elliot (en dat was op haar maag geslagen), ze was nerveus. Wat deed ze hier eigenlijk? Elliot had haar gezegd dat ze dit alleen maar deed om over Michael heen te komen, maar zo voelde het niet. Het voelde meer als... Tja, ze wilde eigenlijk horen dat haar gevoelens voor Billy, die met een vork in de pan prikte, wederzijds waren.

Hij was bezig met het avondeten voor hen beiden. Kate hield zich afzijdig terwijl hij zich over de inhoud van de pan boog, die uit veel tomatensaus, vlees en kappertjes bestond. 'Wat is het?' vroeg ze met een bedenkelijke blik op de pan.

'Een oud recept van de familie Nolan. Je mag er pas iets over zeggen als je het hebt geproefd.' Hij grijnsde om de uitdrukking op haar gezicht, toen pakte hij de fles rode wijn die achter haar stond, en die hij voor de saus nodig had. 'O, voor ik het vergeet, heb je zin om zaterdag met me te gaan lunchen? Zaterdagavond moet ik werken.'

Kate schudde haar hoofd. 'Ik heb al een afspraak,' zei ze. 'Feestje voor Bina. Kun je vrijdag?'

'Prima,' zei hij. Daarna haalde hij zijn schouders op. 'Het vrijgezellenfeestje van Bina's verloofde wordt in de bar gehouden. En daar kijk ik niet bepaald naar uit.'

Kate keek weer naar de pan en dacht aan Bina, die nogal van streek leek. Omdat ze het druk had met school en met Billy, had ze haar vriendin niet veel gezien, en bovendien had ze weinig behoefte aan de verhalen over de voorbereidingen voor de bruiloft. Bina was duidelijk in verwarring gebracht door Kates desinteresse. Billy gaf haar een schouderklopje omdat ze zo somber keek. 'Maak je geen zorgen, iedereen vindt het heerlijk. Op deze manier wordt het taaiste vlees nog mals. Mijn moeder maakte het vaak.' Hij had nooit eerder over zijn moeder verteld, behalve dat ze was gestorven. Even vroeg Kate zich af of ze naar haar zou vragen, maar daar zag ze toch maar vanaf.

Ze pakte het glas rode wijn op dat Billy tussen de bedrijven door voor haar had ingeschonken en liep daarmee naar het raam. Na de ruzie met Elliot had hij gebeld om het goed te maken. Hij had haar gevraagd iets met hem te gaan drinken, en toen had ze moeten bekennen dat ze deze avond bij Billy zou zijn. Elliot had duidelijk laten blijken dat hij dat afkeurde. Kate had haar best gedaan alles wat hij zei te negeren: dat Billy een playboy was en dat het tot niets zou leiden, dat Elliot erg op haar gesteld was en liever niet wilde dat ze weer werd gekwetst. Daarna had hij ineens gezwegen, alsof hem iets te binnen was geschoten. 'Je doet dit toch niet omdat je binnenkort wilt trouwen, hè?' had hij gevraagd. 'Je hebt het per slot van rekening net uitgemaakt met Michael, je weet helemaal niet wie je tegen het lijf loopt wanneer Billy je heeft gedumpt.'

Ze was er koud van geworden. 'Ik heb nooit in die dwaze theorie geloofd,' had ze gesnauwd.

'Hoe kun je dat nou zeggen?' had hij gevraagd. 'Bina is nu toch verloofd? Als dat geen afdoend bewijs is...'

Met veel moeite had Kate hem kunnen overtuigen dat ze deze relatie niet serieus nam. Maar nu ze door het raam naar de regen staarde, moest ze toegeven dat ze had gelogen. Ze nam de verhouding met Billy wel serieus, en ze hoopte dat zijn gevoelens voor haar oprecht waren. Dat Elliot voetstoots aannam dat Billy haar zou dumpen, had haar uit haar doen gebracht. Was ze echt niets meer voor hem dan de zoveelste veer in zijn tooi? Ze keek naar hem terwijl hij te veel peper in de pan strooide. Billy met verentooi? Op dat prachtige haar? Ze draaide zich weer om. Als ze naar Michael had gekeken, had ze nooit op deze manier naar hem verlangd.

Ze liet haar blik door de kamer dwalen. Stevens appartement in West Side had er altijd studentikoos uitgezien, met een doorgezakte bank en de boeken vaak nog onuitgepakt. Michaels huis was netter en ingericht met nieuwe meubels van Ikea, maar het had iets tijdelijks. De drie kamers van Billy bewezen dat hij hier was geworteld. Het Perzische tapijt met blauwe en dieprode tinten was versleten, alsof het nog van zijn grootmoeder was geweest. De Chesterfieldbank zag er niet uit of die uit een catalogus kwam – het leer leek niet machinaal te zijn behandeld om 'oud' te lijken. Maar er waren ook nieuwe dingen: aan een van de muren hing kunst – het was geen schilderij en ook geen collage, meer een soort mengvorm, een lappendeken van stukjes wit papier die op een wit doek waren geplakt. Aan de muur tussen de ramen hing een modern schilderij van een vrouw die onder een dikke donsdeken lag. En boven de bank hing een rijtje litho's. Kate bestudeerde ze.

'En, wat vind je ervan?' vroeg Billy. Hij kwam de keuken uit. 'Is het kunst, of heeft de kunstenaar me belazerd toen hij hiermee de rekening betaalde?'

Ze lachte. 'Ik vind ze wel leuk,' zei ze.

Hij keek nog eens goed. 'Ik ook, geloof ik,' zei hij. Hij gebaarde met de vleesvork naar de kunst aan de muren. 'Het zijn of kostbare kunstwerken, of troep. Zeg jij het maar.' Hij lachte. 'Het eten is bijna klaar.'

Kate knikte, en Billy ging terug naar de keuken. Terwijl ze naar hem keek, moest ze toegeven dat Billy Nolan de eerste man was naar wie ze op deze manier verlangde. Het was geen bevlieging, daarvoor voelde ze zich te veel bij hem op haar gemak. Maar ze dacht toch dat dit wel weer zou uitlopen in een afscheid met tranen. Daarom waren de regendruppels tegen het raam ook zo toepasselijk.

'Kom je even helpen?' vroeg Billy die met borden en bestek uit de keuken kwam. 'Als jij de tafel nou eens dekt.' Hij ging naar de schoorsteenmantel en pakte twee kandelaars waar kaarsstompjes van verschillende lengte in zaten. 'Kosten noch moeite worden gespaard,' zei hij. 'Kaarslicht, papieren servetjes, de hele reutemeteut.'

Met een glimlach dekte ze de tafel. Ze haalde een wijnglas voor Billy en zette peper en zout neer. Op de salontafel lagen lucifers van de bar, en die gebruikte ze om de kaarsen aan te steken. Terwijl ze dat deed, drong het tot haar door dat deze kaarsen wel eens gebrand konden hebben toen Billy met Bina at – en sliep. Ze bleef doodstil staan totdat ze haar vingers aan de lucifer brandde. Vlug liet ze die vallen, zette de gedachte aan Billy met Bina (of met een ander) net zo snel uit haar hoofd en liep weg bij de tafel.

Bij wijze van afleiding bekeek ze de Franse boeken die keurig op de planken van Billy's boekenkast stonden. Ze bedacht dat ze niet te nieuwsgierig mocht zijn, het niet over het verleden of de toekomst mocht hebben, maar ze was nu eenmaal geïnteresseerd en het kon toch geen kwaad om te vragen waarom hij zoveel Franse boeken had? 'Wat heb je toch met Frans?' riep ze naar Billy in de keuken.

Hij kwam net met het mysterieuze gerecht uit de keuken en terwijl hij opschepte, antwoordde hij: 'O, ik vind Frans gewoon leuk. De taal is niet zo rijk als het Engels, maar wel subtieler.'

Kate nam plaats en spreidde haar servetje op schoot uit. 'Heb je op school Frans geleerd?' vroeg ze terwijl ze ietwat onzeker naar haar bord keek.

'Een beetje,' zei hij. Hij schepte zijn eigen bord vol en ging toen ook zitten.

Aarzelend nam ze een hapje. Het was heerlijk, het vlees was zo mals en gaar dat het van het bot viel. Ze keek hem aan en lachte.

'Lekker?' vroeg hij.

'Heerlijk.' Met een glimlach leunde ze naar achteren. 'Je moet vreselijk zijn geweest, als tiener. Zo'n joch dat de klas op stelten zet.'

Met volle mond schudde hij zijn hoofd. Pas nadat hij alles had doorgeslikt, kon hij antwoord geven. 'Nee, ik praatte niet eens tijdens de les. Ik stotterde en daar schaamde ik me voor. Daarom zei ik nooit wat, tegen niemand.'

Kate legde haar vork neer en staarde hem aan. Dat hij een beetje stotterde, was ze al bijna weer vergeten. Ze wist dat het zo goed als onmogelijk was om daar vanaf te komen, dat veel van de behandelmethoden maar tijdelijk succes hadden. 'Hoe ben je... wanneer heb je...'

'O, ik had er mijn hele schooltijd last van. Maar op de universiteit had ik een goede Franse docent, en toen kwam ik erachter dat ik in het Frans niet stotterde. Het was vreemd om alles te kunnen zeggen wat ik maar wilde zonder bang te zijn over bepaalde woorden of klanken te struikelen.'

'Dat kan ik me voorstellen.'

'Nou! Het was of ik uit een gevangenis was bevrijd. Ik leerde zoveel mogelijk Franse woorden. Ik wilde weten hoe je "bink" in het Frans zegt.'

'En? Hoe zeg je dat?'

'Er is geen echt equivalent voor. En ik heb goed gezocht. Daarna richtte ik me volledig op het Frans. Cijfers konden me niet schelen, ik wilde het gewoon kunnen spreken.'

Kate was helemaal gefascineerd. 'En toen?' vroeg ze, net als een kind dat voor het slapen wordt voorgelezen.

'Mijn docent stelde me voor aan haar Franse vrienden. Ze hielp me ook aan een plaats op de Ecole des Beaux-Arts in Parijs. Ik zou Franse geschiedenis doen, maar eigenlijk was ik voornamelijk met mezelf bezig. Ik voelde me als herboren. Ik was niet meer dat stotterende joch. Ik was de jongen uit Amerika die net zo goed Frans sprak als de Fransen. Soms wilden ze niet geloven dat ik Amerikaan was.'

'En het stotteren? In het Engels, bedoel ik?' vroeg Kate.

Billy haalde zijn schouders op. 'Toen ik terug naar huis moest omdat mijn vader ziek was, stotterde ik niet meer. Alleen af en toe, als ik moe ben of last heb van stress.'

Kate dacht aan zijn speech op de bruiloft. Daarbij had hij een beetje gestotterd. 'Hoe hou je het in bedwang?'

'Ik ontspan, en dan houdt het op.'

'Je hebt nooit therapie gehad? Niemand heeft in je jeugd geprobeerd er wat aan te doen?'

'O jawel, op de middelbare school. Zo'n spraaklerares. Die kwam me dan in de klas halen; ik schaamde me dood.'

'Hielpen je ouders je dan niet? Ik bedoel, was er niemand –'

'Nou ja, ze maakten zich allebei zorgen. Iedere keer dat er iets over een nieuwe therapie in de krant stond, waren ze helemaal enthousiast. Maar dat was meestal erg duur en niets werkte blijvend, en tegen de tijd dat ik ouder werd zei ik dat ze er maar niet meer aan moesten denken.'

'En je hebt jezelf ervan afgeholpen,' zei ze. Ze stond versteld dat hij dat zo handig had gedaan.

'Och, het overkwam me eigenlijk meer. Daar verdien ik geen lof voor. Ik was alleen maar niet zo dom om iets uit de weg te gaan wat hielp.'

'Wat heb je in Parijs eigenlijk gestudeerd?'

'Meisjes. Ik bedoel, dat was voor het eerst dat ik met meisjes kon praten. Ik studeerde ook goedkope treinkaartjes. Ik ging voor bijna niks naar Berlijn, Brugge en Bologna.'

'Alleen maar naar steden die met een B beginnen?' vroeg Kate met een lach.

Billy staarde haar aan. 'Met de B had ik het meest last,' zei hij. 'Ik vraag me af of dat toevallig was.'

Kate haalde haar schouders op. 'Jung zou zeggen van niet,' zei ze. 'Denk ik.'

'Wat zei Jung over dwangmatige neigingen?' plaagde Billy, en Kate wist niet of ze moest huilen of lachen. Maar dat hoefde ze geen van beide, want hij stond op en streek met zijn handen door haar haar. 'Ik heb ijs in huis,' zei hij. 'Maar ik weet een veel fijner toetje.' Kate keek met een lach naar hem op.

40

Het was een heerlijke middag, warm in de zon, maar koel in de schaduw van de gebouwen, en er stond een briesje dat de vochtige lucht in de stad verkoelde. 'Zullen we gaan wandelen?' stelde Billy voor. 'Dan laat ik je gedeelten van Brooklyn zien die je waarschijnlijk niet kent.'

Gelukkig had Kate haar Nikes aan, en ze zat vol energie. 'Jammer dat we vanavond niet samen kunnen zijn,' zei Billy toen ze het appartement uit liepen. 'Ik hou altijd een oogje in het zeil als er een vrijgezellenfeest wordt gegeven.'

Kate knikte. Billy scheen het niet erg te vinden dat Bina ging trouwen. Had hun relatie dan helemaal niets voor hem betekend? Ze huiverde, al was het warm. Haar gevoelens voor hem werden vast niet beantwoord.

Invoelend als altijd sloeg Billy zijn arm om haar heen. 'Ja,' zei hij. 'Ik moet ook rillen van vrijgezellenfeesten, maar dan doe ik mijn ogen dicht en denk aan het vaderland.'

Kate had niet eens stilgestaan bij de ranzige dingen die op zulke feesten gebeurden. Ze wilde niet vragen of Jack schootdanseressen, strippers of misschien nog erger op het programma had staan. De zon in de wolkeloze lucht was zo prettig dat ze besloot er maar niet aan te denken en zich op het heden te concentreren. Want het heden was perfect.

Billy pakte haar hand, en hoewel Kate wist dat het sentimenteel en onterecht was, voelde ze zich met haar hand in de zijne veilig en bemind.

'Dit is Windsor Park,' zei hij toen ze een hoek om gingen en door een straat met kleine huizen liepen, elk met een voortuintje.

'Italiaanse buurt. Agenten, loodgieters. Veel gezinnen, maar de yups rukken op vanuit het noorden.'

Kate genoot van de tuintjes. In sommige stonden zoveel kleurige bloemen dat het haast smakeloos werd. En in andere tuintjes stonden behalve bloemen ook nog tuinbeelden, van Bambi tot de Heilige Maagd. Ze kwamen langs een enorme katholieke school en staken over naar de BQE.

'Hier houdt Park Slope op,' vertelde Billy. 'Je kunt hier geen huis onder de achthonderd duizend dollar meer krijgen.'

Kate keek naar de bakstenen huizen. Billy wees er eentje aan waar de verf van de deur bladderde en de ramen nog metalen sponningen hadden, heel anders dan de andere huizen, die keurig onderhouden waren. 'Je kunt zien dat daar nog een blijvertje van vroeger zit,' zei hij. 'De oude dame die daar woont heeft haar keuken waarschijnlijk al tien jaar niet meer laten verven.'

Ze kwamen bij een cafeetje op de hoek waar stoelen buiten stonden. 'Iets drinken?' vroeg Billy met een lach.

Kate knikte. Ze dronken samen een biertje. Op een bankje gezeten keken ze naar langslopende vrouwen achter de kinderwagens, kinderen met hun fietsjes, en vaders. 'Dus jij drinkt?' vroeg Kate, hoewel het nu wel duidelijk was dat hij dat soms deed. Ze was bang geweest dat hij alcoholist was en nu geen druppel meer dronk. Of dat hij net als Michael altijd zijn hoofd erbij wilde houden.

'Mijn vader zei dat je twee soorten mensen niet kunt vertrouwen: degenen die te veel drinken, en degenen die helemaal niet drinken.' Hij stond op. 'Zullen we weer?' vroeg hij. Kate stond op en pakte zijn hand.

Ze wandelden nog een halfuurtje, totdat ze bij een gebouw kwamen dat niet zo mooi was als de opgeknapte huisjes, maar ook niet zo verwaarloosd als het huis dat hij haar had aangewezen. Hij bleef staan terwijl hij zijn zakken doorzocht. 'Kom eens,' zei hij toen hij de drie treetjes af rende naar de deur. Even dacht Kate dat hij haar op dat verborgen plekje wilde kussen, maar voordat ze er was had hij al een sleutel in het slot gestoken. Hij trok haar aan haar hand de gang door. Het huis was in appartementen opgedeeld. Aan het eind van de gang gebruikte hij een andere sleutel om nog een deur te openen. Daarachter bevond zich een lege, witte kamer.

'Kom,' zei hij, en hij leidde haar over de glanzende houten vloer naar de achterdeur.

Toen ze daar eenmaal doorheen was gegaan, leek het of ze zich in een andere wereld bevond. Het was slechts een achtertuin, maar die was geweldig. Het gazon was perfect onderhouden, daarbij vergeleken was dr. McKay's gazon maar een kale boel. Hier en daar lagen blauwachtige stenen in het gras, net eilanden in een groene zee. Het was een paadje naar een groepje bloeiende bomen. Daar weer achter bevond zich een vijver die werd omzoomd door irissen en varens. Twee stoelen, het hout zilverig verweerd, stonden bij de vijver. De tuin werd omheind door een met klimop begroeide stenen muur.

Het kon Kate niet schelen wat er achter de muur lag. Het was hier sereen, de best onderhouden stadstuin die ze ooit had gezien. Ze wilde hier nooit meer weg. Ze keek naar Billy, die in de zon op het gazon was blijven staan en haar in de gaten hield. Ze liep naar hem terug. 'Hoe wist je dat dit hier was?' vroeg ze.

'Het is van mij,' zei hij.

'Hoe bedoel je?'

'Nou, als kind woonde ik hier. Het huis was van mijn grootmoeder. Zij woonde op de begane grond, wij woonden boven. Maar mijn moeder zorgde voor de tuin. Zij leerde me tuinieren, en ik vond het ook fijn om te doen.' Hij pakte haar hand en nam haar mee naar de stoelen. 'Bevalt het je?' vroeg hij.

'Het is adembenemend,' zei Kate. Ze moest aan *De geheime tuin* denken, dat was vroeger haar lievelingsboek geweest. 'Heb jij het steeds onderhouden? Vinden de mensen van wie het huis nu is dat niet –'

'Het huis is nu van mij,' zei Billy.

'Maar je woont –'

'Ja, ik woon boven de bar omdat dat gemakkelijk is, omdat het een prettige ruimte is en omdat het me aan mijn vader doet denken. Ik heb dit huis verhuurd, maar de begane grond laat ik leegstaan zodat ik de tuin kan gebruiken. Ik heb het huis gerenoveerd – niet alleen hoor, met een vriend die timmerman is, en een loodgieter die voor mijn vader werkte. In ieder geval, het zijn nu appartementen, maar alles kan ook gemakkelijk worden teruggedraaid zodat het misschien ooit weer een woonhuis kan zijn.'

Kate ging zitten, en deed haar best niets van haar verbazing te laten blijken.

'*Ça te plaît?*' vroeg hij. Vond ze het mooi? '*Je l'adore,*' zei ze. '*C'est un vrai paradis.*' Ze wilde niet dat Billy zag hoe diep ze onder de indruk was, omdat ze zich daarvoor schaamde en dat zou hij dan weer vervelend kunnen vinden. Als psycholoog werd ze geacht achterliggende motieven te kunnen herkennen, maar ze had Billy voortdurend verkeerd beoordeeld. Ze had er nooit bij stilgestaan dat hij gras maaide, bollen plantte of bladeren weg harkte. Waarom zou ze ook? Ze wist nog niet zeker wat deze tuin over Billy zei, ze besefte alleen dat het veel voor hem betekende. Belangrijker nog, het betekende ook iets voor haar. Een man die zo'n bijzondere tuin kon aanleggen en onderhouden, moest wel heel apart zijn. Waarom had ze dat nooit ingezien? Omdat hij zo losjes en zorgeloos was? Maar een tuin als deze had zorg nodig, en... toewijding. Het vereiste inzicht. De adem stokte in haar keel. Een man die dit allemaal kon, moest wel een zorgzame vader zijn, een goede echtgenoot, een prima vriend.

Eindelijk durfde ze hem aan te kijken. Hij haalde zijn schouders op. '*Il faut cultiver notre jardin,*' citeerde hij Voltaire. 'Vroeger werkte ik met mijn moeder in deze tuin.'

Billy had haar verteld hoe zijn vader was gestorven, maar ze had hem nog niet naar zijn moeder gevraagd. Nu deed ze dat wel. 'Kanker van de alvleesklier,' zei Billy. Kate vertrok haar gezicht. Ze wist dat dat een akelige, pijnlijke dood inhield.

'Wat erg voor je,' zei ze. 'Wanneer was dat?'
'Al lang geleden. De dag voor Thanksgiving. Dat maakt die dag nog steeds moeilijk.'
Kate knikte. Hoewel ze haar vader niet miste, en ze voor Thanksgiving altijd welkom was bij de Horowitzen, voelde ze zich tijdens de feestdagen verweesd. Zwijgend bleven ze een tijdje zitten, maar het was geen ongemakkelijke stilte. Het drong tot haar door dat hij door haar hier te brengen, meer had laten zien dan de tuin. Ze nam zijn hand in de hare en samen keken ze naar de vissen die als gouden strepen onder de oppervlakte van het water bewogen.

41

'Jezus, weer een feestje en cadeautjes! Die meiden weten niet van ophouden!'

Ondanks zijn spottende opmerkingen lachte Brice breed. Hij zat tussen Elliot en Kate in de taxi, met op zijn schoot een prachtig ingepakt cadeau. Kate wist niet of ze iedereen van het kluppie wel onder ogen durfde komen, maar ze moest zich wel vertonen op het feestje voor Bina.

Elliot was stilletjes. Ze wist dat hij boos op haar was, maar daar kon ze niets aan doen. Ze dacht aan wat Pascal had geschreven: *Le coeur a ses raisons que la raison ne connaît point.* Het hart heeft redenen waarvan de rede niet weet...

Ze moest steeds denken aan Billy en zijn Frans. Ze probeerde zich een jonge, beschaamde Billy Nolan voor te stellen, maar dat lukte niet erg. Of haar fantasie schoot tekort, of het beeld was te triest. Op de een of andere manier zorgde zijn verleden ervoor dat ze hem nu anders zag. Ze vond hem niet meer te zelfverzekerd en vrijpostig, maar besefte dat zijn spontaniteit een uiting was van zijn vreugde dat hij bevrijd van iets was. Ze kreeg een teder gevoel, alsof ze hem wilde beschermen. Wat natuurlijk onzin was, want de tijd dat hij zo kwetsbaar was geweest, lag ver achter hem. Billy Nolan kon heel goed voor zichzelf zorgen, maar ook al probeerde ze haar gevoelens voor hem te onderdrukken, toch werden die steeds sterker.

Ze zaten op elkaar geperst op de achterbank, en Kate was blij toen de taxi voor het huis van de Horowitzen stopte.

Voordat ze konden aanbellen, zwaaide mevrouw Horowitz de voordeur al open. 'Kom binnen,' zei ze. 'Gauw, anders is het geen verrassing meer.' Kate vertelde maar niet dat het toch al geen verrassing meer was omdat ze Bina had verteld van het feestje. Lang geleden hadden ze elkaar al plechtig beloofd dat ze ervoor zouden zorgen dat de ander nooit in haar hemd zou komen te staan door een 'enige verassing'.

Kate en de mannen gingen naar binnen om zich bij de anderen te voegen. Er werd gekust en omhelsd, en mensen die elkaar nog niet kenden, werden aan elkaar voorgesteld. Kate legde haar cadeau bij de kleurige stapel op een kaarttafeltje. Toen riep mevrouw Horowitz: 'Stil, ze komen eraan!' Kate zuchtte eens diep terwijl de anderen allemaal hun adem leken in te houden om straks extra hard te kunnen gillen. Dr. Horowitz deed de deur open en liet Bina voorgaan. Kate vond dat Bina niet erg goed haar rol van verrast persoon speelde, maar dat scheen verder niemand op te vallen. Toen Bina even naar Kate knipoogde, lachte die terug.

Het feestje doorliep de bekende stadia. 'Je schrok, hè?' 'Ja, nou!' 'Dat hadden jullie niet moeten doen...' 'Neem nog wat, is het niet zalig?' Het hoogtepunt was natuurlijk het gekir over de cadeautjes. Kate besefte dat ze getuige was van een belangrijke *rite de passage*, maar ze was er niet voor in de stemming. Ze had spijt dat ze niet bij Billy kon zijn, ze ergerde zich aan de vele leden van de familie Horowitz en hun gevraag wanneer zij nou eens aan de beurt was. Het gebabbel en de moppen met een baard verveelden haar, en dan had ze het nog niet eens over Brice en Elliot, die er met volle teugen van leken te genieten.

Kate vroeg zich af waarom Bina haar steeds blikken toewierp. Ze hoopte dat Elliot haar niet had verteld over wat hij noemde: dat gedoe met Billy. Een paar keer probeerde Bina naast Kate te gaan zitten om met haar te praten, maar dan stond Kate net op om iets anders te gaan doen. Elliot mocht en kon niet zonder haar toestemming over dat heikele onderwerp beginnen, hij zou haar vertrouwen nooit beschamen.

Toen de taart was aangesneden en iedereen een stuk kreeg, kon Kate er niet meer tegen. Ze ging naar de badkamer om een beetje bij te komen. Ze zag er net zo ellendig uit als ze zich voelde. Ze deed lipstick op en een beetje rouge, maar dat hielp niet erg. Ach, wat deed het er ook toe? De afgelopen weken was ze zo gelukkig geweest dat het nu extra hard aankwam. Waarom had ze zo'n moeite met haar vriendinnen? Ze dacht er diep over na. Ze dacht dat ze anders was dan haar vriendinnen. Zij had carrière gemaakt en was erg op haar werk gesteld. Ze was niet vanaf haar twintigste op zoek naar een echtgenoot. Ze had geen man nodig om voor haar te zorgen. Maar omdat het net uit was met Michael, of omdat ze Steven weer had gezien, of misschien vanwege het gedoe met Billy, voelde ze zich net zo onzeker en eenzaam als vroeger op de middelbare school.

Sinds het gesprek met Elliot was ze steeds meer gaan twijfelen. Dat ze hier was, met Bina en al haar getrouwde vriendinnen uit Brooklyn, maakte het op de een of andere manier onwaarschijnlijk dat zij dit ook allemaal zou meemaken. Billy was niet het trouwlustige type. Hij was niet het type met wie vrouwen trouwden, of voor wie mannen een vrijgezellenfeest organiseerden. Kate dacht dat zijn hele leven al een soort vrijgezellenfeest was. Elliot had gelijk: er was geen enkele reden om te denken dat dat zou veranderen. Ze kreeg echt medelijden met zichzelf, en het drong tot haar door dat ze beter uit de badkamer kon komen voordat ze echt ging huilen.

Toen ze de gang op liep, schoot Bina haar aan. 'Ik moet met je praten,' siste ze haar toe. 'Snel, voordat het opvalt.' Ze pakte Kate bij de hand en trok haar mee door de smalle gang naar haar kamer.

Er was niets veranderd. Nog steeds hingen dezelfde roze gordijnen met bloemetjes voor het raam, op de muren zat nog hetzelfde bijpassende bloemetjesbehang, en op Bina's bed lag de bijpassende gebloemde sprei. Tussen de beide ramen stond nog de toilettafel met het gerimpelde roze valletje waar Kate vroeger zo jaloers op was geweest. Kate ging op de stoel voor de toilettafel zitten. 'Wat is er?' vroeg ze.

'O Katie, ik kan niet meer met deze leugen leven,' zei Bina.

Kate haalde diep adem. Ze was erg op haar vriendin gesteld, maar soms was ze wel erg simpel. 'O Bina, wat doet het er toe? Als je gewoon doet, vindt iedereen het allang prachtig.' Geschokt keek Bina haar aan. 'Dat je zóiets tegen me zegt... Ik kan het bijna niet geloven.' 'Maar Bina, het is maar een feestje, niet je leven.' Bina's mond viel open. 'Sorry, hoor,' zei ze. 'Dat ben ik niet met je eens. Ik vind dat een huwelijk voor altijd is.' Kate wendde haar blik af van de foto's en hebbedingetjes op de toilettafel. 'Waar heb je het over?' vroeg ze. 'Dat je net doet of je verrast was, wil nog niet zeggen dat je huwelijk op een leugen berust. Hè Bina, je moet de dingen wel in proportie zien.'

Bina deed een stap naar achter, alsof ze een klap in het gezicht had gekregen. Haar lip trilde. 'Dat jij zoiets zegt...' zei ze. 'Max dacht dat je het zou begrijpen, maar ook al begrijp je het niet, ik kan er niet mee doorgaan. Ik kan niet met Jack trouwen. Want hij houdt niet echt van me. Ik weet wat hij in Hongkong heeft uitgespookt. Max heeft het me laten zien.'

Kate zuchtte. Na alles wat Bina had moeten doorstaan om Jack eindelijk te kunnen krijgen, was het nu een beetje laat om last van misplaatste trots te hebben. 'Nou, dat had Max dan niet moeten doen. En vergeet niet, jij ging ook met een ander.'

'Ja, maar dat wilde ik niet.'

'Kom nou toch, je had reuze lol met Billy.'

'Maar dat was gewoon lol maken.'

Kate trok haar wenkbrauw op. 'En waarom voel je je dan schuldig over je escapade?'

'Omdat het geen escapade was,' antwoordde Bina. 'Ik vergelijk het aldoor met Jack, en...'

Kate betwijfelde inderdaad of Jack in bed wel net zo erotisch, fantasierijk en warm kon zijn. Maar ze kon Bina niet vertellen waarom ze daaraan twijfelde. En Bina mocht ook niet denken dat Billy een alternatief voor Jack was. Kate geloofde dat Bina echt van Jack hield, en dat ze in de loop der tijd wel van haar schuldgevoelens zou afkomen. Na een tijdje zou ze Jack niet meer met een ander vergelijken en dan kwam het wel goed.

'Bina,' zei ze terwijl ze opstond en haar handen op Bina's schouders legde. 'Je hoeft je niet schuldig te voelen. Je moet je eroverheen zetten. Hier heb je je hele leven naar verlangd.'

'Maar ik zat fout,' jammerde Bina.

'Helemaal niet,' reageerde Kate. 'Je zit nu fout. Rustig nou maar. Geniet ervan.'

Net op dat moment ging de deur open. 'O, hier zijn jullie,' zei mevrouw Horowitz opgewekt. 'De hartsvriendinnen zitten gezellig hier.' Ze hield haar fototoestel voor haar gezicht en klikte af. Het zou een foto worden waar ze allebei vreselijk op stonden.

42

Kate frunnikte met het slot en duwde toen de deur open. De lichten waren aan, en ze schrok vreselijk toen het tot haar doordring dat het vertrek vol mensen zat. Even was ze bang dat Elliot, Barbie, Bina en de anderen 'Verrassing!' zouden schreeuwen. Maar niemand schreeuwde – iedereen was muisstil. Ze kon nauwelijks geloven dat Elliot, wie ze haar sleutels had toevertrouwd, hier stiekem was binnengedrongen, nog wel met een zwerm aasgieren achter zich aan. Ze zou meteen de sleutels terugvragen, en daarna zou ze hem op een soortgelijke manier pakken. Voordat ze de kans kreeg te vragen wat hier in 's hemelsnaam aan de hand was, zei Elliot, die op de vensterbank zat: 'Sommigen van degenen die hier bijeengekomen zijn vragen zich misschien af waarom dat is.' Het was een perfecte imitatie van dr. McKay.

'Wat gebeurt hier?' vroeg Kate. Haar maag deed raar, alsof ze in een lift zat. Maar tegelijkertijd werd ze woedend. Er was niets eens plaats om te gaan zitten of haar tas neer te zetten.

'We maakten ons zorgen over je,' zei Bina. Zij was de enige die er verontschuldigend uitzag.

'Katie, we vinden het best dat je met hem uitgaat, en je mag ook bij hem blijven slapen, maar je moet niet verliefd op hem worden,' voegde Barbie eraan toe.

'Waar hebben jullie het over?' vroeg Kate. Maar dat wist ze natuurlijk best. Elliot had het aan iedereen verteld, en nu probeerden ze in te grijpen, alsof ze een zuipschuit was die hard met haar gedrag geconfronteerd moest worden.

'Hoogste tijd. Het feest is afgelopen,' zei Kate, net zoals Billy deed wanneer de bar dichtging. Ze liep het gangetje naar haar slaapkamer in, weg van al deze zogenaamde vrienden. Helaas stond Brice daar tegen de muur geleund.

'Sorry meisje,' zei hij. 'Maar je moet dit even horen.' Hij duwde haar zachtjes terug de woonkamer in. Bina stond op uit de rieten stoel, en Brice bracht Kate daar naartoe. Bev boog zich zover haar buik dat toeliet naar voren en pakte Kates hand.

'Ik weet hoe het voelt, Katie,' zei ze. 'Je wilt je eigen nestje. Je wilt een bruiloft, je verlangt naar een echtgenoot en een baby.' Kate rukte haar hand terug. 'Ik heb een eigen nest,' zei ze. 'En dat is hier, en ik zou graag willen dat jullie het allemaal verlieten. Alsjeblieft,' voegde ze eraan toe om niet al te onbeschoft te klinken.

Elliot kwam achter haar staan en legde zijn handen op haar schouders. Zijn gezicht hield hij naast het hare. 'Als ik de ernst hiervan niet inzag, had ik dit nooit gedaan,' zei hij.

'Ik wil mijn sleutels terug,' reageerde Kate. Ze hield haar hand op. 'Nu meteen.' Ze dacht dat ze hem beter kon buitensluiten zodat ze nooit meer iets als dit hoefde mee te maken.

'Kijk, je bent uit je oude buurtje vertrokken. Misschien weet je niet meer hoe playboys in Brooklyn zich gedragen, maar je hebt nu al genoeg tijd verspild aan halvegaren. Je wordt er niet jonger op,' zei Bunny.

'Ja, het is prima om een avontuurtje te hebben, maar na je dertigste moet je je eens serieus worden,' voegde Barbie eraan toe. 'Je denkt toch niet dat een potje neuken betekent dat je je bindt?'

'Hou je kop, Barbie,' zei Kate. 'Je hebt er niets mee te maken.' Ze keek de kamer rond. Met logica bereikte ze niets. Bovendien wist ze dat ze waarschijnlijk gelijk hadden. Maar dat wilde ze niet horen.

Elliot zuchtte. 'Ik zei toch dat dit niet makkelijk zou zijn,' zei hij tegen de roddeltantes, kletskousen en idioten die ze tot op dat moment als haar vrienden had beschouwd. 'Kate,' zei hij tegen haar. 'Ik zeg niet dat het verkeerd was het uit te maken met Michael.'

'Ik wel,' viel Bev hem in de rede. 'Hij was dokter en een Vis. Perfect.'

301

Brice legde haar met een blik het zwijgen op. 'Wat Elliot probeert te zeggen, is dat je veel tijd kunt verspillen aan mannen als Steven en Billy, maar dat die je nooit zullen vragen. Ze zullen alleen maar dingen ván je vragen.'

Kate bloosde van schaamte en woede. 'We hebben alleen maar het beste met je voor,' zei Elliot.

'We maken ons zorgen,' voegde Barbie eraan toe. Toen keek ze naar Kates schoenen. 'Waar heb je die schoenen vandaan?' vroeg ze. 'Van Ferragamo?'

'Niet nu, Barbie,' wees Brice haar terecht. 'Dit is niet *Full Frontal Fashion*.'

'Nee, het is *Full Frontal* confrontatie, en nu is het afgelopen.' Kate haalde diep adem. Ze keek naar Bina, die erg stilletjes was. 'Hoe was het vrijgezellenfeest?' vroeg ze.

'Weet je het dan nog niet?' vroeg Bev. 'Er werd geknokt.'

'Je meent het!' riep Brice uit. 'Waarom weet ik dat niet?'

'Mijn Arnie zei dat het echt bizar was. Max en Jack gingen elkaar te lijf.'

'Ja, mijn Johnny zegt dat Jack een blauw oog heeft, en dat dat voor de bruiloft niet weggetrokken zal zijn. Als Billy er geen einde aan had gemaakt...'

Weer deed Kates maag raar, deze keer om wat er tijdens het vrijgezellenfeest in een bar te Brooklyn was voorgevallen. Ze wist dat Billy naast de kassa een honkbalknuppel had staan, maar ze vroeg zich toch af of hij wel ongedeerd was gebleven. Maar dit was niet het moment om daarnaar te vragen.

'Wat is er dan gebeurd?' wilde Elliot weten.

'O, Max schold Jack uit en die werd kwaad. Hij haalde naar Max uit, en toen ging Max over de rooie. Wat had je dan verwacht? Ze waren allemaal ladderzat.'

Kate stond op. Ze wilde Billy bellen om te vragen of alles in orde was. Ze wilde ook dat deze zogenaamde vrienden opkrasten. Maar Elliot had heel andere plannen. 'Kate, je moet ons beloven dat je Billy laat vallen,' zei hij. 'Ik bedoel, wat heeft het voor zin?

Nadat hij je heeft gedumpt, wil je toch niet dat een volslagen onbekende je een aanzoek doet?'

'Hou daarmee op!' zei Kate. 'Waarom weet je zo zeker dat ik gedumpt word? Als je gelooft in die onzin over aanzoeken...'

Iedereen slaakte verschrikte kreetjes. 'Jezus,' zei Barbie. 'Je denkt toch niet dat het hem serieus is?'

'Kate, deze jongen is een zwaar geval van iemand met bindingsangst,' zei Bev. Moeizaam stond ze op. Ze deed haar mond open om nog meer te zeggen, maar toen keek ze ineens met een vreemde uitdrukking op. 'Wat is dat nou?' Ze legde haar hand op haar buik, en op dat moment braken de vliezen.

43

Het was de laatste schooldag. Kate ruimde haar archiefkast op, pakte haar twee planten in, en nam afscheid van de kinderen die even bij haar langs wipten. Zodra ze klaar was, moest ze eigenlijk naar Bev om naar de baby te kijken. Ze was best nieuwsgierig naar het kleintje, maar ze was ook nog boos op het kluppie, en om helemaal eerlijk te zijn was ze ook jaloers.

Niet dat ze ongelukkig was. Zij had de kinderen van school. Over het algemeen beviel haar baan op Andrew Country Day haar goed. Met de tweeling van Reilly maakte ze dan wel geen vorderingen, ze had hun ouders er wel van weten te overtuigen hen niet meer hetzelfde te kleden. Dat weerhield hen er niet van om de verwisseltruc uit te voeren, maar nu moesten ze naar de toiletten of de kleedkamer bij de gymzaal om elkaars kleren aan te trekken. Als er iets diepers zat achter hun behoefte zich voor elkaar uit te geven, moest ze daar in september maar achter komen. Verder had ze succes van haar werk. Tina Foster ging niet meer op elke uitdaging in en was niet meer van iets heel hoogs gesprongen. Ze was nog wel een robbedoes en deed liever wilde spelletjes met de jongens dan braaf een beetje zitten met de meisjes, maar in ieder geval liep ze geen verwondingen meer op.

Terwijl Kate nog wat brieven in haar rugzak propte, verscheen Jennifer Whalen in de deuropening. Jennifer was opgehouden sterke verhalen op te dissen. Kate lachte naar het meisje. 'Kom je afscheid nemen?' vroeg ze. Jennifer knikte. 'Nou, we zien elkaar in september weer terug.' Jennifer knikte weer en rende toen naar binnen om Kate te omhelzen.

'Dank dat u me een beter zelfbeeld hebt gegeven,' zei Jennifer. Verrast keek Kate op haar neer. 'Dank je,' zei ze. Jennifer knikte wijs en gebaarde naar de lege planken aan de muur. 'Heeft u een zelfbeeld?' vroeg ze. Kate lachte. 'Ja hoor,' zei ze tegen het meisje, en Jennifer lachte ook en huppelde toen het kantoortje uit.

'Tot na de vakantie,' riep ze nog.

Kate zat net op de vloer geknield om het poppenhuis op te ruimen toen ze voelde dat er iemand achter haar stond. Nog op haar knieën keek ze om en tot haar verbazing stond Billy in de deuropening. Hij liep het kantoortje in en deed de deur achter zich dicht. Hij had blauwe plekken in zijn gezicht, zijn ene wang was gezwollen en bij zijn oog zat een schram. Ze sprong op. 'Gaat het? Ik heb aldoor maar berichten in je antwoordapparaat ingesproken. Waar zat je toch?' zei ze terwijl ze op hem toe liep. Waarschijnlijk had hij deze schade opgelopen tijdens Jacks vrijgezellenfeest, daar was ze al bang voor geweest. Ze wilde haar armen om hem heen slaan, maar hij weerde haar af.

'En, van wie verwacht jij een aanzoek?' vroeg hij. Hij zag bleek, daardoor leken de blauwe plekken extra donker.

'Waar heb je het over?' vroeg ze.

'Wat speelde je voor spelletje met me?' vroeg hij dreigend. 'Ontken het maar niet, ik heb er op het vrijgezellenfeest alles over gehoord. Die idioten noemden me de hele avond Dumping Billy. En toen ze me eindelijk vertelden hoe de vork in de steel zat, wilde ik het eerst niet geloven.' Kate hield haar adem in. 'Bina heeft die lamzak van een Jack gekregen. Op wie heb jij je oog laten vallen?'

Even dacht Kate erover om te zeggen: 'Op jou.' Maar dit was niet het moment voor dat soort bekentenissen. Ze probeerde zijn hand te pakken, maar weer weerde hij haar af. Ze zag de woede in zijn ogen, maar ze zag ook dat hij diep gekwetst was. Misschien geeft hij echt om me, dacht ze.

'Het is niet wat je denkt,' begon ze, en het drong tot haar door dat ze moest uitleggen wat er allemaal na Bunny's bruiloft was gebeurd, elk detail, alle ingewikkelde redenaties. Voordat ze daaraan kon beginnen, zei Billy: 'Heb jij de research gedaan? Je weet wel, uitzoeken met wie ik allemaal iets heb gehad, en wat er met hen gebeurde nadat het uit was?'

'Nee,' antwoordde Kate.

'Als jij het niet was, dan was het iemand van je kluppie,' snauwde hij.

Kate keek weg. Ze had dit kunnen zien aankomen, maar op de een of andere manier had ze gedacht dat ze zo door zouden gaan, of dat Billy genoeg van haar zou krijgen, zoals hem dat bij alle vrouwen gebeurde. Ze wilde zich eruit werken, maar liegen wilde ze niet. Maar de waarheid kon ze hem ook niet vertellen.

'Mijn vriend Elliot –' begon ze.

'Wil je dat hij je een aanzoek doet nadat wij het uit hebben gemaakt?'

'Billy, Elliot is homo, hij is mijn beste vriend. Hij is wiskundige, en, nou ja, het viel hem op dat... Hij ontdekte dat nadat jij het had uitgemaakt, ze onmiddellijk daarna trouwden. Hij dacht dat dat een kwestie van oorzaak en gevolg was. En hij wist Bina te overreden –'

'En jij overreedde mij om met haar uit te gaan. Dwangmatige neigingen, me reet! Het was een vooropgezet plan. Ik weet verdomme niet waarom het werkte, maar Bina gaat met Jack trouwen, en jij hebt natuurlijk ook iemand op het oog –'

'Billy, je ziet het verkeerd.'

'O ja? Drie uur lang hebben die gozers op het feest tegen me aan lopen zeuren, ze geven mij de schuld van hun huwelijk.'

Kate werd nu ook boos. 'Die reputatie had je al opgebouwd lang voordat ík op het toneel verscheen,' snauwde ze. 'Ik wist alleen niet wanneer je van plan was me te dumpen.'

'Wat vind je van nu meteen?' vroeg hij. 'Veel plezier op je bruiloft. Ik hoop dat je slachtoffer je verdient.' Abrupt draaide hij zich om, rukte de deur open en botste bijna tegen dr. McKay op.

'Stoor ik?' vroeg dr. McKay met opgetrokken wenkbrauwen. Hij keek van Billy naar Kate en weer terug.

'Nee,' zei Billy. 'We zijn uitgepraat.' Kate keek hem na terwijl hij door de gang beende.

44

Kate bleef een uur lang in haar kantoortje huilen. Nadat Elliot haar daar had aangetroffen en haar met zijn arm om haar heen uit school had gebracht, huilde ze in de taxi naar zijn appartement. Ze huilde toen Brice thuiskwam en ze huilde tijdens het eten. Uiteindelijk zette Elliot haar op de bank en ging met zijn arm om haar heen naast haar zitten. 'Kate,' zei hij warm en meelevend. 'Ik weet dat je verdriet hebt, en ik heb verdriet om jou. Maar weet je zeker dat je niet Bina Horowitz nadoet?'

Ondanks haar verdriet moest ze bijna lachen, en daardoor verslikte ze zich en kreeg ze tranen in haar neus.

'Denk ook aan beetje aan het kleed,' zei Brice terwijl hij erbij kwam zitten. 'Het is een nepantieke Tabriz.'

Kate haalde bevend adem. Ze kon niet eeuwig blijven huilen, hoewel ze daar wel iets voor voelde. Maar waarom zou ze? Haar leven was verpest. Ze had de man gekwetst van wie ze hield, en nu verachtte hij haar. Maar ze kon toch beter ophouden met huilen. Ze toverde een waterig lachje te voorschijn.

'Probeer jezelf in de hand te houden,' raadde Brice haar aan. 'Waarom knap je je niet even op in de badkamer?'

Kate knikte en stond op.

'Hulp nodig?' vroeg Elliot. Kate schudde haar hoofd.

'Ik maak theezakjes klaar om op je ogen te leggen,' zei Brice, en hij wreef troostend over haar arm. 'Dat is goed tegen gezwollen oogleden. Echt, daar weet ik alles van.'

Toen Kate in de badkamerspiegel naar zichzelf keek, moest ze meteen weer huilen. Ze zag er niet uit, met die rode oogjes en die gezwollen oogleden. Haar neus was bijna net zo rood als haar haar. Ze was echt lelijk... Ze liet koud water in de wastafel lopen, haalde diep adem en stak haar hoofd erin. Het was een schok, maar het voelde prettig. Met haar gezicht in het water stond ze een hele tijd over de wasbak gebogen. Misschien kon ze zich zo wel verzuipen, dacht ze. Ze dacht aan Billy in bed, met zijn armen om haar heen. Ze dacht aan hem zoals hij zonder overhemd aan het ontbijt maakte. Ze herinnerde zich ieder boek en elke wandversiering in zijn appartement, hun wandelingen door Brooklyn, zijn tuin. Zonder het te durven toegeven, had ze gehoopt dat die tuin, dat huis, ooit van hen beiden zouden zijn, en dat hun kinderen daar zouden rondrennen.

Ze snakte naar lucht, dus hief ze haar hoofd uit de wastafel. Hijgend keek ze weer in de spiegel. Ze wist dat het niet alleen maar om Billy ging. Ze had gehuild omdat ze hem had gekwetst, en omdat ze zelf ook gekwetst was. Maar ze had ook gehuild om haar verleden en om haar toekomst. De tranen die ze op school, in de eenzame vakanties, op de universiteit en later had ingehouden, kwamen er nu uit. Ze vulde de wasbak opnieuw met water en doopte haar gezicht daar weer in. Onder water deed ze haar ogen open.

Ze zag nu in dat Billy haar de kans had gegeven vrede te hebben met haar achtergrond, dat door hem de oude wonden hadden kunnen helen. Misschien was ze veranderd door haar studie en de verhuizing naar Manhattan, maar Brooklyn zat nog diep in haar. Ze knipperde met haar ogen. Onder water, met ogen die pijn deden van het huilen, zag ze in dat Billy haar de kans had gegeven als gelijken van elkaar te houden. Hij was een partner die haar echt had kunnen doorgronden.

Als een onderzeeër kwam ze weer boven. Ze stond op het punt weer in huilen uit te barsten toen ze haar mobieltje hoorde. Ze rende de badkamer uit.

Brice omvatte haar gezicht. '*Ophelia, verdronken uit liefde en omdat ze de telefoon wilde opnemen,*' zei hij. 'Een schilderij uit de prerafaëlitische School.'

'Wil je ophouden jezelf af te matten en me helpen met de afwas?' vroeg Elliot.

Ze negeerde hen. Ze zocht in haar tasje. Haar mobieltje ging nog steeds over. Billy was van gedachte veranderd. Hij was tot de conclusie gekomen dat het een vergissing was, dat zij van hem hield en dat al het andere er niet toe deed.

Ze zat op haar knieën op Brices kleed. Om haar heen lagen haar make-uptasje, haar portemonnee en nog meer troep uit haar tas. Maar toen ze eindelijk haar mobieltje had gevonden, zweeg dat. Ze keek op de display wie het was geweest, maar het nummer zei haar niets. Het begon met 212, niet met de 718 van Brooklyn. Het gaf niet, het was toch Billy. Hij was haar gaan zoeken. Ze drukte op de toets om terug te bellen. Ademloos wachtte ze af. Het komt goed, hield ze zichzelf voor. Het móest goed komen. Even later nam iemand op.

'Kate?'

Het was de stem van een man, maar haar maag kromp samen toen ze hoorde dat het niet Billy was.

'Ja?' zei Kate, hoewel ze liever had opgehangen en het mobieltje in de wastafel vol koud water had gesmeten. Als Billy haar niet belde, wat moest ze dan met een mobieltje?

'Ik ben het, Kate. Steven.'

'Steven!'

Bij het horen van die naam lieten Brice en Elliot bijna de borden en het bestek uit hun handen vallen.

'De Steven?' fluisterde Brice.

'Gooi dat mobieltje in de soep, nu meteen,' zei Elliot en hij hield haar een volle kom voor. 'En dat meen ik, juffertje.'

Kate gebaarde dat ze hun mond moesten houden.

'Komt het nu niet goed uit?' vroeg Steven.

Kate lachte bijna hardop. Ze kon zich niet herinneren dat ze ooit zo lang had gehuild. Het kwam inderdaad niet goed uit... 'Jawel,' zei ze. 'Zeg het maar.'

Elliot schudde heftig zijn hoofd, maar Kate sloeg daar geen acht op. Ze herinnerde zich hoe ze op Stevens telefoontjes had geleefd. Het was vreemd dat het haar nu niets deed om zijn stem te horen.

· Misschien zou ze zich over een jaar of twee ook zo voelen als ze

Billy sprak, dacht ze. Misschien kan ik leren om nooit meer om iemand te geven. Maar wat had je daaraan?

'Als je het niet te druk hebt, wil je dan misschien iets gaan drinken?'

'Nu?' vroeg ze. Ze keek op haar horloge. Ze had het gevoel of het middernacht was, maar het was nog maar kwart over acht. Echt iets voor Steven om haar zomaar te bellen en te verwachten dat ze meteen ja zou zeggen. Maar ze nam het hem niet kwalijk. 'Niet nu,' zei ze.

'Het is echt heel belangrijk,' zei Steven. 'Je hebt vast andere dingen te doen, maar ik moet je iets zeggen.'

Kate kon zich niet voorstellen dat Steven haar iets te zeggen zou hebben wat zij interessant vond om te horen, tenzij hij bij een grote loterij was gaan werken en zij de hoofdprijs had gewonnen. En zelfs dan, wat moest ze met zoveel geld? Een groter appartement kopen waarin ze helemaal alleen moest wonen? Door de gedachte aan haar eenzame appartement, zei ze ineens ja. 'Waar?' vroeg ze terwijl Elliot hoofdschuddend zijn vinger zwaaide.

'Kun je naar het centrum komen?' vroeg Steven.

Typisch Steven. Hij wilde een gunst van haar, maar stak geen vinger uit. Ze zag er vreselijk uit, ze voelde zich ellendig en toch zei ze ja. Wat kon het haar ook schelen? Hij gaf haar het adres en hing op.

'Kate, je wilt me toch niet vertellen dat je gaat?' vroeg Elliot.

'Jawel,' zei Kate. Ze zocht haar spiegeltje in haar make-uptasje en bewerkte de kringen onder haar ogen met een camouflagestift.

'Het is niet goed om je van de weeromstuit in de armen van een ander te storten,' zei Elliot.

Kate stond op, propte haar spulletjes terug in haar tas en keek Brice en Elliot aan. 'Ik doe dit niet van de weeromstuit. Ik ben geen stuiterbal.' Ze liep naar de deur en draaide zich toen om naar dit gelukkige stelletje uit een wereld vol stelletjes. 'Ik heb mijn leven al verpest,' zei ze. 'Maak je dus maar geen verdere zorgen.'

45

Kate zat naast Steven, haar tas op haar schoot, haar benen over elkaar geslagen. Een voet liet ze op de stang voor de bar rusten. Eigenlijk was ze blij dat ze in de Temple Bar hadden afgesproken omdat dat waarschijnlijk de donkerste kroeg van Manhattan was. Het was zo trendy dat de naam er niet eens op stond. Het was het soort tent waar Steven van wist en waar hij kwam. Er was donker fluweel, ingenieuze verlichting, gedempte gesprekken en de cosmopolitan kostte zeven dollar. Heel anders dan de Barber Bar. Echt helemaal Manhattan.

Het was Steven niet opgevallen dat ze er vreemd uitzag, of hij was zo beleefd er niets over te zeggen. Maar terwijl ze daar zat en naar hem keek, drong het tot haar door dat het hem meer ging om gezien te worden dan om anderen te zien. De manier waarop hij zijn donkere lokken uit zijn gezicht streek, de manier waarop hij zijn hoofd hief, zelfs de manier waarop hij gebaarde, maakten Kate duidelijk dat hij voor publiek optrad, of dat er nu was of niet. Waarom had ze dat nooit eerder gemerkt? Ze zat daar maar, moe en verdrietig, en probeerde naar hem te luisteren. Hij was al een hele tijd aan het woord.

'... en dat verdiende ik. Echt waar,' zei hij. 'Ik weet dat ik je gekwetst heb, en ik weet nu ook dat ik stom was. Ik denk dat ik geen afscheid van mijn jeugd kon nemen.' Hij keek weg, maar ze zag hen allebei in de spiegel achter de bar. Ze vroeg zich een beetje afwezig af waarom hij dit allemaal wilde oprakelen. Elliot hoefde zich geen zorgen te maken. Ze ging echt niet meer met deze playboy naar bed, ze zorgde er heus wel voor dat hij haar nooit meer kon kwetsen. Maar ze was als verdoofd, waarschijnlijk kon niets haar meer kwetsen.

'Ik heb veel nagedacht over mezelf,' ging Steven verder. 'En dat beviel niet erg.' Dan zijn we het eens, dacht Kate, maar ze knikte alleen maar. 'Ik heb me onverantwoordelijk gedragen,' zei hij. 'Als een jongen, niet als een man.'

Net als al die andere single mannen in Manhattan, dacht Kate. Maar weer knikte ze alleen maar. Hoe had ze deze man om zich heen kunnen verdragen? Ze moest er niet aan denken weer op zoek te gaan, uit te gaan met mannen die ze nauwelijks kende, waarschijnlijk naar dit soort tenten. Het was niet alleen te veel moeite, het was ook een kwelling die voor niemand goed was. Waarom deed Amnesty International er niets aan? Kate vermoedde dat ze er wel weer aan zou kunnen wennen om te daten, of ze kon het ook gewoon opgeven, wachten tot haar andere vriendinnen ook kinderen hadden gekregen en de rest van haar leven toegewijde tante spelen.

Verrassend genoeg pakte Steven ineens haar hand. Kate schrok, maar ze liet haar tas niet vallen en bleef gewoon op de barkruk zitten. 'Ik weet dat je niet echt luistert, en dat neem ik je niet kwalijk,' zei hij. Daardoor richtte ze haar aandacht weer op hem. Misschien was Steven zich meer van andermans gevoelens bewust dan ze had gedacht. 'Kate, wat ik wil zeggen is dat we destijds ieder een ander doel voor ogen hadden. Tenminste, dat denk ik. Maar ik heb erover kunnen nadenken, en nu heb ik spijt dat ik je ben kwijtgeraakt.'

Voor de eerste keer keek ze hem echt aan. Wat had hij ineens?

Steven zuchtte. 'Ik was een ezel toen ik koffie met je ging drinken,' zei hij. 'Het was arrogant te denken dat ik alleen maar mijn excuses hoefde aan te bieden om verder te kunnen gaan waar we waren gebleven.' Even keek hij weg. 'Soms ontbreekt het me aan... Nou ja, het ontbreekt me aan veel. Maar omdat het me aan jou ontbreekt, zou ik je willen bewijzen dat ik veranderd ben.'

Ondanks haar verdriet probeerde Kate zich te herinneren of hij ezelachtiger dan normaal had gedaan. Ze vond dat het van arrogantie getuigde om haar uit te vragen, maar niet van meer arrogantie dan ze van hem kon verwachten. Ineens drong het tot haar door dat Stevens probleem was dat alles hem kwam aanwaaien. Hij had nooit ergens moeite voor hoeven doen, het was dus te verwachten dat hij dacht te kunnen krijgen wat hij wilde door het te vragen. Kate trok haar hand terug. Hij staarde naar de bar, zich ervan bewust dat ze hem had terechtgewezen.

'Kate, je moet je tijd niet verspillen aan een man die je niet op waarde weet te schatten. Een man die zich niet wil binden.'

Alsof ik dat niet weet, dacht Kate. Ze vroeg zich af of Steven misschien consulent voor alleenstaande vrouwen was geworden. Misschien wilde hij haar als cliënt. Maar toen pakte hij haar hand weer. Het deed haar niets. Maar omdat ze op die wiebelige kruk zat met haar tas op schoot, kon ze haar hand moeilijk losrukken.

'Kate, ik vraag je om je hand.'

'Die heb je al,' zei ze.

'Nee, ik bedoel... Ik bedoel, ik vraag je om je hand. Het is een aanzoek.'

Kate geloofde haar oren niet. Was ze aan het hallucineren? Projecteerde ze iets op Steven? Of maakte hij een misplaatste grap? Maar tot haar stomme verbazing haalde hij een ring uit zijn zak. Voordat ze er erg in had, schoof hij die aan haar vinger. Ze staarde naar de diamant die werd geflankeerd door twee kleinere smaragdjes, de steen waar ze zo dol op was. 'Vind je hem mooi?' vroeg hij.

Ze keek naar hem op. Wat haalde hij zich in zijn hoofd? De brutaliteit, de arrogantie! Ze werd kwaad, maar vervolgens keek ze weer naar haar hand. De diamant scheen naar haar te knipogen. En ze moest lachen. Ze kon niet meer ophouden. Haar voet gleed van de stang en haar tas viel op de grond, en nog steeds kon ze niet ophouden. Ze bedoelde het niet wreed – ze had zichzelf gewoon niet meer in de hand.

Toen ze begon te lachen, had Steven eerst met een glimlach naar haar gekeken. Maar ze bleef lachen, en de glimlach verdween van zijn gezicht. Mensen keken om. Ze wilde hem niet voor aap zetten, dat had hij zelf al gedaan. Waarom zit het leven toch op deze manier in elkaar, dacht ze. Wanneer je iets heel graag wilde, kreeg je het niet. En wanneer je het in je schoot geworpen kreeg, hoefde je het niet meer.

Met moeite kreeg ze zichzelf weer in bedwang. Ze hield op met lachen, en dacht aan alles wat ze Steven zou kunnen zeggen. Uiteindelijk kwam ze tot de conclusie dat zijn opvoeding en zijn therapie niet haar zaken waren. Ze trok haar hand terug, schoof de ring van haar vinger en gaf die aan hem terug. 'Steven,' zei ze, 'ik ben bang dat het ons geen van beiden goed zou doen.'

Onmiddellijk kreeg hij die verslagen uitdrukking die ze zo goed van hem kende. Heel even had ze met hem te doen. Het was net zo moeilijk iemand te kwetsen, als zelf gekwetst worden. Maar ze kende Steven. Over een paar dagen zou hij een andere vrouw vinden die hem zou troosten, die die uitdrukking van zijn gezicht zou krijgen. Kate wenste haar veel geluk. Ze stond op en gaf Steven een schouderklopje. 'Ik moet weg,' zei ze. Ineens leek haar eenzame appartement een veilige haven.

'Het ga je goed,' zei ze nog voordat ze zich omdraaide en de bar uit liep. Het was geen originele manier om afscheid te nemen, maar ze wist niets beters.

46

Kate lag op bed. De drukkende warmte hing zwaar over New York. Door de temperatuur en de luchtvochtigheid leek het wel augustus. Kate was niet voorbereid op de hitte. Ze was op dit moment nergens op voorbereid; de airconditioning stond nog in de kelder en ze had Max nog niet gevraagd het apparaat naar boven te brengen. Ze had haar schoolkleren nog niet netjes weggeborgen en nog geen zomerkleren in haar kast gehangen. Ze had nog niet eens plannen voor het weekend van Onafhankelijkheidsdag gemaakt. De zomer was aangebroken en Kate was net zo onvoorbereid op de vakantie als op het leven. Zonder dat ze het echt had gewild had ze haar tijd aan Michael verspild, zich verdiept in de relatie met Steven, en ze was verliefd op Billy geworden en vervolgens gedumpt. Ondertussen leefde iedereen die ze kende vrolijk verder. Brice had promotie gekregen, Elliot gaf een cursus op de New School, en samen hadden ze een huisje op Fire Island gehuurd. Bina was bezig met de eindeloze voorbereidingen voor de bruiloft, Bev had het druk met de baby, en het laatste nieuws was dat Barbie zwanger was. Het leek of iedereen een doel had, terwijl zij stuurloos ronddobberde.

Kate dacht aan een reden om op te staan. Ze had een berg wasgoed liggen, ze zou eigenlijk naar het fitnesscentrum moeten, ze zou de airconditioning naar boven moeten halen. Er lag een stapel boeken die ze van de zomer had willen lezen. De plantjes in de woonkamer moesten water hebben. En toch kon ze er niet toe komen uit bed te gaan. Ze probeerde aan iets leuks te denken, maar wist niks.

Er kwamen wel gedachten boven die ze liever opzij schoof: haar beide ouders waren dood en ze had geen broertjes of zusjes. Elliot zou de hele zomer weg zijn. Haar vriendinnen waren getrouwd. Ze had Michael de bons gegeven en daar was ze blij om, maar het aanzoek van Steven had haar in verwarring gebracht. Ze wilde Steven niet – maar ooit had ze dat wel gedaan. Ze wilde Michael ook niet, maar ooit had ze gedacht dat ze hem wel wilde. Kennelijk wist ze niet wat of wie ze wilde. Misschien kwam ze daar wel nooit achter. Ze kwam steeds meer tot de overtuiging dat ze altijd alleen zou blijven. Er moest iets mis met haar zijn, ongetwijfeld zat het heel diep, een trauma uit haar jeugd. Haar moeder was gestorven, haar vader had haar emotioneel verwaarloosd en daarna was hij gestorven. Ze riep het over zichzelf af dat ze in de steek werd gelaten.

Ze gooide het laken van zich af, en was direct vermoeid door die inspanning. Waarom was ze naar Manhattan verhuisd? Waarom had ze zich door al die colleges geworsteld? Zelfs haar werk met de kinderen leek hopeloos, nutteloos.

Maar het voorval met Billy was wat haar echt ontroostbaar maakte. Eraan denken was bijna onverdraaglijk, en toch bleef ze er maar over doormalen. Ze dacht aan die dag dat ze in het park waren gaan skaten, en hoe hij de menigte tot de orde had geroepen toen iedereen in het ijstentje uit de band sprong. Ze vroeg zich af of het met dit weer nog wel koel was in zijn tuin. Terwijl ze aan het gras dacht, de vissen in het water, het groene bladerdak, wist ze weer precies hoe bijzonder Billy was, en hoe dom zij was geweest. Ze had twee briefjes aan hem geschreven. In het ene had ze haar excuses aangeboden, in het andere had ze alles uitvoerig uitgelegd. Ze had geen antwoord gekregen. Ze wist niet of hij echt van haar had gehouden, of hij haar brieven wel had gelezen, en of hij haar sowieso zou hebben gedumpt. Het was waanzin geweest om toe te geven aan Bina's bijgelovige ideetjes en Elliots belachelijke plannetje. Ze zag Billy's gezicht weer voor zich toen hij razend tegenover haar had gestaan in haar kantoortje op school. Hij had zich diepgekwetst gevoeld, en de wetenschap dat zij dat op haar geweten had, was haast onverdraaglijk. Ze had Michael ook gekwetst. En Steven, al had die het verdiend. Toch was het nooit haar bedoeling geweest hen te kwetsen, en zelf wilde ze ook niet zo verdrietig zijn. Haar eenzaamheid was te groot voor het slaapkamertje. Ze had het gevoel of het de deur uit groeide, naar de woonkamer, tot er een vacuüm voor liefde was geschapen. Kate draaide zich om en dacht weer aan Billy. Altijd Billy. Ze begon weer te huilen, en de tranen drupten op haar nog vochtige kussen.

Toen de bel ging, schrok Kate wakker. Ze was bezweet en verward, maar toch stond ze op uit haar rommelige bed en liep naar de deur. Wie kwam er nou onaangekondigd op een doordeweekse dag om een uur of een bij haar langs?

Ze deed de deur open. Daar stond Max, met Bina naast zich. Ze zouden allebei op hun werk moeten zijn. Het was toch maandag? Haar afschuwelijke weekend leek eindeloos te duren, maar het kon toch niet nog steeds zondag zijn?

'Kate, we moeten je even spreken,' zei Bina.

'Mogen we binnenkomen, of komen we erg ongelegen?' vroeg Max.

Kate was te verdrietig en verward om te zeggen dat het wat haar betrof altijd ongelegen kwam. Ze ging opzij en liet hen de woonkamer in.

'Goh, wat is het warm.' Met een zucht ging Bina op de bank zitten.

'O, ik had je airconditioning naar boven moeten brengen,' zei Max. 'Waarom heb je me dat niet gevraagd?'

'Ik had het druk,' zei Kate, maar ze hoorden niet dat het spottend klonk. Ze moest er vreselijk uitzien, maar dat viel hen ook al niet op. In plaats van haar aan te kijken, wisselden ze een blik, of misschien vermeden ze het naar haar te kijken. Ze dacht aan de tweeling op school en hun streken, maar waarom zouden Bina en Max zich schuldig voelen? Wat voor streek konden zij hebben uitgehaald? Kate liet zich op de rieten stoel zakken. 'Wat is er?' vroeg ze.

'Nou, weet je... Ik... ik kan niet...'

Bina's lip trilde. Kate wist niet zeker of ze nog weer zo'n tranenvloed van Bina aankon. Kreeg ze niet alles wat ze wilde? Ze zou een prachtige jurk van Vera Wong dragen, ze kreeg bruidsmeisjes, een bruiloft waarop haar voltallige familie aanwezig zou zijn, een huis met een hypotheek, een man die haar op waarde wist te schatten, en later ongetwijfeld kinderen. En na de huilbui zou Bina weer vrolijk en blij zijn. Maar Kate zou zich uitgeput en leeg voelen.

Voordat ze iets kon zeggen, sloeg Max zijn arm om Bina heen. 'Het komt wel goed,' zei hij. 'Beloofd. Het komt allemaal goed.' Hij keek Kate aan. 'Zeg jij ook dat het goed komt.'

'Wat moet er goed komen?' vroeg Kate. 'Bina, hou op met huilen en vertel wat er mis is.'

'Alles. Alles gaat mis,' snikte Bina. 'Ik wil niet met Jack trouwen. Ik kan niet met hem trouwen, maar het moet.'

'Nee hoor,' zei Max.

'O god!' jammerde Bina. 'Wat zullen ze wel niet zeggen?'

Kates mond viel bijna open. Waarom zou Bina in 's hemelsnaam... Toen kwam er een vreselijke gedachte in haar op. Was ze soms zwanger? Was ze zwanger van Billy? 'Bina, je gebruikt toch wel voorbehoedmiddelen, hè?'

Bina keek op en veegde haar tranen af. 'Natuurlijk. Hoezo? Ben ik zo dik?' Max gaf haar een zakdoek, en ze depte haar ogen. 'Mijn moeder heeft driehonderd uitnodigingen verstuurd,' zei ze. 'Een echte kalligraaf heeft de adressen geschreven.'

Kate boog zich naar Bina toe en pakte haar hand. 'Je hoeft je niet schuldig te voelen. Dat je met een ander hebt geslapen wil nog niet zeggen dat je niet met Jack kunt trouwen. Je hebt toch geen verhouding gehad? Je hield toch niet van hem?'

'Het is wel een verhouding,' zei Max. 'En serieus ook.'

'Ik hou van hem,' zei Bina, en meteen barstte ze weer in snikken uit. 'Ik hou van hem met heel mijn hart.' Max pakte haar andere hand, zodat Bina niet haar neus kon afvegen.

Met een misselijk gevoel wendde Kate haar blik af. Bina en zij, allebei hopeloos verliefd op Billy Nolan. Belachelijk! 'Het is gewoon een bevlieging. Het is puur lichamelijk. Het is geen echte liefde,' zei ze, meer om zichzelf te overtuigen dan haar vriendin. 'Het is wel echte liefde,' zei Bina, en ze keek naar Max. 'Toch, Max?'

'Natuurlijk is het echte liefde,' zei Max.

Kate vroeg zich net af waarom Max Bina in haar waan bevestigde, toen hij tot haar stomme verbazing ineens zijn lippen op die van Bina drukte en haar hartstochtelijk kuste. Daarna keek hij Kate aan.

'Het is geen bevlieging, Kate. We weten het zeker. Ik hou van Bina en zij houdt van mij. We wilden het niet achter Jack om doen. Ik bedoel, hij is per slot van rekening mijn neef. Maar hij leefde er vrolijk op los en dat vertelde hij me allemaal, dus –'

'Wacht!' Kate wist niet zeker of ze het wel goed had gehoord. 'Eerst sliep je met Billy Nolan en nu slaap je met Max?'

'Met Billy Nolan? Waarom zou ik met Billy Nolan naar bed gaan?' vroeg Bina. 'Hij moest me alleen maar dumpen. Dat deed hij, en toen vroeg Jack me ten huwelijk, en ik zei ja. Jij zei dat dat in orde was, ook al sliep ik met Max, maar...'

Kate probeerde het zich te herinneren. Toen Bina had bekend dat ze over de schreef was gegaan, had ze het dus niet over Billy gehad. Kate had het verkeerd begrepen. En al die tijd had ze zich gekweld met de gedachte aan Billy en Bina, terwijl ze nooit... 'O god!' zei Kate.

'Dat zei ik toch? O god!' echode Bina. Max streek Bina's haar goed en kuste haar boven op haar hoofd.

'Ik vind het niet erg om het Jack te vertellen,' zei hij. 'En ik vind het ook niet erg het aan Bina's ouders te zeggen, maar zij is bang dat er een heel gedoe van komt en dat iedereen het haar vreselijk kwalijk zal nemen.'

Kate had het zo warm en was zo in de war dat ze er duizelig van werd. Het was hier binnen benauwd, en terwijl ze naar lucht hapte probeerde ze na te denken. Ze had nu nog meer spijt dat het uit was met Billy.

Billy was nooit met Bina naar bed gegaan. Haar twijfels over zijn karakter en zijn gedrag waren allemaal ongegrond. Billy was met Bina uit geweest, hij had gemerkt dat ze nog heel onschuldig was en daar had hij geen misbruik van gemaakt. Hij had Bina met respect behandeld. Ze kon het nog nauwelijks bevatten. 'Maar die handdoeken? Die keer dat het regende en hij je afdroogde?'

'Heeft Bina je dat verteld?' vroeg Max. Hij keek Bina aan. 'Heb je ook verteld wat we daarna hebben gedaan?'

'Ging dat over Max?'

'Ja,' zei Bina. 'Daar gaat het nou juist om. Ik wil bij Max zijn, niet bij Jack. Maar ik draag Jacks ring, er is een afspraak met de rabbi gemaakt, we hebben de bloemen al uitgezocht en een bandje ingehuurd...' Weer huilde ze.

'Willen jullie met elkaar trouwen?' vroeg Kate.

'Natuurlijk,' zeiden Max en Bina tegelijk.

Kate haalde diep adem. Het drong tot haar door dat de hele tijd dat Bina met Billy uitging, Bina eigenlijk in Max was geïnteresseerd. Kate was jaloers geweest en... O, het was te belachelijk voor woorden. Ze keek haar vriendin aan. 'Niet goeie ouwe Bina.'

Bina schudde haar hoofd.

'Oké,' zei Kate nu ze wist hoe de vork in de steel zat. Om de waarheid te zeggen, ze had Jack nooit gemogen. Ze vond hem niet goed genoeg voor Bina. Maar Max was perfect. Dit was een wending ten goede – en dat ze zelf een potje van haar leven maakte, wilde nog niet zeggen dat Bina dat ook moest doen. 'Max, vertel jij het aan Jack en zijn familie, dan vertel ik het aan die van Bina. En dat kunnen we beter nu meteen doen.' Ze keek Bina aan. 'Maar je moet wel de ring teruggeven.'

Bina knikte.

'Van mij krijg je een mooiere ring,' beloofde Max.

'Ik wil geen ring, ik wil alleen maar jou,' zei Bina, en ze kusten elkaar weer.

Kate pakte de telefoon en toetste het nummer in dat ze zo goed kende. 'Mevrouw Horowitz, ik ben het, Kate.' Ze werd hartelijk begroet en uitgenodigd om te komen eten. Mevrouw Horowitz vroeg hoe het ging, hoe het op haar werk was, of ze een vriendje had, en dat allemaal zonder Kate de kans te geven iets te zeggen. 'Met mij gaat het goed,' kon ze er uiteindelijk tussen krijgen. 'Maar ik moet u iets vertellen.'

47

'Goh, wat is het warm,' zei Elliot, alsof ze dat nog niet wisten. Brice en hij waren weer in smoking, en ook weer in Brooklyn. Maar deze keer waren ze allebei gebruind, en het bruin van hun gezicht stak af tegen het smetteloze wit van hun overhemd, waardoor ze er nog aantrekkelijker uitzagen. Kate, die gekleed ging in een strapless lila jurk, smolt bijna.

Voor de Brooklyn Synagogue stonden tientallen familieleden en kennissen die de andere gasten met schrille stemmen begroetten, net een stel beo's.

'Hoe is het?'

'Hoe gaat het met je? We hebben je sinds Pesach drie jaar geleden niet meer gezien.'

'Dus ze gaat eindelijk trouwen? Nou, haar moeder bestierf het zowat.'

'Zijn de Weintraubs er? Je hebt het toch gehoord, hè?'

De menigte liep de treetjes op het gebouw in. Kate wachtte terwijl Brice zich door de massa liet meevoeren. 'Ik zorg dat we goede plaatsen hebben,' had hij gezegd.

Kate bleef achter met Elliot. Ze haalde diep adem. 'Weer een bruiloft,' zei ze, en ze deed haar best opgewekt te klinken. 'De laatste. Nou hoef ik nooit meer zo'n lelijke bruidsmeisjesjurk te kopen.'

'Zeg eens, je bent helemaal geen bruidsmeisje,' reageerde Elliot. 'Je bent getuige.'

'Dat is net zo erg.'

Kate zuchtte. Ze wist dat Elliot en Brice probeerden haar op te vrolijken, maar ze had hier heel veel moeite mee. Ze had zich nog steeds niet over Billy heen gezet. Ze wist wel dat het niet waar was dat er maar één persoon de Ware voor iemand kon zijn, maar ze dacht toch dat ze haar hele leven mannen met Billy zou vergelijken. En dat zou niet in hun voordeel uitpakken. Ze was dom geweest en dit was haar straf. Ze kon er niets meer aan veranderen, behalve net doen of ze minder verdrietig was dan ze zich voelde, en wachtten totdat het een beetje zou slijten. Maar aanwezig zijn op de bruiloft hielp niet erg.

Alsof Elliot wist wat ze dacht – en meestal wist hij dat precies – pakte hij haar arm. 'Kom, Katie,' zei hij, en ze vertrok haar gezicht omdat hij haar zo noemde. 'Het is tijd.' Ze liepen samen de treetjes op. 'Je moet het van de zonnige kant bekijken,' zei hij. 'Er komt geen katholieke mis van een uur of drie.' Toen ze het heiligdom betraden, zei hij zacht: 'Moet je dat bejaarde dametje met die rollator zien.'

Kate keek in de richting die Elliot aanwees en zag een hoogbejaarde vrouw met een bontstola. 'Een wandelende dode,' ging Elliot verder. 'Ik bedoel de dame, niet het bontje.'

'Hou je kop,' siste Kate hem toe. 'Dat is oma Groppie. De moeder van mevrouw Horowitz. Ze maakt het lekkerste *mandelbrot* van heel Brooklyn. Toen ik studeerde, stuurde ze me pakjes met de eerste levensbehoeften.'

'En daar ben je haar dankbaar voor?' vroeg Elliot.

Brice riep Elliot voordat Kate de kans kreeg hem een stomp te geven. De aanwezigen praatten, zwaaiden naar elkaar en hadden ruzie over wie waar moest zitten. Achter haar zaten twee oude dames te roddelen. '... dus, *takka*, hij verandert van gedachte, maar hij weet niet dat zij dat ook doet.' De vrouw, vijftig jaar ouder dan Heather Locklear maar met dezelfde haarkleur, knikte. Haar vriendin, klein en dik maar met een vorstelijke jurk bezet met kraaltjes, schudde haar hoofd.

'Na al die jaren zou je toch zeggen dat Jack Weintraub wist wat hij wilde.'

'Och, de Weintraubs. Ze kunnen nog niet eens beslissen welke kleur de handdoeken moeten hebben.'

'De jeugd van tegenwoordig... schande.' Ze nam plaats. Maar de oudere blondine was nog niet uitgepraat.

'Je moet niet te snel met je oordeel klaarstaan, Doris. Na eenenveertig jaar is Melvin me ontvallen, en als ik het mocht overdoen, was ik liever weggelopen met Bernie Silverman toen hij het me voorstelde.'

'Heeft Bernie jou dat ook gevraagd?' vroeg Doris geschokt.

Kate vond het een fascinerend gesprek, maar ze kon niet blijven luisteren omdat ze een taak te vervullen had. 'Blijven jullie hier?' vroeg ze Brice en Elliot. 'Jullie halen toch geen streken uit?'

'Ons kun je vertrouwen,' zei Elliot.

Brice knikte. 'Ik heb nog nooit een joodse bruiloft gezien, behalve in *Crossing Delaney*. Moet Bina op zo'n stoel de lucht in, en gaan ze dan om haar heen dansen?'

'Dit is *Anatevka* niet,' snauwde Kate. Ze liep weg. Tegen de tijd dat ze Bina en haar moeder had gevonden, had de hysterie al toegeslagen. Bina was een schoen kwijt. 'Die ligt vast nog op de toilettafel,' zei ze tegen mevrouw Horowitz.

'O god! Wat nu?' jammerde haar moeder.

'Myra, de wereld vergaat niet,' zei dr. Horowitz. 'Als ze nou een voet kwijt was, dat zou pas erg zijn.'

'Arthur, wat moet ze nu? Mank naar het altaar hobbelen? Je weet toch wat we voor die schoenen hebben betaald? Je moet terug naar huis om hem te halen.'

Kate keek naar Bina omdat ze dacht dat ze wel zou gaan huilen. Maar dit was een heel andere Bina. Het was een cliché om te zeggen dat de bruid straalde, maar ze zag er inderdaad mooi uit, bijna alsof er een kaarsje in haar brandde. 'Laat maar,' zei Bina. 'Ik ga wel op blote voeten.'

'Ben je helemaal mesjogge?' vroeg mevrouw Horowitz. Ze richtte zich tot Kate. 'Mijn dochter, de bruid, is gek geworden. Zeg jij eens wat, Kate.'

'Ik vind het een goed idee,' zei Kate, 'Julia Roberts heeft dat toch ook gedaan?'

'Die is ook mesjogge,' zei mevrouw Horowitz. Ze keek Kate aan. 'Je ziet er prachtig uit, lieverd,' zei ze, en toen zoende ze Kate op haar wang. Net op dat moment kwam er een bezwete man met een openstaand overhemd aan.

'Wij zijn klaar,' zei hij. 'De camera's staan opgesteld, het licht is aan. Jullie moeten maar gauw beginnen voordat iedereen smelt.'

'Waar zijn de meisjes?' vroeg mevrouw Horowitz.

'In het damestoilet. Waar anders?' vroeg dr. Horowitz.

'Ga hen halen, dan haal ik de bloemen. Katie, hou jij een oogje op Bina, dat ze niet besluit met nog weer een ander te trouwen.'

Kate en Bina waren alleen. 'Je ziet er schitterend uit,' zei Kate.

'Ben je net zo gelukkig als je eruitziet?'

'Jemig, ik ben zo gelukkig! En zonder jou zou het allemaal nooit zijn gebeurd. Dank je, Katie.' De tranen sprongen in Bina's ogen. 'Ik hou zo ontzettend veel van Max. Ik wist niet dat het ook zó kon zijn.'

Kate wist precies wat ze bedoelde, maar ze zei niets. Toen kwamen de meisjes; ze zagen eruit als mandarijntjes die uit een net waren gevallen. 'Katie!' gilden ze.

'Stil,' zei mevrouw Horowitz. 'Ze horen jullie nog. Gedraag je een beetje.'

'De boeketjes,' riep dr. Horowitz. 'Vers uit de ijskast.' De bruidsmeisjes kregen allemaal hetzelfde ruikertje van oranje orchideeën met glimmende gele blaadjes. Kate kreeg een groter boeket van seringen, flox en witte rozen.

'Dat is niet het enige wat vers is,' fluisterde mevrouw Horowitz in Kates oor. 'Ik heb speciaal voor jou *kugel* gemaakt. Maar zeg dat niet tegen de catering.' Ze streek over Kates haar en keek toen naar Bina. 'Het is tijd,' zei ze.

'Precies,' zei dr. Horowitz. 'Ga zitten waar je moet zitten, Myra. Ik loop met haar naar het altaar.'

'Tot ziens bij de *bima*, Bina,' zei mevrouw Horowitz, en ze lachte kakelend. 'Daar heb ik dertig jaar op gewacht, om dat te kunnen zeggen,' zei ze toen ze wegliep om haar plaats in te nemen.

Kate stond onder het toeziend oog van alle aanwezigen onder het traditionele baldakijn, met het kluppie achter zich. Veel plaats was er niet, en de brede randen van hun hoeden stootten tegen elkaar en kriebelden in Kates hals. Ze had haar haar opgestoken, en ze was eigenlijk dankbaar voor het gekriebel omdat het een afleiding was. Max en Bina stonden aan weerskanten van de rabbi. Kate kon haar ogen niet van Bina afhouden. Ze zag er erg gelukkig uit en keek met een blik vol aanbidding naar Max op. Max zag een beetje bleek, maar hij keek net zo liefdevol terug. Ze leken zich niet bewust van de rabbijn, de bruidsmeisjes of de honderden gasten. Kate liet haar blik over de menigte dwalen. Ze vroeg zich af hoeveel van de echtparen daar nog van elkaar hielden. Ze vroeg zich ook af of Jack op deze dag diepbedroefd was. Hij en zijn familie waren niet op de bruiloft gekomen, maar Kate vond dat het zijn eigen schuld was dat hij het dierbaarste in zijn leven was kwijtgeraakt.

De plechtigheid was grotendeels in het Hebreeuws, Kate had geen flauw benul wat het allemaal betekende. Maar ze wist wel dat Bina de man had gekregen van wie ze hield, en dat Max een lieve, betrouwbare man was. Kate dacht niet dat zij ooit een man zou vinden naar wie ze op dezelfde manier kon kijken als Bina nu naar Max keek. Toen de huwelijksgelofte ook nog in het Engels was uitgesproken, voelde Kate zich toch nog verdrietig worden. Nu hoorde Bina ook bij de getrouwde vrouwen... Het was ironisch dat op het moment dat Kates oude wereldje met haar nieuwe versmolt, ze Bina zou kwijtraken aan het huishouden en het moederschap.

'Neemt u, Max, Bina tot uw wettige echtgenote...'

Kate hoorde de woorden, en deze keer was het niet Bina's lip die trilde, maar die van Kate. Ze dacht aan Billy, die ze voorgoed was kwijtgeraakt, en hoe hij naar haar had gekeken wanneer ze naast elkaar in bed lagen. Was er in zijn ogen net zoveel warmte geweest als in die van Max?

'Ja,' zei Max.

327

'Ja,' zei Bina voor haar beurt. Iedereen lachte, en Kate, met de tranen in haar ogen, lachte mee. Goeie ouwe Bina.

De hitte en het lawaai tijdens de receptie waren bijna onverdraaglijk. Het was ook niet goed voor Kates stemming dat de receptie werd gehouden in dezelfde feestzaal als waar Bunny haar bruiloft had gevierd, en waar dat gedoe met Billy Nolan was begonnen. Elliot en Brice deden hun best haar af te leiden, maar dat was een hele opgaaf.

Helaas konden haar twee vrienden haar niet voortdurend in de gaten houden, want Kate moest aan de hoofdtafel op de verhoging zitten. Daardoor viel ze ten prooi aan de vrouwen die wilden weten wanneer zij nu eens aan de beurt zou komen. Kate had graag willen zeggen dat ze lesbisch was, en dat ze een samenlevingscontract had met een gymlerares, maar ze wist niet zeker of er hier vlakbij een Eerste Hulppost was. Zodra de bandleider aankondigde dat er gedanst zou worden, stond Kate op omdat ze er niet meer tegen kon.

'En nu, dames en heren, de eerste dans van de heer en mevrouw Cepek. Applaus!'

Iedereen klapte, er werd 'mazzel tov!' geroepen en met vorken tegen de glazen getikt. Max stond op, legde zijn hand op Bina's rug en zwierde met haar de dansvloer op voor een wals. Kate klapte met de anderen mee, ook al stonden er tranen in haar ogen. Bina stuurde een kusje in Kates richting en vormde geluidloos de woorden: Dank je. Kate knikte.

Later kon Kate zich niet meer herinneren hoe ze de daarop volgende uren was doorgekomen. Soms verschool ze zich op de damestoiletten, dan weer liep ze met een krampachtige lach rond. Ze voelde zich net een doelwit in een schiettent op de kermis. Af en toe danste ze met Elliot of Brice, maar hun grapjes gingen langs haar heen. Ze wist nog wel dat ze kramp in haar gezicht kreeg van die lach. Uiteindelijk kreeg iedereen een stuk van de bruidstaart, en toen hoopte ze snel te kunnen ontsnappen. Eindelijk kwam

Bina naar haar toe. 'We gaan zo meteen,' zei ze. 'Zorg dat je klaar-staat om mijn boeket op te vangen, want ik wil dat jij de volgende bent die gaat trouwen.' Kate knikte.

Omdat ze het echt niet langer kon uithouden, ging ze van tafel en zonder de aandacht te trekken deed ze een deur naar het terras open.

48

Ongemerkt glipte Kate het terras op. Ze leunde tegen de deur. Ze was duizelig en hapte naar lucht. Waarschijnlijk had ze wat in de psychologie als een 'acute paniekaanval' bekendstond, maar nu was ze meer vrouw dan psycholoog. Het duurde even voordat ze tot rust kwam. Achter zich hoorde ze dat de band *If I Loved You* inzette. Kate liep door de hitte naar de andere kant van het terras, maar er was geen ontsnappen aan. Het was een oubollig nummer, en ze hield trouwens toch niet van musicalliedjes. Dat was meer iets voor Brice. Toch had het liedje ongetwijfeld iets, door de onuitgesproken angst en verlangens. Ze voelde zich erg eenzaam.

Ze zou nooit trouwen, en zelfs als dat gebeurde, dan had ze geen ouders om een feest te geven. Niet dat ze per se een grootse bruiloft wilde, en ze wilde dat boeket ook niet waarvan Bina zo graag wilde dat zij het ving. Ze zuchtte vermoeid.

Toen zag ze ineens de klimop bij de balustrade bewegen. Kate verwachtte een eekhoorn te zien. Het bewegen werd sterker, de klimop schudde wild heen en weer. Gefascineerd keek Kate ernaar, totdat er ineens een hand kwam die zich aan de balustrade vastklampte. Er volgde nog een hand, en toen verschenen Billy Nolans hoofd en schouders. Hij trok zichzelf op en sloeg zijn lange benen over de reling.

Kate kon haar ogen niet van hem afhouden. Hij ademde zwaar van de inspanning. Hij droeg een spijkerbroek, een wit hemd en instappers – duidelijk niet op een bruiloft gekleed. Uiteindelijk, nadat ze na wat een eeuwigheid leek naar hem had gestaard, hervond ze haar stem.

'Wat doe jij hier?' vroeg ze. Ze deed haar best zo gewoon mogelijk te klinken, alsof dit soort dingen haar dagelijks overkwamen.

'Zou ik jou ook kunnen vragen,' zei Billy.

Ze bloosde. 'Ik ben hier voor Bina's bruiloft.'

'Op het terras?' vroeg Billy.

Dat was haar te veel. Ze kon er niet tegen dat de man van wie ze hield en die ze had verloren, grapjes maakte.

'Ik... Ik moet terug naar binnen,' zei ze. 'Leuk je weer eens te zien.'

Ze kwam niet verder dan de deur. Ze pakte de deurknop al beet toen hij zijn hand op de hare legde. 'Nog niet,' zei hij.

Kate zag haar gezicht in de ruit weerspiegeld. Haar lip trilde. Ze zag er niet erg best uit. Binnen bevond bijna iedereen zich op de dansvloer, aan het feesten met Max en Bina. Waarom kwelde Billy haar zo?

In de ruit zag ze dat hij zich naar haar vooroverboog. Ze voelde zijn gezicht naast het hare. 'Kate,' fluisterde hij in haar oor. 'Wil je met me dansen?' Zonder zich om te draaien schudde ze haar hoofd. 'Ach toe,' zei hij, vertrouwd plagerig. 'Je weet best dat je dat wilt.'

Kate draaide zich naar hem om. Ze stonden pal tegenover elkaar, met maar een paar centimeter tussenruimte. Ze voelde zijn adem op haar gezicht. Misschien kon ze hem niet krijgen, maar ze kon in ieder geval wel dezelfde lucht inademen. Toen nam hij haar in zijn armen en bewogen ze op de maat van de muziek.

Eerst was Kate nogal stijfjes, maar na een tijdje vlijde ze zich tegen hem aan. God, wat had ze zijn geur gemist, zijn huid, zijn warmte. Haar hart zou breken, maar ze kon er niets aan doen: ze sloeg haar armen om zijn hals.

'Kate,' zei Billy terwijl hij haar een eindje van zich af hield. 'Zeg dat je me hebt gemist.'

'Gemist?' echode ze. Moest ze hem vertellen hoeveel verdriet en spijt ze had gehad sinds hij...

331

'Ik weet niet hoe het allemaal is begonnen, of wie het heeft bedacht, of dat het misschien eerst een grap was,' begon Billy. 'Maar ik heb van je aanzoek gehoord.'

Ze keek naar hem op. Hoe wist hij van Steven? Ze had het alleen aan Elliot verteld. Maar die had het natuurlijk weer doorverteld aan Bina, en zij... Nou ja, Bina had het aan iedereen verteld. 'Het was onzin,' zei ze. 'Het had niets met jou te maken.' Hij haalde zijn schouders op. 'Misschien,' zei hij. 'Je weet wat er gebeurt als Dumping Billy je dumpt.'

'Hou op,' zei Kate. 'Daarom ben ik niet met je gegaan. Het is een stomme bijnaam.'

Weer haalde hij zijn schouders op. 'Iedereen noemt me zo. En iedereen weet waarom.'

'Je denkt toch niet dat je... Dat je over een vreemd soort macht beschikt? Ik bedoel, dat door jou mensen gaan trouwen?'

Billy lachte. 'Maak je geen zorgen, zo erg is het niet met me gesteld. Ik heb al mijn vrienden en kennissen zien trouwen. En ik dacht: waar wacht ik nog op? Wat is er mis met me?' Hij keek op haar neer. 'Mijn jeugd heeft erg lang geduurd. En ik wist hoeveel mijn vader van mijn moeder hield. Ik... Ik maakte lol, ik wilde geen huisje, boompje, beestje. Snap je wat ik bedoel?'

Kate knikte.

'Maar jij bent anders. Jij had de moed om weg te gaan, om je aan je milieu te ontworstelen. Jij hebt je verbeterd.' Even zweeg hij. 'Eigenlijk zou ik het niet moeten zeggen, maar volgens mij hebben we veel gemeen. Niet dat ik zo ontwikkeld ben als jij, maar we hebben al vroeg veel moeten verliezen. Snap je wat ik bedoel?'

Weer knikte Kate, ademloos luisterend. Het leek een droom om zijn lichaam tegen het hare te voelen. Ze wilde nooit meer wakker worden.

'Het is prettig voor mensen als ze nooit iets rots hebben meegemaakt, maar ze zijn anders dan degenen die dat wel hebben gedaan,' zei hij. 'Ik ben geen psycholoog, maar ik weet wel dat mensen zoals wij, nou ja, dat we altijd bang zijn het verkeerd te doen, om de verkeerde beslissing te nemen zodat we weer terug bij af zijn. Snap je?'

Kate knikte. Ze wist heel goed wat hij bedoelde. Haar hart klopte sneller. Zou hij haar soms hebben vergeven? Maar... Ze kon niet goed denken, daar was het te warm voor, daarvoor stond hij te dichtbij.

'Ik weet niet waarom ik ambitieuzer was dan mijn vrienden. Of waarom ik naar Frankrijk ben gegaan. Ik weet niet waarom ik toen ik terugkwam niet voor een baas wilde werken. Waarom ik de bar heb overgenomen en ervoor gezorgd heb dat er een ander publiek kwam. Ik wilde alleen maar...' Hij zweeg even. 'Het lijkt wel alsof ik meer wilde dan Arnie en Johnny. Niet...' Hij haalde diep adem. 'Ik bedoel, hoe kies je een partner voor het leven, niet voor maar een paar maanden?'

Kate knikte. Steven was goed genoeg voor een paar maanden geweest, net zoals Michael... Maar een heel leven? Hoe kon je dat weten?

Billy ging verder: 'Niet dat ik een snob ben, of dat ik neerkijk op die jongens of mijn vroegere vriendinnen. We hadden lol. Wanneer ik het uitmaakte, kwetste ik hen niet. Ik mocht hen graag.'

'Ik weet dat je hen niet hebt gekwetst,' zei Kate. 'Ze zijn allemaal op je gesteld.'

'Mooi zo. En het hielp hen dingen op een rijtje te zetten.' Hij lachte. 'Ik bedoel, ze zijn allemaal getrouwd. Mijn magische invloed?'

Kate bloosde. 'In die onzin heb ik nooit geloofd...'

'Totdat het jou overkwam.'

'Het overkwam me niet. Ik ken Steven al jaren. En ik was niet echt in hem geïnteresseerd.'

'Nee?' reageerde Billy. Op dat moment zette de band binnen de hokey-pokey in.

Kate rukte zich los om naar binnen te kijken. 'Hoe doe je dat?' vroeg ze.

Met een glimlach keek hij haar aan. 'Toeval.'

Dat geloofde Kate niet. Had hij het zo getimed? Kende hij de bandleden? Hij scheen iedereen te kennen... Ze staarde hem aan.

'Hoe doe je dat, dat ze nu net dát spelen?'

Billy haalde zijn schouders op. 'Tovenarij?' Hij boog zich naar haar toe en kuste zacht haar oor. *'You put your left foot in, you put your left foot out. You put your left foot in and shake it all about,'* mompelde hij. *'You do the hokey-pokey and you turn yourself around.'*

Hij zwierde Kate van zich af, maar hij hield haar hand stevig vast. Toen trok hij haar weer naar zich toe, nog dichter dan eerst. Hij hield op met dansen en sloeg zijn armen om haar heen. Hij kuste haar, en zij stond dat toe. Ze kuste hem zelfs hartstochtelijk terug, ook al was dit misschien de laatste keer dat dat kon. Ook als hij alleen maar was gekomen om haar de les te lezen. *'This is what it's all about,* Kate,' zei hij. Ze had tranen in haar ogen. Billy kuste haar nog eens.

'Ben je niet meer boos op me?' vroeg ze.

'Nou, ik was natuurlijk wel boos op je. Razend.' Hij zweeg. 'Je weet hoe dat gaat, de waarheid doet pijn. Maar ik heb erover nagedacht, en wat ik niet wist, nou, dat vertelden Barbie en Bev me.'

'Ja?'

'Ja. Je weet wat de Fransen zeggen: *Tout comprendre c'est tout pardonner.'*

Alles begrijpen is alles vergeven... Voor de eerste keer kwam er hoop in Kate op. 'Maar we gebruikten je toen met Bina, en ik... ik... ik wilde je niet kwetsen, alleen...' Ze kon haar zin niet afmaken. Billy legde zijn vinger op haar lippen, daarna kuste hij haar weer.

Kate keek door de glazen deur naar de groep vrouwen die om Bina en Max geschaard stond. Ze wist dat Bina en Max er vroeg vandoor moesten om de last-minute vlucht naar hun wittebroodsbestemming te halen.

'Kate,' zei Billy, en ze draaide zich terug naar hem. 'Ik weet dat ik een bar in Brooklyn heb, en dat ik niet zo ontwikkeld ben als jij, maar ik moet aldoor aan je denken. Vanaf het moment dat ik je zag, was ik –' Hij werd onderbroken door rumoer beneden.

De bruiloftsgasten dromden de deuren uit. Billy en Kate keken van bovenaf toe terwijl Max zijn handen voor Bina's ogen legde. Het bruidspaar werd met confetti en bloemblaadjes bekogeld. (Mevrouw Horowitz had haar veto over rijst uitgesproken. Ze zei dat dat te gevaarlijk was omdat het in iemands oog kon komen.) De chauffeur van de limousine hield het portier open, maar de joelende gasten sneden het paar de weg af. Billy keek met een grijns naar beneden. 'O jee, het gebruikelijke gedoe.'

Kate keek naar haar vriendin. Bina lachte en probeerde de auto te bereiken. 'Je moet het boeket nog gooien! Vergeet het boeket niet!' schreeuwde Barbie.

Bina keek verwilderd om zich heen. 'Waar is Katie? Waar is Katie toch?' riep ze terug. 'Zíj moet het vangen.'

Goeie ouwe Bina, dacht Kate. Ze wist dat ze Bina eigenlijk beneden moest uitzwaaien, maar ze kon daar nooit op tijd zijn – en bovendien kon ze het niet opbrengen Billy alleen te laten.

'Kom, Bina,' hoorde ze Max zeggen. 'We missen het vliegtuig nog.'

Ondertussen liep het beneden een beetje uit de hand. Arnie en Johnny versierden de limousine met scheerschuim en serpentine. Mevrouw Horowitz gaf een tas aan de chauffeur waar waarschijnlijk *kugel* in zat, en dr. Horowitz probeerde de spuitbussen in beslag te nemen.

'Gooi het boeket! Het boeket!' gilde Bev.

'Katie!' schreeuwde Bina.

En toen pakte Max het boeket. Met al zijn kracht gooide hij het boeket hoog in de blauwe, blauwe lucht. Iedereen volgde het met zijn of haar blik.

Bina's bruidsboeket tolde hoog door de lucht in de richting van het terras. Kate deed net op tijd een stap naar achteren, zodat de mensen beneden haar niet konden zien. Tot haar verrassing plofte het boeket aan haar voeten neer. Verbaasd keken Billy en zij ernaar. Ze stond verlamd van verlegenheid en... angst. Haar verlangen was bijna ondraaglijk. Toen verbrak Billy het moment en bukte zich om de bloemen op te rapen. Daarna bood hij haar het boeket aan. Als in een droom nam ze het van hem aan. Ze staarde van het boeket in haar hand naar Billy en weer terug. Ze hoopte dat het geen toeval was, dat het iets blijvends betekende. Ze bloosde diep, maar toch dwong ze zichzelf Billy aan te kijken, ook al verraadde ze zichzelf daarmee.

'Hoe deed je dat?' vroeg Billy. 'Tovenarij?'

Kate knikte, omdat het dat inderdaad was.

'Kate, wil je met me trouwen?' vroeg Billy.

Natuurlijk wilde ze dat.